KB035696

북한 핵 문제

IAEA 핵안전조치 협정 체결 2

• 외교문서 비밀해제 – 북한핵문제 6 •

북한 핵 문제

IAEA 핵안전조치 협정 체결 2

한국학술정보

| 머리말

1985년 북한은 소련의 요구로 핵확산금지조약(NPT)에 가입한다. 그러나 그로부터 4년 뒤, 60년대 소련이 영변에 조성한 북한의 비밀 핵 연구단지 사진이 공개된다. 냉전이 종속되어 가던 당시 북한은 이로 인한 여러 국제사회의 경고 및 외교 압력을 받았으며, 1990년 국제원자력기구(IAEA)는 북핵 문제에 대해 강력한 사찰을 추진한다. 북한은 영변 핵시설의 사찰 조건으로 남한 내 미군기지 사찰을 요구하는 등 여러 이유를 댔으나 결국 3차에 걸친 남북 핵협상과 남북핵통제공동위원회 합의 등을 통해 이를 수용하였고, 결국 1992년 안전조치협정에도 서명하겠다고 발표한다. 그러나 그로부터 1년 뒤 북한은 한미 합동훈련의 재개에 반대하며 IAEA의 특별사찰을 거부하고 NPT를 탈퇴한다. 이에 UN 안보리는 대북 제재를 실행하면서 1994년 제네바 합의 전까지 남북 관계는 극도로 경직되게 된다.

본 총서는 외교부에서 작성하여 최근 공개한 1991~1992년 북한 핵 문제 관련 자료를 담고 있다. 북한의 핵안전조치협정의 체결 과정과 북한 핵시설 사찰 과정, 그와 관련된 미국의 동향과 일본, 러시아, 중국 등 우방국 협조와 관련한 자료까지 총 14권으로 구성되었다. 전체 분량은 약 7천여 쪽에 이른다.

2024년 3월

한국학술정보(주)

일러두기

· 본 총서에 실린 자료는 2022년 4월과 2023년 4월에 각각 공개한 외교문서 4,827권, 76만여 쪽 가운데 일부를 발췌한 것이다.

· 각 권의 제목과 순서는 공개된 원본을 최대한 반영하였으나, 주제에 따라 일부는 적절히 변경하였다.

· 원본 자료는 A4 판형에 맞게 축소하거나 원본 비율을 유지한 채 A4 페이지 안에 삽입하였다. 또한 현재 시점에선 공개되지 않아 '공란'이란 표기만 있는 페이지 역시 그대로 실었다.

· 외교부가 공개한 문서 각 권의 첫 페이지에는 '정리 보존 문서 목록'이란 이름으로 기록물 종류, 일자, 명칭, 간단한 내용 등의 정보가 수록되어 있으며, 이를 기준으로 0001번부터 번호가 매겨져 있다. 이는 삭제하지 않고 총서에 그대로 수록하였다.

· 보고서 내용에 관한 더 자세한 정보가 필요하다면, 외교부가 온라인상에 제공하는 『대한민국 외교사료요약집』 1991년과 1992년 자료를 참조할 수 있다.

| 차례

정 리 보 존 문 서 목 록					
기록물종류	일반공문서철	등록번호	2020010079	등록일자	2020-01-14
분류번호	726.62	국가코드		보존기간	영구
명 칭	북한.IAEA(국제원자력기구) 간의 핵안전조치협정 체결, 1991-92. 전15권				
생 산 과	국제기구과/국제연합1과	생산년도	1991~1992	담당그룹	
권 차 명	V.3 1991.6월				
내용목차	* 6.7 북한. IAEA 제시 협정 동의 결정 통보 * 1991.6.10-14 IAEA 6월 이사회(Vienna) 북한측, 7월 협정안 협의 및 9월 이사회 상정 의사 표명				

0001

공　　란

공 란

공　　　란

공 란

기 6/4 가 신년 ...

외 무 부

암호수신

종 별 :

번 호 : JAW-3407 일 시 : 91 0601 1816

수 신 : 장관(아일,정이)

발 신 : 주 일 대사(일정)

제 목 : 북한 외무차관 회견

연:JAW(F)-1966

금 6.1. 자 당지 공동통신에 보도된 연호 전인철 차관의 공동통신과의 회견시 언급내용을 하기 보고함.

1. 이은혜 문제

0 일측이 제 3 차 회담에서 정체도 모르는 일본여자를 내세워 회담을 중단상태에 몰아넣었음.

0 북측이 문제의 여자에 대한 수사를 진행시키는 것은 전적으로 불가능함.

그것은 정보부족에 의한 신뢰감의 결여라는 문제가 아니라, 북한을 범죄자 취급하는 것으로서 회담의 파괴를 노린것이라고 말할수 있음.

0 제 3 차 회담에서 이은혜 문제가 제기되지 않았더라면 깊이있는 협의가 가능했을 것이며, 동 문제의 수습을 위해서는 일측이 먼저 동 문제를 철회해야 함.

0 차기회담의 개최여부는 일측의 태도에 달려있으며, 북측으로서는 회담이 1년간 왜지 않더라도 도리가 없음.

2. 핵사찰 문제

0 동 문제는 일.북교섭에서 논의할 문제가 아니며, 북한과 IAEA 및 미국간의 교섭사항임. 일측과는 더이상 동 문제를 논의할 필요가 없음.

0 IAEA 와의 보장조치 협정을 체결코자 하는것이 북측의 입장이므로 이미 IAEA 와 기본적 문제에 합의를 보고 있음.

0 북측의 핵사찰 수용을 위해서는 한국에 배치된 미국 핵무기의 동시사찰이필요함.

0 그러나 결과적으로 한반도의 비핵화가 실현되어야만 할 것이며, 주한 미군의 핵철수의 약속이 있다면 우선 북측의 핵사찰을 받아들여도 좋음.

0 핵사찰 문제와 관련, 최근 미국의 "아시아협회"회장 일행이 방북하는등 여러

아주국 장관 차관 1차보 2차보 외정실 청와대 안기부 국기국

PAGE 1 91.06.01 19:33

외신 2과 통제관 CA

0006

경로를 통한 접촉이 있음. 끝.

(대사 오재희-국장)

관리 번호 91-3729

원 본

외 무 부

종 별 :

번 호 : DJW-1017 일 시 : 91 0601 1220

수 신 : 장관(국연,국기,아동,정이,기정)

발 신 : 주 인니 대사

제 목 : 유엔가입 및 북한의 핵안전 협정

대:WDJ-0558,0557

당관 신공사는 6.1. HADI WAYARABI 외무성 국제기구국장을 방문, 아국의 유엔가입문제 및 북한의 핵안전 협정 체결문제에 대해 의견을 교환하였는바, 주요내용은 아래와 같음.

1. 유엔가입 문제

0 신공사는 유엔가입 관련 주재국의 지원과 협조가 북한의 태도변화에 크게기여하였음에 사의를 표명하고, 남북한 유엔가입은 한반도 긴장완화 및 남북대화에도 기여할 것이라고 말하였음.

0 HADI 국장은 5.30. 북한대사가 자신을 방문, 북한의 단일의석 가입정책은불변이며, 유엔가입후 동 문제와 관련 남북한 회의를 제의할 예정이라고 하였다 함.

2. 북한의 행안전협정 체결문제

0 HADI 국장은 북한대사에게 북한이 핵무기 개발을 않겠다고 하면서 핵안전협정 체결을 지연시키는 이유를 문의한바, 북한대사는 북한이 핵개발 의사는 없으나, 미구 철수를 위한 협상카드로 동 문제를 이용하기 때문에 양보할수 없다고말하였다 함.

0 IAEA 이사국인 일본의 NAKAHIRA 대사가 5.31. 자신을 방문, 일본이 호주와 함께 IAEA 이사회에서 북한의 핵안전협정 체결을 촉구하는 결의안을 제출할 예정임을 밝히고, 주재국의 지지를 요청하였는바, HADI 국장은 동 결의안 제출은북한에 대한 유효한 압력수단이므로 강력히 지지하나 공동 제안국이 되는 문제는 어렵다고 말하였다 함.

0 HADI 국장은 동 이유로써 북한은 주재국을 신임하고 있으므로 공동 제안국으로서 보다는 다른 방법으로 북한을 설득하는 것이 효과적이며, 6.2-4 간 당지 개최

국기국	장관	차관	1차보	2차보	아주국	미주국	국기국	문협국
청와대	안기부							

PAGE 1 91.06.01 15:26

외신 2과 통제관 CH

0008

카보디아 국제회의후 북한대사를 불러 핵안전협정 체결을 촉구하는 국제사회의 분위기를 설명하고, 재차 협정의 조속한 체결을 권고할 예정이라고 밝혔음. 끝.

(대사 김재춘-국장)

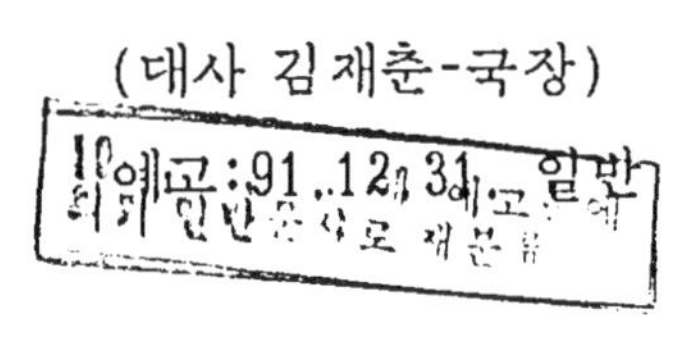

검토필(1991. 6. 30.)

PAGE 2

0009

6/4 개
기

관리번호	91-487

외 무 부

종 별 :

번 호 : DJW-1019 일 시 : 91 0602 1500

수 신 : 장관(아동,아일,국기,정이,기정,통일원) 사본:주일대사(본부중계필)

발 신 : 주 인니 대사

제 목 : 나까히라 일 외무성 대사 면담(자료응신 제52호)

1. 일.북한 국교정상화 회담 일측 수석대표인 나까히라 본부대사는 동 회담추진과 직접 관련이 있는 북한의 핵안전협정 수락을 위한 캠페인의 일환으로 동남아 5 개국을 순방중 5.30-31 간 당지를 방문하여 주재국 외무성과 접촉을 가졌으며, 본직과도 비공식 오찬을 하였는바, 동 대사의 중요 언급요지 다음 보고함.

가. 일본 정부는 아세안 각국의 대북한 영향력을 중시,6 월 IAEA 이사회에서 일본, 미국, 호주등의 주동으로 제출 예정인 결의안 지지 및 대북한 압력등 아세안 각국의 협력을 확보키 위해 브루나이를 제외한 아세안 5 개국에 자신을 파견, 방문국 외교수뇌부들과 접촉토록 함.

나. 주재국에서는 외상 및 정무차관보의 부재로 국제기구국장을 만났으며(DJW-1017 로 기보고), 필리핀에서는 MANGLAPUS 외상을 면담, 동국이 지난 2 월 이사회에서 지지발언을 약속하였음에도 불구하고 약속 이행을 하지 않은데 대해 강한 불쾌감을 표시한바, 동 외상은 이번에는 자신이 직접 전화로 오지리 주재 대사에게 훈령하겠다고 약속했다 함.

또한 여타 아세안국들로 부터도 호의적 반응이 있었다고 첨언함.

다. 일본은 북한이 IAEA 와 재교섭 조짐을 보이고 있는데 대해 이는 하나의전술일 가능성이 크므로 상당한 경계심을 가지고 조심스럽게 진전상황을 주시하고 있다고 말함.

2. 나까히라 대사는 일.북한간 북경회담 내용과 교섭전망에 대해

가. 일측은 김현희 의 교육을 담당한 이은혜 의 납치문제를 반드시 한번 짚고 넘어가야할 문제로 보고 이를 북측에 제기하였던바, 북측 수석대표 전인철 은곧 회의를 보이코트하고 퇴장할 듯한 기세로 역정을 냈으나 북측대표중에는 슬며시 웃음을 띄고 있는 사람도 있었던 것으로 보아 동 내용을 알고 있는 것으로 보였으며

아주국 장관 차관 1차보 2차보 아주국 국기국 외정실 청와대
안기부 통일원

PAGE 1

91.06.03 10:10
외신 2과 통제관 FI
0010

전인철 의 행동은 자신의 입장과 국내사정을 의식한 제스츄어로 생각되었다고 부언함.

나. 동 대사는 일.북 회담 재개시기에 대해 현재로서는 전망키 어려우며 북한이 이은혜 문제에 대해 일본측의 사과를 요청해 놓은 상태이나 일측으로서는 사과의사가 전혀 없으므로 다소 공백기간이 계속될 것으로 본다고 말하고 그러나적절한 이유를 찾게 되면 북측이 먼저 태도변화를 보이게될 것으로 전망함.

다. 북경회의시 북한이 북한의 주권이 미치는 영토관할 문제에 대해 보다 현실적인 인식을 갖고 접근해온것은 하나의 큰 진전이라할수 있으나 앞으로 협정체결시 관할권의 구체적 표시에 있어 38 도선과 같이 고정선을 표시하는 것이 아니고 현 휴전선을 중심으로 할때 기술적인 어려움이 수반되지 않을까 본다고 말함.

라. 북측 수석대표인 전인철 이 동경회의에 참석하였을 때, TV 를 통해 동인을 본 일본인 의사 한사람이 마에다 전 주한대사에게 전화를 걸어 전인철 과 자신은 경성제대 의학부 동기동창이라고 말한바 있으나, 동인의 입장등을 고려해이에 대한 확인은 하지 않았다 하면서, 비공식 오찬등에서 전이 사용하는 일어는 다소 구식이기는 하나 정확한 표현을 하더라고 하였음.

마. 한편 동대사는 앞으로도 일.북 회담은 많은 난제들이 있을 것으로 보나서두르지 않고 하나하나 신중히 다룰 방침이라고 하면서, 특히 동 회담이 기존한. 일관계에 영향을 주지 않도록 한국측과 충분한 사전협의를 거쳐 추진할 생각이라고 강조하였음. 끝.

(대사 김재춘-차관)

예고:91.12.31. 일반

검 토 필(1991. 6. 30) ㊞

일반문서로 재분류 (1991 .12. 31.

PAGE 2

0011

관리 번호	91-483

	분류번호	보존기간

발 신 전 보

번 호 : WAV-0534 외 별지참조 종별 :

수 신 : 주 수신처참조 대사. 총영사

발 신 : 장 관 (국기)

제 목 : IAEA 6월 이사회 대책

1. 오는 6.10-14간 비엔나에서 개최되는 IAEA의 6월 이사회에서 북한의 핵안전협정체결 문제가 재심의될 예정임

2. 호주, 일본, 카나다와 미국등 4개국은 보다 효과적인 대북한 협정 체결 압력의 일환으로 상기 이사회에서 북한의 협정체결을 촉구하는 결의안 채택을 추진중에 있음. 이와 관련 동 4개국이 하기 IAEA 이사국을 상대로 5월 중순부터 시작한 동 결의안 채택 추진 교섭에 대하여 호주측이 아측에 알려온 상황은 다음과 같음

가. 지지 : 영국, 인니, 필리핀, 태국

나. 반대 : 소련

다. 무반응 : 중국

3. 결의안 채택을 주도하고 있는 호주측은 다수 이사국이 컨센서스로 결의안 채택을 동조하는 분위기가 될경우 소련도 반대할 수 없으며 중국, 인도, 쿠바도 마찬가지로 이의를 제기할 수 없을것이라는 판단하에 제2단계 교섭 전략으로 결의안 공동추진국인 일본, 카나다, 미국과 함께 또는 각개로 귀주재국의 지지 요청 교섭을 전개할 예정임

/계속...

보안 통제	

앙 고 재	91년 6월 3일	국기과	기안자 성명	과 장	국 장	차 관	장 관
			김희택		전결		

외신과통제

0012

4. 상기를 참고하여 귀관은 핵확산 금지에 의한 세계평화라는 명제하에 주재국이 금번 6월 이사회에서 북한의 핵안전협정체결을 촉구하는 결의안 채택을 지지하도록 적극교섭하고 결과 보고바람. 끝.

(국제기구조약국장 문동석)

예 고 : 91.12.31 일반

수신처 : 주 오지리, 알젠틴, 벨지움, 브라질, 카메룬, 칠레, 체코, 프랑스, 독일, 이란, 이태리, 모로코, 나이제리아, 폴랜드, 폴투칼, 사우디아라비아, 스웨덴, 튜니지아, 우루과이, 베네주엘라 대사, 주 카이로 총영사.

검토필(1991. 6.30.) ㊞

일반문서로재분류(1991.12.31.)

0013

관리 번호	91-484

분류번호	보존기간

발 신 전 보

번 호 : WAV-0536 외 별지참조 / 종별 지급

수 신 : 주 수신처참조 대사. ~~총영사~~

발 신 : 장 관 (국기)

제 목 : IAEA 6월 이사회 대책

연 : 수신처별 참조

연호 주재국을 상대로 한 교섭관련 귀지주재 호주 또는 일본 대사관을 접촉하여 주재국에 대한 동 대사관측의 결의안 제출 관련 교섭 ~~(representation)~~ 이 있었는지 여부를 먼저 확인하고 동 교섭이 있은 연후에 아측 교섭을 시행하기 바람. 끝.

(국제기구조약국장 문동석)

예 고 : 91.12.31 일반

검 토 필(1991.6.30.)

수신처 : 주 오지리(WAV-0534), 알젠틴(WAR-0248), 벨지움(WBB-0274), 브라질(WBR-0237), 카메룬(WCM-0159), 칠레(WCS-0172), 체코(WCZ-0439), 프랑스(WFR-1162), 독일(WGE-0845), 이란(WIR-0455), 이태리(WIT-0613), 모로코(WMO-0179),나이제리아(WNJ-0225),폴랜드(WPD-0520),폴투칼(WPO-0218), 사우디아라비아(WSB-0802), 스웨덴(WSD-0286), 튜니지아(WTN-0157), 우루과이(WUR-0080),베네주엘라(WVZ-0179)대사, 주카이로(WCA-0427)총영사.

일반문서로 재분류(1991.12.31.)

보안 통제	

앙 고 재	91년 6월 3일	국기과	기안자 성명		과 장		국 장		차 관	장 관

외신과통제

0014

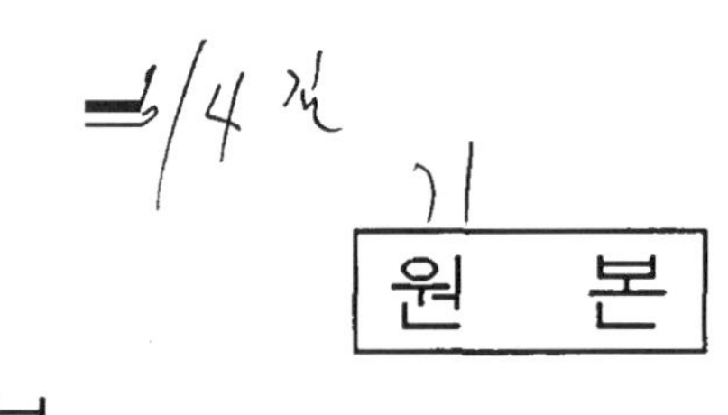

관리번호	91-486

원 본

외 무 부

종 별 :

번 호 : AVW-0648 일 시 : 91 0603 1500

수 신 : 장 관(국기,미안,구이,기정)

발 신 : 주 오스트리아 대사

제 목 : 북한에 대한 회신

연:AVW-0624

IAEA 사무국에 의하면, BLIX 사무총장은 연호 1 항에 언급된 북한대사의 교섭재개 의사 표시 서한에 대하여 동교섭이 금주중 또는 6.24 부터 시작되는 주에 재개될수 있다는 취지로 91.5.31 자의 회신을 발송하였다고 함(6.10 시작되는 금번 이사회 이전에 재개될 가능성이 무망한것은 거의 확실함). 끝.

예 고:91.12.31 일반.

검 토 필(1991. 6 30)

일반문서로 재분류(1991.12.31.)

국기국 차관 1차보 2차보 미주국 구주국 분석관 안기부

PAGE 1

91.06.04 06:23

외신 2과 통제관 DO

0015

관리 번호	91-491

	분류번호	보존기간

발 신 전 보

번 호 : WAV-0541 910604 1846 DN 종별 :

수 신 : 주 수신처참조 대사. 총영사

WAU -0395 WSV -1718
WGV -0729 WUK -1064
WCN -0612

발 신 : 장 관 (국기)

제 목 : 북한 핵 관련 미국입장

연 : 수신처참조

연호 보도 관련, Richardson 미 국무부 한국과장의 언급내용을 아래 통보하니 참고바람.

1. "북한이 핵시설을 공개하겠다는 의사를 표시했다"는 WP사설의 내용은 사실과 정확히 부합되지 않으며, 북한의 신뢰성을 시험하기 위해 주한 미군 보유 핵무기를 일부 철수 시키라는 NYT의 주장은 현실적으로 고려될 수 없는 것임
2. 북한이 핵개발을 포기하고 미국이 그간 요구해온 제반 전제조건을 수락 한다면 미-북한 관계도 진전이 있을 것이지만 북한이 그러한 조치를 취할 구체적 징후가 없다고 보고 있으며, 북한의 유엔가입이 미국의 대북한 관계 개선의 전제조건이 아니므로 북한이 유엔에 가입한다고 해도 당장에 북한에 대한 미측의 조치가 있을것으로는 생각치 않음. 끝.

검 토 필(1991. 6. 30.)

예 고 : 91.12.31 일반

(국제기구조약국장 문동석)

일반문서로 재분류(1991.12.31.

수신처 : 주오지리(WAV-0540), 호주(WAU-0394), 쏘련(WSV-1717), 제네바(WGV-0727), 영국(WUK-1063), 카나다(WCN-0609) 대사

보안 통제	

앙 고 재	91년 6월 4일	국기과	기안자 성명		과 장		국 장		차 관	장 관
			김희택				전결			

외신과통제

0016

6/7 긴 기

관리번호	91-502

원 본

외 무 부

종 별 :

번 호 : JAW-3481 일 시 : 91 0605 2116

수 신 : 장관(국기,아일,정보(사본:주오지리대사-중계필)

발 신 : 주 일대사(일정)

제 목 : 일정부의 특별핵사찰 제의

대:WJA-2550, 2476

연:JAW-3258, 3028

1. 금 6.5. 오전 당관 박승무 정무과장은 외무성 사다오까 원자력 과장을 방문, IAEA 6 월 이사회시 일정부가 특별 핵사찰을 제의키로 했다는 보도와 관련, 동 사실여부를 문의하였는바, 이에 대한 일측 설명은 다음과 같음.

0 작년 8 월 제네바에서 개최된 제 4 차 NPT 재검토 회의시 IAEA 핵안전보장 협정의 강화방안이 제안되었고, 그후 금년 2 월 IAEA 이사회시 브릭스 사무총국장은 동 보장협정의 강화방안(특히 특별사찰)에 대해 검토중이며 동 결과를 6 월 이사회시 설명하겠다고 언급한바 있음.

0 상기와 관련 일정부도 지난 3.20. 관방장관이 발표한 폐만 공헌책의 한 항목으로 IAEA 의 보장조치 제도강화를 제창하고 특별사찰을 위한 구체적인 검토를 약속한바 있음.

0 일정부의 특별사찰에 대한 입장은 어느나라가 핵안전 협정을 체결했음에도 불구하고(이라크와 같이)일정한 핵관련 시설을 신고하지 않을수도 있을 것이므로, 동 특별사찰제도를 강화해야 된다는 것임. 북한의 경우 동 협정에 서명하더라도 모든 시설을 다 신고할지 극히 의문시되므로 미신고시설에 대해서는 IAEA의 특별사찰이 실시될수 있는 방안강구가 필요하다고 봄.

0 그러나 일정부로서는 지금까지 협정상 규정된 특별사찰이 발동된 적이 없다는 점을 감안, 일정 상황에서는 일정한 방침으로 특별사찰을 실시할수 있다는 방안을 제안할 것을 검토중에 있는 것은 사실이나, 어떤 방안을 제안할 것인지 아직 구체적인 내용을 결정하지 못했으며, 따라서 6 월 이사회시 제안 가능한지 확실치 않음.

2.(일측이 검토중인 제안내용을 예시적으로 문의한데 대해) 동 과장은

국기국 장관 차관 1차보 2차보 아주국 외연원 외정실 분석관
청와대 안기부

91.06.05 22:24
외신 2과 통제관 CE

0017

IAEA이사회시 일정국가에 대한 통상사찰실시 결과 의심이 갈 경우 이를 이사회에서제기하고, 그럼에도 불구 해당국이 사찰에 동의하지 않으면 유엔안보리가 결의안을 제출하는 방안등도 검토해 볼수 있을 것으로 본다고 말하고, 일측으로서는 금번 이사회시 이와 같이 구체적인 제안을 하지 않게 되더라도 특별사찰의 중요성을 강조하게 될것이라고 밝힘.

3.(북한의 핵안전협정교섭을 위한 IAEA 사무국과의 교섭 재개저의와 관련, 일측의견을 문의한데 대해) 동 과장은 북측이 금번 제기한 교섭요청 부분은 핵안전협정 제 26 조 협정유효에 관한 규정으로, 북측은 동 조항에 "한반도에서 핵의위협이 제거되지 않는한 본조항은 북한에 대해 효력을 갖지 않는다"는 내용의 문언을 추가하는 문제에 관해 IAEA 사무국과 교섭하고 싶다는 문서를 제출한 것으로 안다고 말하고, 여사한 북측의 제안은 그들의 한국내 핵병기 철거 주장을 반복하는 것으로 IAEA 로서는 받아들일수 없는 것으로 본다고 말함. 또한 동과장은 북측의 이러한 주장은 시간벌기 작전이거나 또는 금번 이사회시 북에 대한 압력을 완화시키려는 TACTIC 으로 UNACCEPTABLE 한 발상이라고 언급함. 또한 동과장은 IAEA 사무국은 금주말 또는 6.24. 부터 시작하는 주에 북측과 교섭을 하게될 것으로 알고 있다함. 끝.

(대사 오재희-국장)

예고:91.12.31. 일반

검 토 필(1991. 6. 30.) [서명]

일반문서로 재분류(1991 .12. 31.

. PAGE 2

0018

관리번호	P1-511

외 무 부

종 별 : 지 급

번 호 : USW-2791 일 시 : 91 0605 1841

수 신 : 장관(미일,미이,국기,정특)

발 신 : 주 미 대사

제 목 : 북한 핵문제

연:USW-2707(1),2766(2)

1. 당관 김영목 서기관은 금 6.5 GARY SAMORE 비확산담당 케네디 대사 보좌관을 접촉, 북한 핵문제와 관련한 제반 미측의 검토 방향을 탐문하였음.

2. 동담당관은 연호 (1)일측 보도는 사실무근임을 재확인하면서, 미측은 이호진 과장의 방미 협의때 미측이 판단하고 있는 정보의 개요를 소개하였으며, 그이상의 정보를 일측에 준바 없다고 부언함. 다만, 동담당관은 일부 일측 관계자 또는 언론이 건물공사 (외곽 공사)가 끝났다는 관찰을 완전히 시설공사가 종료되었다는 것으로 오해하였을줄 모른다는 추측을 보임.(현재 외부 건물공사가 끝났으나, 내부적 실제 설비 가동은 어떠한 상황인지 판단이 어려우며, 동내부 시설가동에는 상당한 시일이 걸릴것으로 평가됨.)

3. 동 담당관은 미측의 아측에 대한 브리핑에는 다소 시일이 걸릴것으로 생각된다고하고, 동브리핑 이전이라도 3 자 실무협의를 갖도록 추진하는것이 보다 현실적으로 생각된다는 관찰을 보임.

4. 동담당관은 핵사찰 수용과 관련한 북한의 새로운 태도 표명여부가 주목된다고 하고, 북한이 만일 IAEA 안전 협정 서명을 하게 된다면, 충분치는 않으나일단 또하나의 긍정적인 조치로 평가될수 있으며, 재처리를 포기토록 하게하는방법에 대해서는 계속 한미간에 검토가 있어야할것(미측도 완전한 내부합의를 이루지 못했음을 시사)이라는 견해를 표시함. 동 담당관은 특히 북한에 대한 재처리 포기 관철을 위해서는 북한이 요구하고 있는 제반 정치.군사적 문제가 북한의 비확산의무준수와는 완전히 별개로 다루어져야하나, 한미간에 할수 있는 조치는 어디까지나 한국측의 주도와 제안에 의해 이루어지는것이 바람직하다는 것이 미행정부의 일반적 의견인것으로 안다고 부언함.

미주국 장관 차관 1차보 2차보 미주국 국기국 외정실 분석관
청와대 안기부

PAGE 1

91.06.06 09:15
외신 2과 통제관 CE

0019

5. 현재 추진중인 IAEA 이사회 결의안과 관련, 미측으로서도 가급적 결의안채택을 위해 노력했으나, 중.소가 이에 반대하고 있는 상황에서, 북한에 대한 압력을 극대화하는것에 만족해야 한다는 현실적 판단에서 무리하게 추진하지 않아도 된다고 생각한다고 말함. 이와관련 케네디 대사가 지난 5.31. 주미 소련 대사관측에 대해 소측 입장을 최종 타진한바, 소측은 북한에 대해 지나친 압력이 가해질경우 NPT 자체를 탈퇴할지 모르므로, 북한지침 결의안 채택에는 반대한다는 입장을 표시하였다고함.

6. 한편 케네디 대사는 금번 IAEA 이사회 참석차 비엔나 방문후, 파리로 가서 중동 무기 통제 및 비확산 이니시어티브와 관련 불란서측과 협의 예정이라고 하고, 부쉬 대통령의 비확산 제안에 대해 이스라엘과 아랍 각국의 입장 조정이 여의치 않은 상황이라고 설명함.

(대사 현홍주-국장)

예고:91.12.31 일반

외 무 부

종 별 :

번 호 : AVW-0665 일 시 : 91 0605 2200

수 신 : 장 관(국기,미안)

발 신 : 주 오스트리아 대사

제 목 : 북한의 핵안전 협정 교섭 재개시기

연:AVW-0624, AVW-0648

1. IAEA 사무국 첩보에 의하면, 북한은 금년 7 월중에 교섭을 재개하자는 서한을 금명간 사무총장에게 발송할 것이라고함(WILMSHURST 국장이 윤호진으로부터 금일 들었다고함)

2. 북한은 6.24 부터 시작하는 주에 교섭을 재개하기 위해 교섭단을 파견할 예정이며, 금년 9 월 이사회에 협정안을 상정시킬것이라는 소문을 금일 오전 현재 유포시켜왔음. 끝.

예 고:91.12.31 일반.

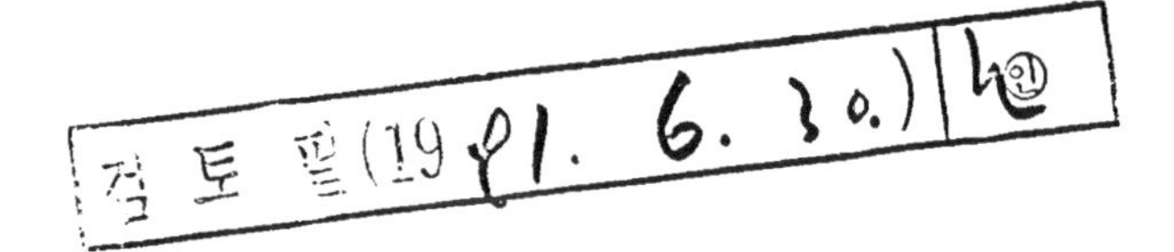

일반문서로 재분류(1991.12.31.

국기국 미주국 외정실

PAGE 1

91.06.06 12:14

외신 2과 통제관 DO

0021

공 란

공 란

공 란

공 란

관리 번호 91-525

6/7 검 기
시보 관장

원 본

외 무 부

종 별 :

번 호 : AVW-0676 일 시 : 91 0606 1800

수 신 : 장 관(국기,미안,구이,기정) 사본:주소,미국,일본,호주,카나다,불란서, 영국대사.

발 신 : 주 오스트리아 대사

제 목 : 북한의 핵안전 협정문제(소련대사 면담)

연:AVW-0665

1. 본직은 금 6.6(목) TIMERBAEV 소련대사와 오찬면담을 가졌는데, 그는 참(105)추진(840)의 윤호진 참사관과 금일 아래와같은 대화를 나누었다고 함(이하소련대사의 언급 요지)

2. 윤호진은 아측이 추진하고있는 결의안에 대한 이사국들의 지지를 막기 위하여(TO DISSUADE) 현재 노력하고 있다고 말하면서 그 논거를 아래와 같이 제시하였음.

가)IAEA 이사회가 북한의 협정 체결문제를 취급할 권능이 없음.(NPT 평가회의가 다루어야 한다고 주장함)

나)많은 NPT 당사국들이 아직 핵안전 협정을 체결 않고있음.

다)미국은 정보 소식통이라는 수단으로 북한의 핵무기 개발을 허위 선전하고 있음.

3. 또한 윤호진은 명 6.7(금) 북한으로 부터 순회대사가 비에나를 방문하여IAEA 사무총장과 면담할 예정이며, 7.10-15 기간중 비에나에서 교섭을 재개하여 북한이 아무조건없이 핵안전에 서명할 것이라고 말하였음.

4. 상기 2 항과 3 항에 대하여, TIMERBAEV 소련대사는 아래와같이 윤호진에게 말하였다고 함.

가.NPT 에 따라 핵안전 협정을 체결할 의무가 있는 나라가 자신의 의무는 지키지 않고 이사회가 권능이 있다 없다하고 시비를 거는 것은 온당하지 않으며,법적으로 말해 상대방의 의무 위반이 자신의 의무위반을 정당화 하수없다는 법의 원칙면에서도 북한의 주장은 옳지못함.

나. 많은 NPT 당사국들이 아직 안전협정에 서명하지 않고 있는것은 사실이나, 그 어느나라도 북한과 같이 적극적으로 핵개발을 하고 있는것으로 알려져 있지않고, 또한

국기국 장관 차관 1차보 2차보 미주국 구주국 외정실 정와대
안기부

PAGE 1 91.06.07 07:28
외신 2과 통제관 FI

0026

금번 이사회에서 그런 이사국들로부터 북한이 지지와 동정을 기대할수 없는 것이 현실임.

다. 만약 미국이 북한의 핵개발을 허위선전하고 있다면, 북한이 IAEA 사무총장이나 이사국 대표들을 북한으로 초청하여 그 결백성을 입증하면 될것이며, 당장 내일이라도 핵안전 협정 서명의사를 밝힌다면 금차 이사회가 동협정의 승인을 위한 특별 이사회를 7 월중에 개최하도록 결정할수 있을 것임.

5. 소련대사는 상기에 관련하여 한동안 북한이 이러한 신경전을 계속하면서(WILL CONTINUE TO DO KIND OF PSYCHOLOGY EXERCISE) 협정 체결과 이행을 지연시킬것으로 내다 보았음.

6. 한편, 소련대사는 결의안의 채택 가능성을 회의적으로 내다 보면서 그 이유로는 미국이 결의안을 원하지 않고, 인동등 일부 국가와 사무총장등도 결의안에 소극적인 입장을 견지하고 있다고 말하였음.

7. 이에대하여 본직은 연호 제 2 항에 언급된 16 개국을 포함하여 20 개국 이상의 이사국들이 결의안을 이미 지지하고 있다고 말하면서, 부표에 붙이더라도압도적인 다수표로 통과될것이므로 소련이 결의안을 소극적으로 취급하는 경우에는 본직과의 91.5.16 오찬(AVW-0565 제 5 항 참조)시 서로 이야기 한대로 PUBLICITY 의 측면에서 소련으로서는 지극히 현명하지 못한 대응이 될것이라고 말하였음.

8. 상기 7 항에 관련하여, 소련대사는 연호 16 개국과 오스트리아(금일 지지 확보함)및 지지가 예상되는 국가(포루갈, 스웨덴, 에짚트, 알젠틴, 모로코)를일일이 메모로 기록하면서 이사국 3 분의 2 의 찬성을 확보할수 있겠는가에 관심을 표시하였음.

9. 본직은 이사국 3 분의 2 이상 지지에 자신을 표시하면서 실제로 불참국등을 상정한다면 출석하여 부표하는 회원국의 압도적 지지를 얻을수 있을 것으로전망하면서, 이래도 결의안 채택을 포기할수 있겠는가 하고 반문하였음.

10. 불란서의 NPT 가입으로 NPT 체제가 강화되는 MOMENTUM 을 이용하여 미국이 적극적으로 결의안에 가담하는것을 확보하는 동시에(AVW-0667 제 4 항 참조) 소련에 대한 적극 지지교섭을 강화 할것을 건의함. 끝.

예 고:91.12.31 일반.

일반문서로 재분류 (1991 .12.31. 검 토 필(1991. 6. 30.)

PAGE 2

0027

≠/7 긴 기

관리 번호	91-520

원 본

외 무 부

종 별 :

번 호 : AVW-0677 일 시 : 91 0606 1800

수 신 : 장 관(국기,미안,구이,기정)

발 신 : 주 오스트리아 대사

제 목 : 북한의 핵안전 결의안(북한동정)

연:AVW-0676 및 0666

1. 금 6.6(목) 오후 IAEA 사무국 WILMSHURST 국장으로부터 들은 바에 의하면, 명 6.7(금) 오후 BLIX 사무총장과 북한대사간의 면담이 주선되어 있으며, 동면담에 평양으로부터 온 한사람이 대사와 동석하기로 되어있다함.

2. 상기 면담에 동석하는 자는 연호(0676) 3 항에 언급된 순회대사인 것으로 보이며, 상기 1 항은 연호(0666) 1 항에 언급된 7 월 교섭 재개설과 유관한 것으로 보임.

3. 한편, 북한은 아측의 결의안 채택 방지를 위한 로비를 적극 벌리고 있는가운데, 당지 외교단을 상대로 조건없이 협정에 서명할 것이라는등 루모(첵코,에짚트대사 발설)를 퍼뜨리면서 아측의 혼란을 획책하고 있음.

4. 상기 3 항의 루모를 입수한 NEWLIN 미국대사, WILSON 호주대사, TIMERBAEV 소련대등은 북한이 금차 이사회를 앞두고 MANEUVER 하고 있음이 틀림없다고 본직에게 말하였음.

5. 상기 1 항의 면담에 관해서는 명 6.7 오후로 예정된 본직과 BLIX 사무총장간의 면담후 추보위계임.끝.

예 고:91.12.31 일반.

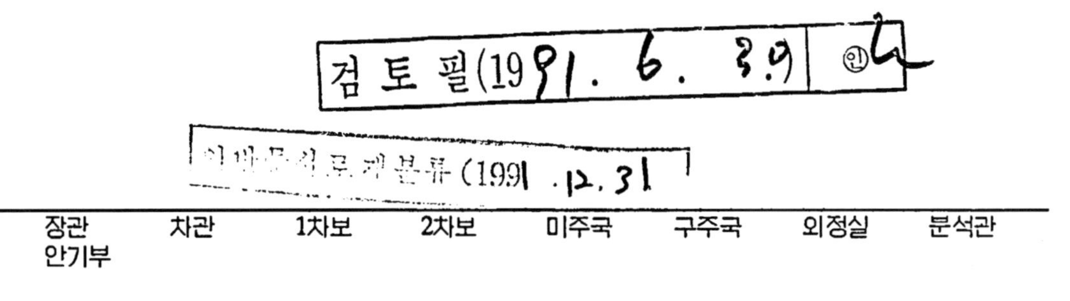

국기국 장관 차관 1차보 2차보 미주국 구주국 외정실 분석관
청와대 안기부

PAGE 1

91.06.07 07:39
외신 2과 통제관 FI

0028

91.6.7
국제기구과

북한이 자국의 핵시설에 대한 국제원자력기구 사찰을 수락할 조짐이 있는지?

o 북한이 국제원자력기구(IAEA)와 핵안전조치협정을 체결해야 하는 것은 핵비확산 조약 (NPT) 당사국으로서의 국제적 의무임에도 불구하고 아직까지 협정을 체결하지 않고 있는 바, 이는 한반도와 동북아의 안보에 중대한 위협요소가 되고 있음

o 북한은 ~~금주 유엔총회지~~ 유엔가입을 공식 신청~~하는~~ 것을 계기로 IAEA와의 핵안전 조치협정을 조속히 체결함으로써 ~~유엔 헌장이 규정하고 있는 평화애호국임을~~ 입증하기 바람.

양고재	국제기구과	91년6월7일	담당	과장	국장
			(서명)	(서명)	(서명)

0029

6/10 가
기 통보 MW

관리번호	91-547

원 본

외 무 부

종 별 : 긴 급

번 호 : AVW-0688 일 시 : 91 0607 2000

수 신 : 장 관(국기,미안,청와대외교,기정,~~과기처~~) 사본:주호주,일본,카나다,

발 신 : 주 오스트리아 대사 미국,영국,불란서,소련,유엔대사

제 목 : 북한의 핵안전 협정 서명의사 통보 (중계필)

연:AVW-0676 및 0644

1. 본직은 금 6.7(금) 오후(1745-1805) BLIX 사무총장과 면담하였는데, 금일 오후(1645-1700) 북한대사 전인찬과 함께 그를 방문한 북한의 순회대사(AMBASSADOR AT LARGE) 진충국(전 주제네바대사)은 아래와같이 통보하였다고함.

가) 북한 정부는 IAEA 가 제시한 핵안전 협정에 동의하기로 결정하였음(OUR GOVERNMENT HAS DECIDED TO AGREE TO THE DRAFT SAFEGUARDS AGREEMENT AS PRESENTED BY THE AGENCY)

나) 실체조항에 대한 수정없이 협정 문안에 대한 자구수정등 최종 손질을 하기 위하여 금년 7.10-15 기간중 전문가회의를 개최할 것을 제의함(WE PROPOSE AN EXPERT MEETING TO FINALLY MAKE ADJUSTMENTS WITHOUT CHANGE OF SUBSTANCE)

다) 사무총장은 내주 이사회에 대한 보고서에서 상기 통보를 공표해도 좋음

라) 확정된 협정안은 금년 9 월 이사회(9.11-13)에 상정하여 승인을 받는대로 서명될것임.

마) 현재 아측에서 추진하고있는 결의안이 내주 이사회에 상정되면 상기 서명 의사를 재고할 것이며, 북한은 어느 경우에도 여하한 국제 압력에 굴복하지 않을것임(압력을 받게 되면 재고하겠다는 것을 특히 강조하였다함)

바. 금일 모스코를 경유하여 평양 외무성 조약 전문가 김수길과 함께 비엔나에 도착한 진충국 자신은 내주 이사회 기간중 당지에 체재하면서 이사회 경과를 지켜 볼것임.

2.BLIX 사무총장은, 상기 통보를 받고 북한의 결정을 환영하면서, 서명후 비준서 교환으로 발효하게 되어 있는 현재의 발효조항을 서명과 동시에 발효하는 조항으로 바꾸자고 제의하였다함.

국기국	장관	차관	1차보	2차보	미주국	분석관	청와대	안기부
과기처								

PAGE 1 91.06.08 07:54

외신 2과 통제관 DO

0030

3. 이에 대하여 진충국은 본국정부와 협의한후 입장을 통보하겠다고 말하였다함.

4. BLIX 총장은 북한의 상기 서명의사 통보에 기대를 걸어 보자고 하면서 이렇게 고위 간부를 파견하여 서명의사를 표시한것은 북한의 유엔가입 결정, 일본과의 수교조건및 금차 이사회를 앞둔 결의안 통과 압력등이 작용한 것으로 풀이하였음.

5. 협정안의 자구수정에 시간이 걸릴 필요가 없고 따라서 7 월 중순까지 기다릴 필요가 없으며, 또한 9 월 이사회까지도 기다릴 이유가 없이 특별이사회를 소집하여 협정안에 대한 승인을 받고 서명하면 되는데, 작년 NPT 평가회의 직전 처럼 기대를 걸게하면서 북한이 서명을 지연시키려 하는것을 경계해야 할 것이라고 본직은 사무총장에게 말하면서, 서명과 동시에 발효하는 협정을 사무국이 고집해 달라고 당부하였음(사무총장은 그렇게 하겠다고 말하였음)

6. 한편, 북한대사 전인찬은 금일 오전 6.5 일자의 자신 명의 BLIX 사무총장앞 서한을 사무국에 접수시켰는데, 동서한은 7.10-15 기간중 마무리 협상을 갖자고 제의하고 있다함.(WE WOULD LIKE TO HAVE NEGOTIATIONS TO FINALIZE THE DRAFT SAFEGUARDS AGREEMENT DURING 10-15 JULY. I HOPE THAT THIS IS ACCEPTABLE TO THE SECRETARIAT). 끝.

예 고:91.12.31 일반

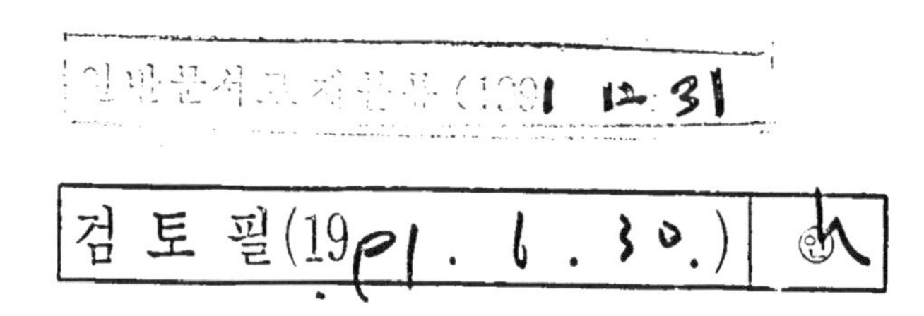

조속협정 체결을 촉구한바 있으며 SALANDER 국장도 최근 당지 북한 대사에게 동일한 요구를 하는등 서전정부도 많은 노력을 경주하고 있다고 함을 참고로 첨언함. 끝

(대사 최동진-장관)

예고:91.12.31 일반

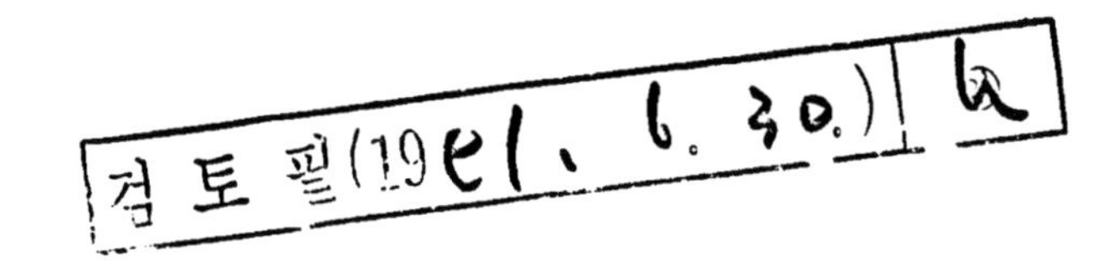

일반문서로 재분류 (1991 .12.31.

PAGE 2

0032

北韓의 核 安全協定 署名意思 通報

1991. 6. 8.

外 務 部

北韓의 巡廻大使 진충국은 6.7(금) 國際原子力機構 (IAEA)의 事務總長과 面談, 核安全 協定 署名意思를 通報한 바, 關聯事項을 아래 報告 드립니다.

1. 北韓側 通報 內容

o 北韓 政府는 IAEA가 제시한 核安全 協定案에 同意 하기로 決定

o IAEA 協定案의 本質 條項에 대한 修正없이 協定文案 字句 修正등 最終 손질을 위해 7.10-15간 專門家 會議 개최 提議

o 確定된 協定案은 IAEA 9月 理事會에서 承認을 받는 대로 署名

o 단, 現在 我側이 推進中인 對北韓 協定促求 決議案이 IAEA 6月 理事會(6.10-14)에 上程될 경우 上記 署名 意思는 再考

0033

2. IAEA 事務總長 反應

o 北韓側 通報에 대하여 協定을 署名즉시 發效시키도록 提案(이에 대하여 北韓側은 本國 協議後 立場 通報 하겠다고 언급)

o 北韓이 高位幹部를 派遣, 協定署名意思를 表示 한것에 希望的 期待

3. 我側措置

o 6.8 外務部 當局者 論評 發表
  - IAEA와의 向後 協定締結過程 注視
  - 核非擴散 條約 當事國으로서 核安全協定締結은 당연한 條約上의 義務

4. 向後 對處方向

o 美國, 日本, 濠州등 友邦과의 緊密한 協議下에 對處
  - IAEA 6月 理事會에서 採擇 推進中인 對北韓 協定締結 促求 決議案 處理問題 包含

o 北韓의 協定 署名즉시 發效토록 提議한 IAEA 事務局의 立場을 貫徹시키도록 事務局側의 協調確保. 끝.

0034

보 도 자 료

외 무 부

제 91-149 호 문의전화 : 720-2408~10 보도일시 : 91 . 6 . 8 . 14 : 00 시

제 목 : 북한의 핵안전협정 서명의사 통보

1. 북한이 6.7.(금) 국제원자력기구(IAEA)에 대하여 핵안전협정 서명의사를 통보해 온 바에 비추어 우리는 앞으로 북한의 협정체결시까지의 과정을 주시코자 한다.

2. 북한은 핵비확산조약(NPT)의 당사국으로서 IAEA와 핵안전협정을 체결할 의무를 지고있으며, 이러한 조약상의 의무를 지체없이 이행하여야 할 것이다.

- 끝 -

0035

핵안전협정 (모델안) 중 특별사찰 관련 규정

1. 아측이 이미 체결하고 IAEA가 북한에 제시한 협정안은 동일함

2. 상기 2개 협정(안)중 특별사찰 규정내용은 다음과 같음

가. 특별사찰 근거(제73조)

o 특별 보고서상의 정보를 확인할 필요가 있을 때

* 특별보고서는 핵물질 손실 및 저장에 관련한 돌발사고를 기록

o 협정체결국이 제공하는 정보와 동국을 대상으로 한 일반사찰에 포함된 정보가 IAEA 판단상 부적절할 경우

나. 특별사찰 실시 절차(제77조)

o 협정체결국의 동의를 요함

o 따라서, 협정체결국의 동의가 없는한 강제적인 특별사찰 실시 불가

3. 특별사찰의 문제점

o IAEA 판단에 의심이 가는 협정 체결국의 시설에 대하여 특별사찰을 실시하고자 하더라도 협정체결국의 동의가 없는 한 불가

o 따라서, 지난 5월말 일본 교토 개최 유엔 군축회의에서 가이후 일본수상은 특별사찰제의 문제점 해결을 위하여 특별사찰 제도의 강화를 주장

o 이러한 점에서 북한의 비공개 원자로와 핵 재처리 시설등은 북한이 자진해서 사찰대상이 되도록 협정에 포함시키지 않는한 IAEA가 강제적으로 사찰을 실시할 수 없음. 그러나 IAEA측으로서 동시설 사찰을 위한 협의를 제기할수는 있음

0036

관리번호	91-610

분류번호	보존기간

발 신 전 보

번 호 : WAV-0583 910608 1440 DU 종별 : 긴급

수 신 : 주 오지리 대사. 총영사

발 신 : 장 관 (미이, 국기)

제 목 : 북한의 핵안전 협정 서명 의사통보

대 : AVW-0688

1. 대호 북한의 핵안전 협정 체결 동의 통보 내용중 서방측의 대북한 결의안이 내주 이사회에 상정될시 북한은 동 안정협정 체결을 재고하겠다고 하고 있는바, 우방국측이 동결의안 상정을 그대로 추진해야할 것인지의 여부를 현지 사정과 분위기등을 감안, 귀관 판단을 긴급 보고 바람. 이와함께 동 결의안 추진여부 관련, 귀지 주재 관계국 대사와도 지급 협의토록 하고 동 결과를 추후 보고바람.

2. 아울러 동 보고시 북측에서 협정문안의 실체 조항에 대한 수정없이 안전협정을 체결하겠다는 것의 구체적 의미와 내용이 무엇인지에 대해서도 보고바람.

예고 : 91.12.31 에 일반고문에 의거 일반문서로 재분류됨

(차관 유종하)

~~(장관 - 이상옥)~~

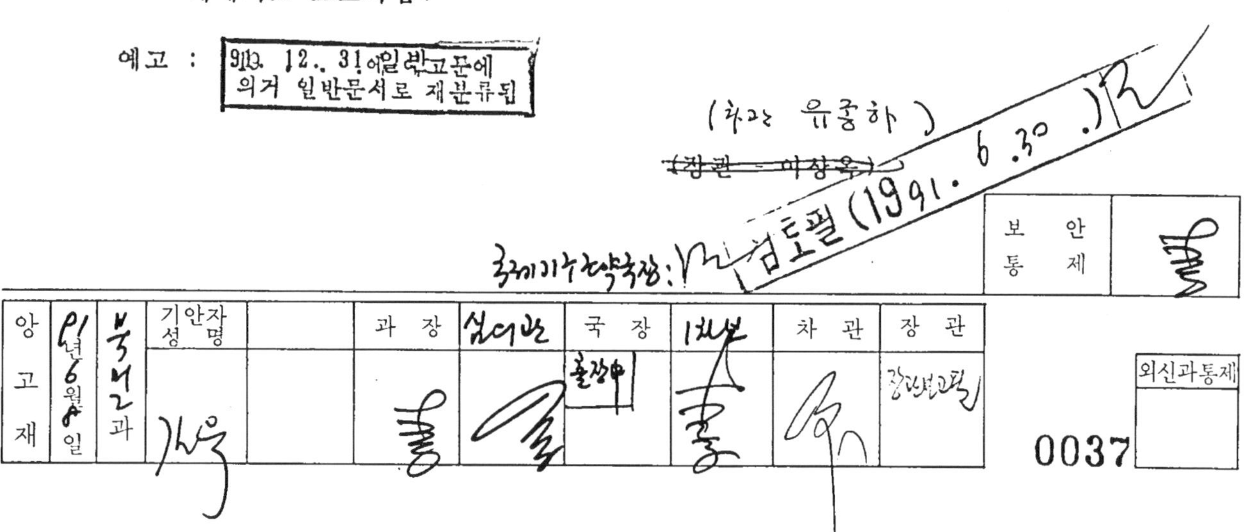

검토필(1991.6.30.)
국제기구조약국장
보안 통제
앙 고 재
91년 6월 8일
북미2과
기안자 성 명
과 장
국 장
차 관
장 관
외신과통제

0037

공 란

공 란

공 란

공 란

공 란

공 란

공 란

6/10 길 기

관리번호	91-806

원 본

외 무 부

종 별 : 지 급

번 호 : JAW-3528 일 시 : 91 0608 2124

수 신 : 장관(국기,아일,정특)

발 신 : 주 일 대사(일정)

제 목 : 북한의 핵안전협정 서명의사 통보

대 : AM-0128

1. 대호, 당지언론은 금 6.8(토) 오후부터 표제 사실관계를 보도하고 있는바, 당관이 언론계등에 탐문한바에 의하면 외무성측은 언론의 질문에 대해 우선 현단계에서의 비공식 코멘트임을 전제로 아래 요지 로 논평하고 있다함

- 아래 -

"금번 북한의 의사가 북한의 태도변화를 의미하는지 알수없는바, 금후 북한의 태도를 주의깊게 지켜 보겠음. 북한의 핵안전조치협정에 조인하겠다는 의도를표명했는지 확인되지 않고 있고, 금후의 서명절차에 대해서도 명확히 전해지지않고 있으며, 또한, 북한이 미국이 한국에 배치하고 있는 핵무기철수가 선결이라고 하는 지금까지의 주장에 대해 전혀 언급하지 않고 있어, 외무성으로서는 금번조치로 북한의 태도가 변했는지 즉각 판단할수 없음"

2. 일측의 공식적인 반응은 파악되는대로 추보하겠음. 끝

(대사 오재희-국장)

예고:91.12.31. 일반

일반문서로 재분류(1991.12.31.)

검 토 필(1991. 6. 30.)

국기국	장관	차관	1차보	2차보	아주국	미주국	외정실	분석관

0045

PAGE 1

91.06.08 22:07

외신 2과 통제관 CD

공 란

공 란

관리 번호	91-544

	분류번호	보존기간

발 신 전 보

번 호 : WAV-0588 910609 1654 CT 종별 : 지급

수 신 : 주 오지리 대사. 총영사

발 신 : 장 관 (국기)

제 목 : IAEA 6월이사회 대책

대 : AVW-0688, 0691, 0692

대호, 북한측의 협정서명을 하겠다는 의사 표명은 유엔가입과 관련한 전술적 대응일 가능성을 배제할 수 없으며, 또한 북한이 협정을 서명한다 하더라도 협정의 발효시까지의 과정이 불분명한 점을 감안하여 6.10(월) 우방국 전략회의시 아래 사항을 참고하여 대처 바람.

1. 금번 6월 이사회에서 결의안 채택문제에 대해서는 우방이사국의 의견을 존중할것이나, 북한이 6.7(금) IAEA 사무총장에게 표명한 협정서명 의사의 약속 이행을 촉구할 필요가 있기 때문에 이사회 의장의 강력한 성명채택은 필요함
2. 과거 북한의 태도로 보아 북한의 진의가 상금 불확실하고 현 협정체결 절차상 서명이후 발효시까지의 기한이 없기 때문에 IAEA 사무국으로 하여금 북한의 협정서명과 동시에 발효시키는 방안을 관철토록 요구함
3. 7월 북한과 IAEA간의 전문가 회의직후 특별 이사회를 소집하여 7월까지는 북한이 IAEA와 합의한 협정안을 승인하고 승인즉시 북한이 서명. 발효시키는 절차를 취하도록 강구함. 끝.

예고 : 91.12.31일반

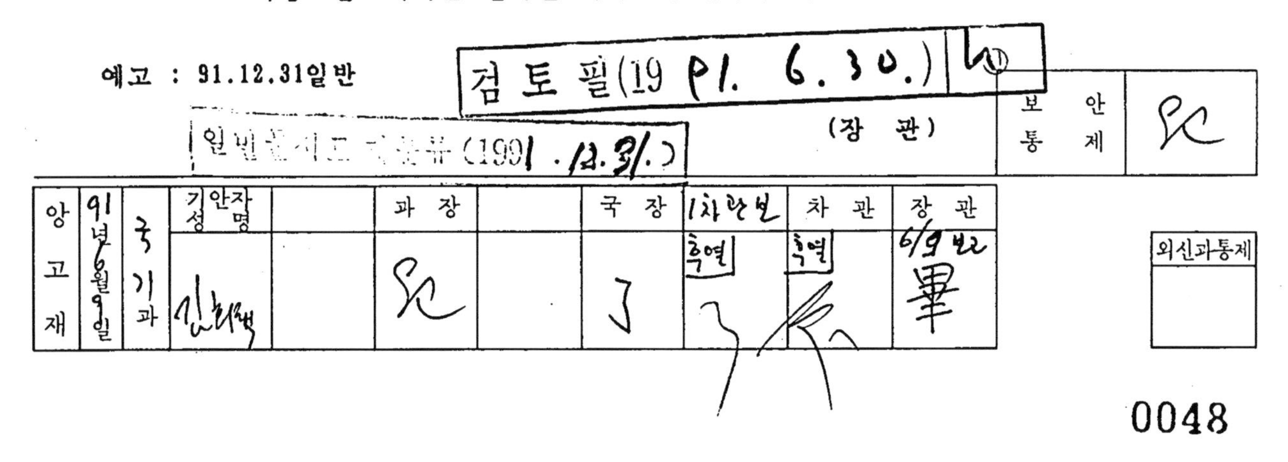

검토필(1991. 6. 30.)
일반문서로 재분류(1991.12.31.)
(장 관)
보안 통제
앙고재 91년 6월 9일
국기과
기안자 성명
과 장
국 장
1차관보
차 관
장 관
외신과통제

0048

4/10 길 기

관리번호	91-539

원 본

외 무 부

종 별 : 긴 급

번 호 : AVW-0694 일 시 : 91 0609 1130

수 신 : 장 관(국기) 사본:주카이로 총영사

발 신 : 주 오스트리아 대사

제 목 : 북한의 핵안전 결의안

대:WAV-0585(CAW-0701), WAV-0587

1. 결의안에 대하여 이사국들이 압도적으로 지지하고 있다는점과 에짚트가 지난 2 년간 이사회에서 북한을 지칭하여 촉구 발언을 해온 점을 상기시켜 에짚트가 아측 결의안에 가담하도록 막바지 교섭을 전개해 주기바람.

2. 제 3 세계 국가들의 지지확보및 인도와 에짚트간의 보조 불일치 확보를 통한 기권표의 극소화를 위해 에짚트의 아측 가담이 긴요함. 끝.

예 고:91.12.31 일반.

검 토 필(1991. 6. 30.)

일반문서로 재분류(1991.12.31)

국기국 장관 차관 1차보 2차보 분석관 청와대 안기부

PAGE 1 91.06.09 21:13

외신 2과 통제관 FE

0049

외 무 부

종 별 :

번 호 : AVW-0695 일 시 : 91 0609 1130

수 신 : 장 관(국기)

발 신 : 주오지리대사

제 목 : 북한의 핵안전 결의안 초안

연: AVW-0559

1. 연호(0559)로 보고한 대북한 핵안전 결의초안이 다음의 주요 부분을 포함하여 잠정 수정되었으니 참고바람.

가. 원안의 'GRAVELY CONCERNED AT REPORTS .. A NUCLEAR WEAPONS CAPABILITY '부분이 삭제됨.

나. 원안의 'NOTING THE DIRECTOR-GENERAL'S REPORT TO THE BOARD ON JUNE1991'문구를 'WELCOMING THE DERECTOR-GENERAL'S REPORT.. TO FINALIZE ITSDRAFT SAFEGUARDS AGREEMENT'로 수정함.

다. 원안 1 항에 '..FOR CONSIDERATION BY THE SEPTEMBER MEETING OF THE BOARD OF GOVERNORS AND, AFTER ITS APPROVAL BY THE BOARD OF GOVERNORS, TO BRING THE AGREEMENT INTO FORCE AND IMPLEMENT IT FULLY' 문구를 추가로 삽입함.

라. 원안 2 항은 전면 삭제됨.

2. 수정된 결의초안 전문을 별전 타전함. 끝.

예 고:91.12.31 일반.

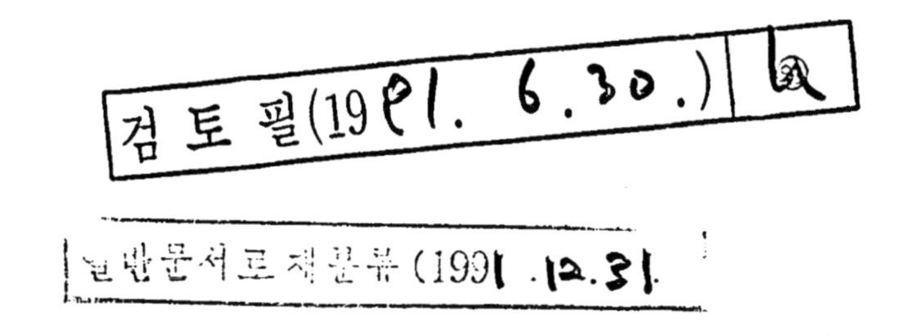

국기국	장관	차관	1차보	2차보	아주국	미주국	구주국	청와대
안기부								

PAGE 1

91.06.10 07:37

외신 2과 통제관 BS

0050

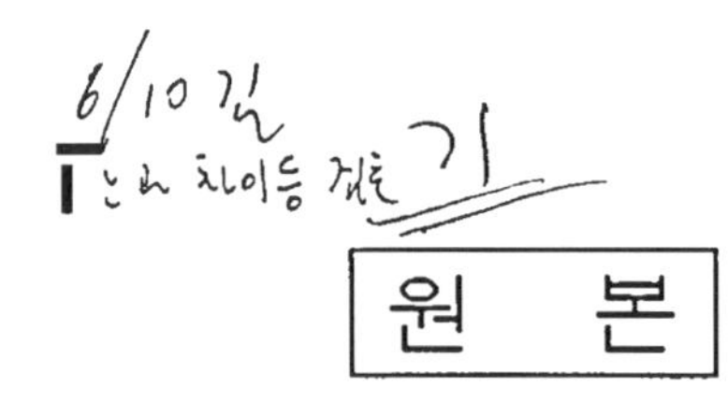

관리번호	91-548

원 본

외 무 부

종 별 :

번 호 : AVW-0696 일 시 : 91 0609 1130

수 신 : 장 관(국기)

발 신 : 주 오스트리아대사

제 목 : 북한의 핵안전 결의안 잠정 수정안

연:AVW-0695

REVISED TEXT

AUSTRALIA-JAPAN RESOLUTION ON DPRK NUCLEAR SAFEGUARDS FOR JUNE MEETINGOF THE IAEA BOARD OF GOVERNORS

THE BOARD OF GOVERNORS

MINDFUL OF THE FACT THAT THE DEMOCRATIC PEOPLE'S REPUBLIC OF KOREA, HAVING ACCEDED TO THE TREATY ON THE NON-PROLIFERATION OF NUCLEAR WEAPONS ON 12 DECEMBER 1985, INCURRED AN OBLIGATION TO NEGOTIATE AND CONCLUDE AN AGREEMENT WITH THE INTERNATIONAL ATOMIC ENERGY AGENCY FOR THE APPLICATION OF SAFEGUARDS ON ALL SOURCE OR SPECIAL FISSIONABLE MATERIAL IN ITS PEACEFUL NUCLEAR ACTIVITIES SUCH AGREEMENT TO ENTER INTO FORCE NOT LATER THAN EIGHTEEN MONTHS AFTER THE DATE OF INITIATION OF NEGOTIATIONS.

NOTING WITH CONCERN THAT THE DEMOCRATIC PEOPLE'S REPUBLIC OF KOREA, A STATE WITH SIGNIFICANT UNSAFEGUARDED NUCLEAR ACTIVITIES, HAS FAILED TO HONOR ITS OBLIGATION.

CONVINCED THAT THE CONCLUSION BY THE DEMOCRATIC PROPLE'S REPUBLIC OF KOREA OF ITS SAFEGUARDS AGREEMENT WITH THE INTERNATIONAL ATOMIC ENERGY AGENCY WILL CONTRIBUTE TO AN RECONCILIATION, ON THE KOREAN PENINSULA.

WELCOMING THE DIRECTOR GENERAL'S REPORT THAT THE DEMOCRATIC PEOPLE'S REPUBLIC OF KOREA HAS ADVISED HIM THAT IT WISHES TO RESUME DISCUSSIONS WITHTHE AGENCY TO FINALISE ITS DRAFT SAFEGUARDS AGREEMENT.

1.CALLS ON THE DEMOCRATIC PEOPLE'S REPUBLIC OF KOREA TO CONCLUDE ITS

국기국 장관 차관 1차보 2차보 아주국 미주국 구주국 분석관
청와대 안기부

91.06.10 07:38

외신 2과 통제관 BS

0051

SAFEGUARDS AGREEMENT WITH THE INTERNATIONAL ATOMIC ENERGY AGENCY ON ALL SOURCE OR SPECIAL FISSIONABLE MATERIAL IN ALL ITS PEACEFUL NUCLEAR ACTIVITIESFOR CONSIDERATION BY THE SEPTEMBER MEETING OF THE BOARD OF GOVERNORS AND,AFTER ITS APPROVAL BY THE BOARD OF GOVERNORS, TO BRING THE AGREEMENT INTOFORCE AND IMPLEMENT IT FULLY WITHOUT DELAY:

2.URGES ALL NON NUCLEAR WEAPON STATES PARTIES TO THE TREATY ON THE NON-PROLIFERATION OF NUCLEAR WEAPONS WHICH HAVE YET TO FULFILL THEIR OBLIGATION TO CONCLUDE A SAFEGUARDS AGREEMENT WITH THE INTERNATIONAL ATOMIC ENERGYAGENCY IN ACCORDENCE WITH ARTICLE III OF THE TREATY TO DO SO WITHOUT DELAY:AND

3.REQUESTS THE DIRECTOR GENERAL TO CONVEY THE TEXT OF THIS RESOLUTION TO THE PRESIDENT OF THE DEMOCRATIC PEOPLE'S REPUBLIC OF KOREA AND TO THE PRESIDENT OF THE UNITED NATIONS SECURITY COUNCIL FOR HIS INFORMATION. 끝.

예 고:91.12.31 일반.

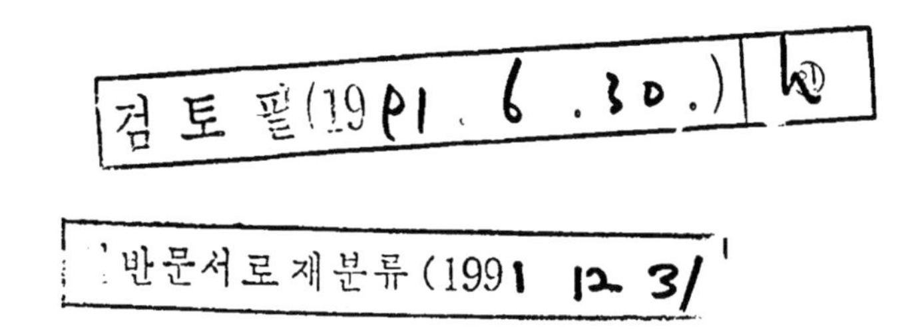

PAGE 2

0052

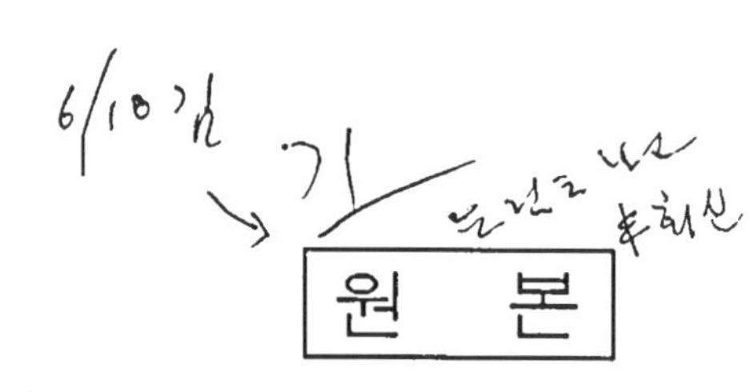

관리 번호	91-550

원 본

외 무 부

종 별 :

번 호 : AVW-0697　　　　　　일 시 : 91 0609 1800

수 신 : 장 관(국기)

발 신 : 주 오스트리아 대사

제 목 : 북한의 핵안전 결의안에 대한 지지교섭

연:AVW-0667

대:WAV-0582,0580,0568,0562

1. 당지 일본대표부측이 중간 점검한 결과 결의안에 대한 이사국별 태도는 다음과 같음.

가. 확고한 지지국가(19 개국)

호주, 오스트리아, 벨지움, 카나다, 칠레, 체코슬로바키아, 불란서, 독일, 인도네시아, 이태리, 일본, 필리핀, 폴랜드, 폴투갈, 태국, 튜니시아, 영국, 미국, 베네수엘라

(호주, 벨지움, 카나다, 체코슬로바키아, 일본은 공동제안국이며, 폴랜드와독일이 공동재안국에 가담할것으로 보여짐)

나. 지지 가능성이있는국가(2 개국)

나이제리아, 사우디 아라비아 지지표시　SBW-1092

다. 유동적인 국가(4 개국)

알젠틴, 이집트, 이란, 스웨덴

라. 소극적인 국가(7 개국)

브라질, 중국, 쿠바, 인도, 이라크, 우크라이나, 소련

마. 태도 미상국가(3 개국)

카메룬, 모로코, 우루과이 지지표시

2. 한편 아측이 파악하고 있는 이사국들의 태도중 상기 일본대표부 측의 점검결과와 차이가 있는 이사국들의 분류는 다음과 같음.

가. 우루과이(0582): 확고한 지지국가로 분류(결의안지지 훈령 기하달)

나. 알젠틴(0580): 지지 가능성이 있는 국가로 분류(외무장관의 결재가 수정없이

국기국	장관	차관	1차보	2차보	구주국	분석관	청와대	안기부

91.06.10 07:03

외신 2과 통제관 BS

0053

이루어질것으로 예상)

다. 모로코(0562): 지지 가능성이 있는 국가로 분류(상부 결재 상신중)

라. 나이제리아(0568): 소극적국가로 분류(중립적 입장 예상)

3. 상기 1 항및 2 항을 참조하여 우루과이, 알젠틴, 모로코, 나이제리아, 카메룬을 상대로 최종교섭을 해주시고 본부의 평가를 긴급 알려줄것을 건의함. 끝.

예 고:91.12.31 일반.

NJW-0828

URW-0081

ARW-0826

MOW-0217

일반문서로 재분류(1991.12.31)

검 토 필(1991.6.30.)

0054

91.6.10
국제기구과

북한의 협정체결촉구 결의안채택추진교섭 상황에 대한 호주측 평가

1. 91.6.10(월) 오후 주한 호주 대사관 Mullin 참사관이 국제기구과장 내방 면담시 통보(단, 호주측의 평가는 6.7(금)까지의 교섭 결과를 종합한 것이라함)

2. 호주측의 교섭 상황 평가 내용

가. 공동제안국(4) : 호주, 일본, 미국, 카나다

나. 지 지(12) : 인니, 태국, 비율빈, 이태리, 영국, 프랑스, 독일, 벨지움 베네주엘라, 폴랜드, 사우디아라비아, 체코

다. 지지가능(3) : 이집트, 스웨덴, 아르헨티나

라. 언질안줌(3) : 중국, 인도, 쿠바

마. 반대나 콘센서스 채택을 방해하지는 않음(1) : 소련

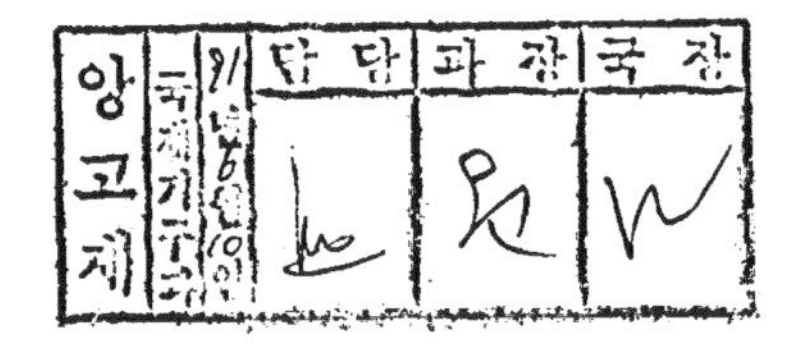

0055

6/11 7
                                                        ▮ 대체 (국오지 대 지침 (장관) 2번 주의 사본

관리 번호	91-559

원 본

외 무 부

종 별 : 지 급

번 호 : JAW-3539　　　　　　　　　　　　　일 시 : 91 0610 1755

수 신 : 장관(국기,아일,정특)

발 신 : 주 일 대사(일정)

제 목 : 북한의 핵안전 협정 서명관련

대:AM-0128

연:JAW-3528

1. 금 6.10. 오전 당관 박승무 정무과장이 외무성 사따오까 원자력과장을 접촉, 대호 북한측의 핵안전 협정에 관한 통보내용과 관련, 일측 평가를 문의 하였는바, 동 과장은 다음과 같이 언급함.

0 진충국은 브릭스 사무총장 면담시, "모델협정에는 동의한다. 단, 모델협정의 내용에 실질적인 변경을 가져오는 것은 아니다 EDITORIAL CHANGE 를 행할 필요가 있다"고 발언한 것으로 알고 있음.

0 북한은 종전에도 모델협정에는 동의(AGREE)한다고 밝혀 왔는바, 이것은 북한의 핵안전협정 서명(SIGN)을 의미하는 것이 아니였던 것으로 알고 있음.

0 따라서 일측으로서는 금번 북측 제안에 "핵안전협정 서명 의사"가 밝혀지지 않고 있는 만큼, 금후 문안 조정교섭 과정에서 북측의 주한미군 핵 철수등 종전의 주장을 계속할 것인지 여부등을 신중히 지켜볼 예정임.

2. 연호 6.8. 자 외무성측 비공식 코멘트는 오오따 과학기술 심의관이 기자들에게 브리핑한 내용이라 함. 끝

(대사 오재희-국장)

예고:91.12.31. 일반

검 토 필(1991. 6. 30.)

일반문서로 재분류(1991.12.31)

국기국	장관	차관	1차보	2차보	아주국	미주국	외정실	분석관
청와대	안기부							

PAGE 1　　　　　　　　　　　　　　　　　　91.06.10　18:48

외신 2과　통제관 BA

0056

관리 번호	91-554

	분류번호	보존기간

발 신 전 보

번 호 : WAV-0596 910610 1908 FO 종별 : 지급

수 신 : 주 오지리 대사. 총영사 (사본 : 주 호주 대사) WAU -0417

발 신 : 장 관 (국기)

제 목 : 대북한 결의안 수정안

대 : AVW-0696, 0697

연 : WAV-0588

1. 대호 결의안 수정안의 본문 1항은 7월 특별이사회 소집을 배제한채 9월 이사회에서 협정안을 승인하고 연후 북한의 발효조치를 촉구하는 것인지 여부를 지급 확인 보고 바람.

2. 한편 주한 호주 참사관 mullin은 금 6.10(월) 국제기구과장을 방문한 자리에서 결의안에 대한 그간 지지교섭 결과를 평가한 후 하기와 같이 언급하였음을 참고바람(호주측 교섭결과는 6.7(금) 현재의 것이므로 귀관 통보는 생략함)

가. 결의안을 상정할 수 있는 지지를 획득하였으며 한국이 일본, 호주와 함께 금번 교섭을 공동추진한것은 매우 유익하였음

나. 북한은 아측의 결의안 채택 추진을 무산시키기 위하여 6.7(금) 협정 서명 의사를 전격 발표하여 ~~국가~~ 77그룹국가의 동조하에 9월 이사회 토의로 연기를 기도~~하고자~~ 하는것으로 봄

다. 그러나 현시점에서 결의안을 철회할 경우 북한측의 상기 기도에 보상을 주는것이기 때문에 철회하는 것이 적절하지 않으며, 결의안

보안 통제	(서명)

/계속...

앙 고 재	91년 6월 10일	국기과	기안자 성명		과 장		국 장	1차관보	차 관	장 관
			김희택		(서명)		(서명)	(서명)	(서명)	추연

외신과통제

0057

채택 추진에 관련한 모든 교섭 활동이 매우 유익하였음. 북한의 6.7 서명의사표명도 이러한 교섭활동에 따라 받은 국제압력의 결과로 봄

라. 금 6.10(월) 오후 3시부터 시작되는 IAEA 이사회에서 이집트등 77 그룹국가가 절차문제로서 북한의 6.7 서명의사 통보가 있음을 감안하여 북한의 협정체결문제 토의를 9월 이사회로 연기하자고 제의할 경우 우방측으로서는 이에 반대하기가 곤란할것임

마. 결의안 채택추진에 관련한 호주정부측의 결정권은 이사회가 시작되는 6.10부터 비엔나 주재 호주대사에게 위임되어 있으니 주오지리 아국대사가 현지에서 호주측과 긴밀 협의 대처 바람.

3. 상기감안, ~~아국으로서도 결의안 채택을 계속 추진함이 바람직하다고 판단하여 아국 교섭을 계속 진행시키고 있으나, 현지 사정에 따라~~ 연호 사항을 참고하여 우방이사국과 긴밀협의~~하고~~ 관련동향 보고바람. 끝.

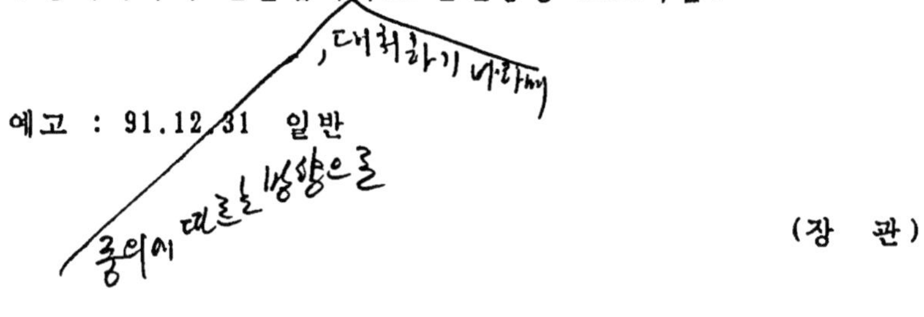

예고 : 91.12.31 일반

(장 관)

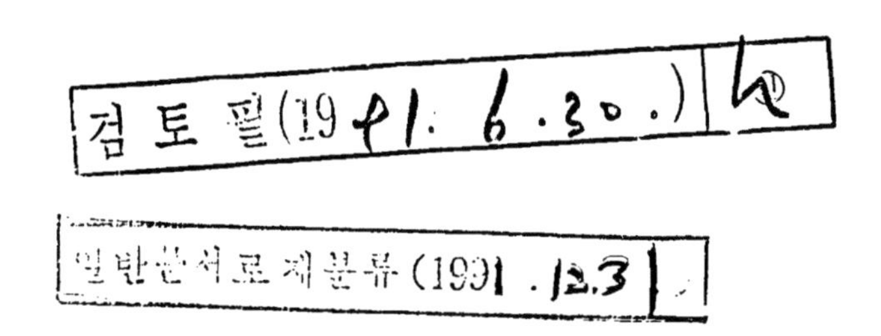

0058

관리 번호	91-808

분류번호	보존기간

발 신 전 보

번 호 : WAV-0597 910610 1920 FO 종별 :

수 신 : 주 오지리 대사. 총영사

발 신 : 장 관 (국기)

제 목 : 북한 협정문제 관련 언론대책

1. 북한이 6.7(금) 핵안전 협정의 서명의사를 통보한것과 관련하여 국내 상당수의 언론 매체가 이를 북한의 태도변화로 보는 시각이 큼

2. 본부는 상기 관련 현재의 상황에서 북한의 진의가 불분명하기 때문에 언론보도에 신중을 기하여 주도록 언론 매체의 협조를 요청중에 있는 바, 귀지에서도 귀지주재 특파원들이 동건 보도하는데 있어서 신중한 태도를 취하여 주도록 협조요청 바람. 끝.

(국제기구조약국장 문동석)

일반문서로 재분류(19 91.

검 토 필(19 91. 6. 30.)

보안 통제	

앙 고 재	91년 6월 10일	국기과	기안자 성명		과 장		국 장		차 관	장 관

0059

외신과통제

관리번호 91-558

원 본

외 무 부

종 별 : 긴 급

번 호 : AVW-0700 일 시 : 91 0610 1200

수 신 : 장 관(국기,구이)

발 신 : 주 오스트리아 대사

제 목 : 북한의 핵안전 결의안(소련의 태도)

1. 본직과 ENDO 일본대사간의 금 6.10(월) 오전(10:50-11:00) 통화에 의하면, 소련은 일본외무성에 대하여 아측이 결의안을 추진하지 말도록 종용(DISSUADE)하였다고함.

2. 일본은 현단계에서의 북한의 진의를 알수 없으나, 소련의 요청을 검토하겠다고 말하였다함.

3.MOSCOW 를 통하여 소련이 결의안에 적극적으로 나오도록 최종 교섭바람. 끝.

예 고:91.12.31 일반.

일반문서로 재분류 (1991. 12. 31)

검 토 필(1991. 6. 30)

국기국 구주국 상황실 외정실

PAGE 1

91.06.10 20:41

외신 2과 통제관 CH

0060

6/11 깁

관리 번호	91-561

원 본

외 무 부

종 별 : 긴 급

번 호 : AVW-0701 일 시 : 91 0610 1230

수 신 : 장 관(국기)

발 신 : 주 오스트리아 대사

제 목 : 북한의핵안전 협정 서명의사 통보(2)

연:AVW-0688

1. 연호 1 라항에 관련하여, 본직은 금 6.10(월) 11:50 분 BLIX 사무총장과접촉하고, 금년 9 월 이사회에 의한 협정안 승인후 북한이 협정안에 서명할 것이라고 북한의 진충국이 명시적으로 말하였는가를 확인 문의하였음.

2. BLIX 총장은, 진충국이 '서명'하겠다고 명시적으로 말하지 않았으나, 금년 9 월 이사회의 승인후 협정안에 서명하자는 자신(BLIX 총장)제의(SUGGESTION)에 대하여 진충국이 이의를 제기하지 않았다(DID NOT DISSENT)고 본직에게 말하였음.

3. 한편, 상기 6.7 면담에 배석한 WILMSHURST 국장에게 BLIX 와 진충국간에사용된 이부분에 대한 정확한 내용을 본직이 금일 오전 물은데 대하여 동국장은 정확하게 기억하지 못하겠다고 말하면서, 북한이 협정안에 동의하기로 결정하였다(DECIDED TO AGREE)는 것을 정상적으로는 서명하겠다는 뜻 이외로 달리 해석할수 있겠는가 하는 반응을 보였음. 끝.

예 고:91.12.31 일반.

검 토 필(1991. 6. 30.)	서명

일반문서로 재분류 (1991 . 12. 31)

국기국	장관	차관	1차보	2차보	미주국	상황실	외정실	청와대
안기부								

PAGE 1

91.06.10 20:42

외신 2과 통제관 CH

0061

원 본

외 무 부

암호수신

종 별 : 지 급

번 호 : AVW-0704 일 시 : 91 0610 2030

수 신 : 장 관(국기,미안,기정,과기처) 사본:주호주,일본,카나다,벨지움,체코,

발 신 : 주 오스트리아 대사 미국,불란서,영국,유엔대사(중계필)

제 목 : 북한의 핵안전 협정 체결문제(IAEA이사회 경과)

1. 금 6.10(월) 오후 개최된 IAEA 이사회에서 H.BLIX 사무총장은 표제건에 관하여 다음과 같이 보고하였음.

AT THE BOARD'S MEETING IN FEBRUARY A NUMBER OF GOVERNORS EXPRESSED THEIR CONCERN THAT THE LONG STANDING NEGOTIATIONS BETWEEN THE SECRETARIAT ANDTHE DEMOCRATIC PEOPLE'S REPUBLIC OF KOREA HAD NOT YET PRODUCED A SAFEGUARDS AGREEMENT FOR CONSIDERATION BY THE BOARD. I UNDERSTAND THAT YOU, MR.CHAIRMAN, HAVE INFORMED THE GOVERNMENT OF THE DEMOCRATIC PEOPLE'S REPUBLIC OFKOREA OF THE VIEWS EXPRESSED AT THAT MEETING.

I HAVE BEEN INFORMED LAST FRIDAY BY A SPECIAL REPRESENTATIVE OF THE DPRK, AMBASSADOR JIN CHUNG GUK, THAT THE DPRK HAS DECIDED(897)TO AGREE TO THE STANDARD TEXT OF AN NPT SAFEGUARDS AGREEMENT AS PRESENTED BY THE AGENCY,TALKS ARE NOW SCHEDULED TO TAKE PLACE BETWEEN EXPERTS NEXT MONTH FOR THE FINAL ADJUSTMENT OF DETAILS IN THE TEXT WITHOUT ANY CHANGES OF SUBSTANCE. BOTH SIDES EXPECT THAT THE AGREEMENT WILL BE READY FOR APPROVAL BY THE BOARD IN SEPTEMBER.

2.ENDO 일본대사는 사무총장의 보고후 의제 제 1 항 90 년도 연례보고서 심의시 첫번째 발언을 통해, 북한대표에게 다음 5 개항에 대하여 최단시일내에 해명해 줄것을 요청하였음.

(1)MAY I TAKE IT THAT THE DPRK INTENDS TO FINALIZE THE TEXT OF THE AGREEMENT, WHICH IS IDENTICAL WITH THE TEXT OF INFCIRC.153?

(2)MAY I TAKE IT THAT THE DPRK INTENDS TO SUBMIT IT FOR APPROVAL TO THE NEXT BOARD MEETING IN SEPTEMBER?

국기국 과기처	장관	차관	1차보	2차보	미주국	분석관	청와대	안기부

PAGE 1 91.06.11 05:37

외신 2과 통제관 FM

0062

(3)MAY I TAKE IT THAT THE DPRK INTENDS TO MAKE NOTIFICATION TO THE AGENCY, PROMPTLY AFTER IT SIGNS AND WITHOUT ANY PRECONDITION, THAT IT BRINGS THE AGREEMENT INTO FORCE?

(5)MAY I TAKE IT THAT THE DPRK INTENDS TO FULLY IMPLEMENT THE AGREEMENT, AND TO SUBMIT TO THE AGENCY'S SAFEGUARDS ALL ITS NUCLEAR ACTIVITIES WITHOUT ANY SINGLE EXCEPTION?

3. 북한은 진충국대사, 김수길 외교부연구원과 윤호진 참사관이 회의에 참석하였으나, 상기 일본대사의 발언직전에 모두 회의장에서 퇴장하였다가 발언이 끝난 후에 입장하였는바, 이사회 의장은 일본이 요청한 5 개항을 북한 대표에게 전달하는 한편 의장 자신이 북한의 입장과 관련 북한대표와 협의한 내용을 핵안전조치(SAFEGUARDS)에 관한 의제 토의시(6.12(수)예정) 이사회에 보고하겠다고 하였음.

4. 호주, 카나다, 독일, 이태리, 태국및 미국의 6 개국이 상기 일본대표의 해명요구 발언에 대한 지지 입장을 표명한후 북한에 대해 핵안전조치 협정을 지체없이 체결할 것을 촉구하는 발언을 하였으며, 인니는 북한과의 핵안전조치 협정이 9 월 이사회에 상정될수 있기를 기대한다는 사무총장의 보고에 환영을 표시하였음.

5. 본건은 6.12(수) 오후경에 본격적으로 토의될 예정임.끝.

예 고:91.12.31 일반.

검 토 필(1991. 6.30.)

4/11 가

관리번호	91-556

원 본

외 무 부

종 별 : 지 급

번 호 : AVW-0705 일 시 : 91 0610 2100

수 신 : 장 관(국기)

발 신 : 주 오스트리아 대사

제 목 : 북한의 핵안전 결의안(수정안)

연:AVW-0696(91.6.9)

금 6.10 오후(1810-1915) 개최된 핵심 우방국대사 회의에서 수정된 결의안 초안을 아래 타전함.(PREAMBLE 제 3 항 'IN AND AROUND'및 제 4 항 'IT DECIDED TO AGREE.. 이하'와 본문 제 4 항은 본직의 요청에 따라 삽입된것임)

DRAFT RESOLUTION

(10 JUNE 1991)

CONCLUSION OF SAFEGUARDS AGREEMENTS-DEMOCRATIC PEOPLE'S REPUBLIC OF KOREA

THE BOARD OF GOVERNORS

MINDFUL OF THE FACT THAT THE DEMOCRATIC PEOPLE'S REPUBLIC OF KOREA, HAVING ACCEDED TO THE TREATY ON THE NON-PROLIFERATION OF NUCLEAR WEAPONS ON 12 DECEMBER 1985, INCURRED AN BLIGATION TO NEGOTIATE AND CONCLUDE AN AGREEMENT WITH THE INTERNATIONAL ATOMIC ENERGY AGENCY FOR THEAPPLICATION OF SAFEGUARDS ON ALL SOURCE OR SPECIAL FISSIONABLE MATERIAL IN ITS PEACEFUL NUCLEAR ACTIVITIES, SUCH AGREEMENT TO ENTER INTO FORCE NOT LATER THAN EIGHTEENMONTHSAFTER THE DATE OF INITIATION OF NEGOTIATIONS.

NOTING WITH CONCERN THAT THE DEMOCRATIC PEOPLE'S REPUBLIC OF KOREA, A STATE WITH SIGNIFICANT UNSAFEGUARDED NUCLEAR ACTIVITIES, HAS FAILED TO HONOUR ITS OBLIGATION.

CONVINCED THAT THE CONCLUSION BY THE DEMOCRATIC PEOPLE'S REPUBLIC OF KOREA OF ITS SAFEGUARDS AGREEMENT WITH THE INTERNATIONAL ATOMIC ENERGY AGENCY WILL CONTRIBUTE TO AN EASING OF TENSION IN AND AROUND THE KOREAN PENINSULA, AND OVERCOME A MAJOR OBSTACLE TO RECONSILIATION ON THE KOREAN PENINSULA.

추가

국기국 장관 차관 1차보 2차보 외정실 분석관 청와대 안기부

PAGE 1

91.06.11 05:44

외신 2과 통제관 FM

0064

WELCOMING THE DIRECTOR GENERAL'S REPORT THAT THE DEMOCRATIC PEOPLE'S REPUBLIC OF KOREA HAS ADVISED HIM THAT IT DECIDED TO AGREE TO THE STANDARD TEXT OF AN NPT SAFEGUARDS AGREEMENT AS PRESENTED BY THE AGENCY AND TO RESUME DISCUSSIONS WITH THE AGENCY TO FINALISE ITS DRAFT SAFEGUARDS AGREEMENT.

추가

1.CALLS ON THE DEMOCRATIC PEOPLE'S REPUBLIC OF KOREA TO CONCLUDE ITS SAFEGUARDS AGREEMENT WITH THE INTERNATIONAL ATOMIC ENERGY AGENCY ON ALL SOURCE OR SPECIAL FISSIONABLE MATERIAL IN ALL ITS PEACEFUL NUCLEAR ACTIVITIESFOR CONSIDERATION BY THE SEPTEMBER MEETING OF THE BOARD OF GOVERNORS AND,AFTER ITS APPROVAL BY THE BOARD OF GOVERNORS, TO BRING THE AGREEMENT INTOFORCE AND IMPLEMENT IT FULLY WITHOUT DELAY:

2.URGES ALL NON NUCLEAR WEAPON STATES PARTIES TO THE TREATY ON THE NON-PROLIFERATION OF NUCLEAR WEAPONS WHICH HAVE YET TO FULFILL THEIR OBLIGATION TO CONCLUDE A SAFEGUARDS AGREEMENT WITH THE INTERNATIONAL ATOMIC ENERGYAGENCY IN ACCORDANCE WITH ARTICLE III OF THE TREATY TO DO SO WITHOUT DELAY:

3.REQUESTS THE DIRECTOR GENERAL TO CONVEY THE TEXT OF THIS RESOLUTION TO THE PRESIDENT OF THE DEMOCRATIC PEOPLE'S REPUBLIC OF KOREA AND TO THE PRESIDENT OF THE UNITED NATIONS SECURITY COUNCIL FOR HIS INFORMATION: AND

4.FURTHER REQUESTS THE DIRECTOR GENERAL TO REPORT TO THE BOARD OF GOVERNORS IN SEPTEMBER 1991 THE OUTCOME OF THE FORTHCOMING NEGOTIATIONS WITH THE DEMOCRATIC PEOPLE'S REPUBLIC OF KOREA AND DECIDES TO INCLUDE AN ITEM 'THE CONCLUSION OF A SAFEGUARDS AGREEMENT WITH THE DEMOCRATIC PEOPLE'S REPUBLIC OF KOREA' ON THE AGENDA FOR ITS SEPTEMBER MEETING.THE END

추가

예 고:91.12.31 일반.

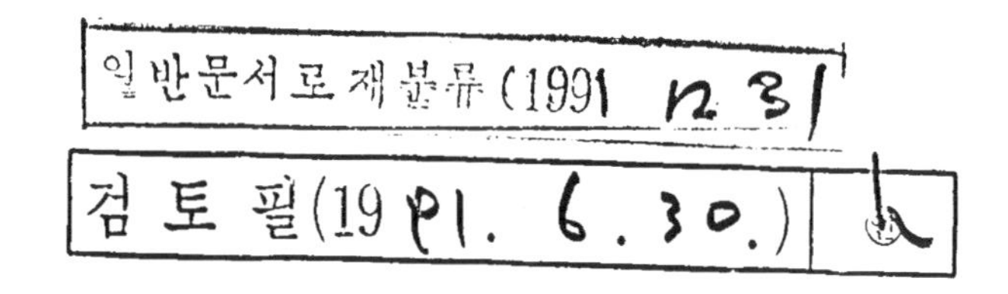

PAGE 2

0065

공　　란

공 란

報 告 畢

長 官 報 告 事 項

1991. 6. 10.
國際機構條約局
國際機構課 (40)

題 目 : IAEA 핵안전협정의 특별사찰 관련 규정

75.10월 아국이 IAEA와 체결한 핵안전협정과 IAEA가 북한에 제시한 IAEA 표준협정안은 동일한 골격으로 이루어져 있는 바, 동협정상의 특별사찰 관련 규정을 아래 보고드립니다.

1. IAEA 핵안전협정의 특별사찰 규정

   가. 특별사찰 근거(제73조)

      o 특별 보고서상의 정보를 확인할 필요가 있을 때

        * 특별보고서는 돌발적인 사고, 상황으로 인한 핵물질 손실 발생시 협정 당사국이 IAEA에 제출

      o 일반사찰에 의한 정보와 당사국이 제공한 정보가 책임이행에 충분치 못한 것으로 IAEA가 판단하는 경우

   나. 특별사찰 실시 절차(제77조)

      o 협정당사국과의 사전협의를 요함

2. 특별사찰의 문제점

   o IAEA측으로서는 의혹이 있다고 판단되는 협정 당사국의 핵시설에 대하여 특별사찰을 실시하고자 하더라도 협정당사국의 동의가 없는 한 불가능

양 고 재	국제기구	과	과	과	과	과

0068

- 지난 91.5.27 일본 교토 개최 유엔 군축회의에서 가이후 일본수상은 IAEA 핵사찰제도를 효율화하기 위하여 특별사찰 제도의 강화를 주장

o 따라서 북한이 핵 안전협정을 체결하더라도 북한의 비공개 원자로와 핵재처리 시설등은 북한이 자진해서 사찰 대상이 되도록 신고하지 않는한 IAEA가 강제적으로 사찰을 실시할 수 없음. 그러나 IAEA는 동시설에 대한 특별사찰 실시를 위한 협의를 북한측에 제기할 수는 있음.

3. 특별사찰 실시 전례

o IAEA는 91.4.3 유엔안보리 결의(No. 687)에 의거 91.5.14-22간 이라크의 핵 시설에 대한 강제성격의 특별사찰을 실시한 바, 동사찰이 IAEA에 의한 최초의 특별사찰 임.

4. 참고 : IAEA 핵안전 협정규정상 사찰 종류

가. 일반사찰(routine inspection)

o 핵안전 협정의 내용에 따른 정기사찰

* 정기사찰 대상인 핵 관련시설과 사찰 내역을 협정의 보조약정 부록 (별책)으로 작성

o 당사국의 보고서와 기록과의 일치 여부에 대한 통상적 사찰

o 사찰내용에 따라 최소 24시간 내지 일주일전 통보

나. 수시사찰(ad hoc inspection)

o 협정에 따른 안전조치 대상 핵물질에 관한 당사국의 최초 보고서에 포함된 정보의 검증

o 최초 보고 일자 이후에 발생한 상황의 변화(핵시설의 건설등)에 대한 검증

o 사찰내용에 따라 최소 24시간 내지 일주일전 통보

다. 특별사찰(special inspection)

o (전 술) 끝.

報 告 畢

長 官 報 告 事 項

1991. 6. 10.
國際機構條約局
國際機構課 (40)

題 目 : IAEA 핵안전협정의 특별사찰 관련 규정

75.10월 아국이 IAEA와 체결한 핵안전협정과 IAEA가 북한에 제시한 IAEA 표준협정안은 동일한 골격으로 이루어져 있는 바, 동협정상의 특별사찰 관련 규정을 아래 보고드립니다.

1. IAEA 핵안전협정의 특별사찰 규정

   가. 특별사찰 근거(제73조)

      o 특별 보고서상의 정보를 확인할 필요가 있을 때

        * 특별보고서는 돌발적인 사고, 상황으로 인한 핵물질 손실 발생시 협정 당사국이 IAEA에 제출

      o 일반사찰에 의한 정보와 당사국이 제공한 정보가 책임이행에 충분치 못한 것으로 IAEA가 판단하는 경우

   나. 특별사찰 실시 절차(제77조)

      o 협정당사국과의 사전협의를 요함

2. 특별사찰의 문제점

   o IAEA측으로서는 의혹이 있다고 판단되는 협정 당사국의 핵시설에 대하여 특별사찰을 실시하고자 하더라도 협정당사국의 동의가 없는 한 불가능

- 지난 91.5.27 일본 교토 개최 유엔 군축회의에서 가이후 일본수상은 IAEA 핵사찰제도를 효율화하기 위하여 특별사찰 제도의 강화를 주장

o 따라서 북한이 핵 안전협정을 체결하더라도 북한의 비공개 원자로와 핵재처리 시설등은 북한이 자진해서 사찰 대상이 되도록 신고하지 않는한 IAEA가 강제적으로 사찰을 실시할 수 없음. 그러나 IAEA는 동시설에 대한 특별사찰 실시를 위한 협의를 북한측에 제기할 수는 있음.

3. 특별사찰 실시 전례

o IAEA는 91.4.3 유엔안보리 결의(No. 687)에 의거 91.5.14-22간 이라크의 핵 시설에 대한 강제성격의 특별사찰을 실시한 바, 동사찰이 IAEA에 의한 최초의 특별사찰 임.

4. 참고 : IAEA 핵안전 협정규정상 사찰 종류

가. 일반사찰(routine inspection)

o 핵안전 협정의 내용에 따른 정기사찰

* 정기사찰 대상인 핵 관련시설과 사찰 내역을 협정의 보조약정 부록 (별책)으로 작성

o 당사국의 보고서와 기록과의 일치 여부에 대한 통상적 사찰

o 사찰내용에 따라 최소 24시간 내지 일주일전 통보

나. 수시사찰(ad hoc inspection)

o 협정에 따른 안전조치 대상 핵물질에 관한 당사국의 최초 보고서에 포함된 정보의 검증

o 최초 보고 일자 이후에 발생한 상황의 변화(핵시설의 건설등)에 대한 검증

o 사찰내용에 따라 최소 24시간 내지 일주일전 통보

다. 특별사찰(special inspection)

o (전 술) 끝.

원 본

외 무 부

종 별 :

번 호 : USW-2865 일 시 : 91 0610 1630

수 신 : 장 관(미일,미이,국기,정특)

발 신 : 주 미 대사

제 목 : 북한 핵 관련 국무부 논평

연: USWF-2270

금 6.10. 국무부 정오 브리핑시 TUTWILER 대변인은 6.9. LA TIMES 의 핵철수 보도 및 북한의 IAEA 서명 가능성 보도에 대해 별전 팩스와 같이 답변하였음.

(대사 현홍주- 국장)

미주국 1차보 미주국 국기국 외정실 정와대 안기부

장관 차관 2차보

PAGE 1

0072

91.06.11 08:55 WG

외신 1과 통제관

: USW(F) - 2170
: 장. 관(미일/미이, 국기, 정특) 발신 : 주미대사
: 북한 핵. 안전협정 서명 관련 국무부 논평 (| 매)

보안
통제

Q Are you considering to withdraw or reduce the nuclear weapons located in the Korean Peninsula as reported in the Los Angeles Times Sunday edition yesterday?

MS. TUTWILER: As you know, sir, that as a matter of policy, the United States neither confirms nor denies the presence or absence of nuclear weapons at any specific location.

Q And one follow-up, please. What is your course of action or policy when North Korea -- when you know, that North Korea has -- it is confirmed that North Korea has developed 90 percent or 100 percent of the nuclear weapons? Intelligence sources confirmed that North Korea has already executed several experimentations of nuclear detonation system which is very vital in the development of a nuclear weapon.

MS. TUTWILER: Without acknowledging or confirming all of which is contained in your question, I will restate for you what is our standard policy concerning nuclear safeguards in North Korea. As you know, when North Korea ascended to the NPT in 1985, it accepted the obligation of signing and implementing a safeguards agreement with the IAEA within 18 months. The US and many other countries have expressed concern about North Korea's un-safeguarded nuclear program. If the DPRK signs and fully implements a full-scope safeguards agreement at an early date, it would be a positive development.

Q On that, Margaret, did you see the announcement by the North Koreans that they are now going to accept international inspection of their nuclear facilities?

MS. TUTWILER: As I was walking down the hall, Richard mentioned to me he had just seen one wire story to this effect, Jim, so I don't have an instant reaction for you. And I believe what Richard told me; he saw was someone with the IAEA saying this, so I'd just like to check it out please.

-1 (END)

0073

공 란

공　　　　란

공 란

북한 - IAEA간 핵안전협정체결 교섭 경위

o 85.12　　북한, 핵비확산조약(NPT) 가입

o 86.2　　IAEA 사무국, 북한측에 협정초안 전달
- IAEA 사무국은 착오로 NPT 비당사국과 체결하는 협정초안을 북한측에 전달

o 87.6.2　　북한, 상기 협정초안을 거부한다고 IAEA에 통보

o 87.6.5　　IAEA 사무국, NPT 당사국과 체결하는 표준 협정안을 북한측에 재 송부

o 89.9.6　　북한, 상기 표준 협정안 검토후 하기 제의 포함한 정치적 및 기술적 논평을 IAEA에 제시
- 협정 전문(preamble)에 협정의 시행, 효력 지속 기간을 핵 보유국의 태도에 연결한다는 내용을 삽입
- 제26조 효력조항에 협정의 효력지속을 정치적 문제와 연결, 즉 상황에 따라 효력 정지를 가능케하는 단서조항 추가

o 89.9.21　　IAEA, 북한의 논평이 표준 협정안의 기본조항으로부터 일탈하기 때문에 수락불가 하다는 입장통보

o 89.10.17-23　　IAEA 조사단 북한 방문, 북한입장 타진시 북한은 IAEA의 상기 반응(response)을 연구중이라고만 표명

o 89.12.11-14　　북한 법률전문가 비엔나 방문, 북한과 IAEA간 표준협정안에 대한 정식 교섭 개시하였으나, 북한이 아래 입장을 고수, 이견을 노정
- 협정의 효력발생 및 지속기간을 한반도의 핵무기 철거와 연계
- IAEA에 대한 정보제공 대상을 핵물질로 한정하고 핵시설은 제외

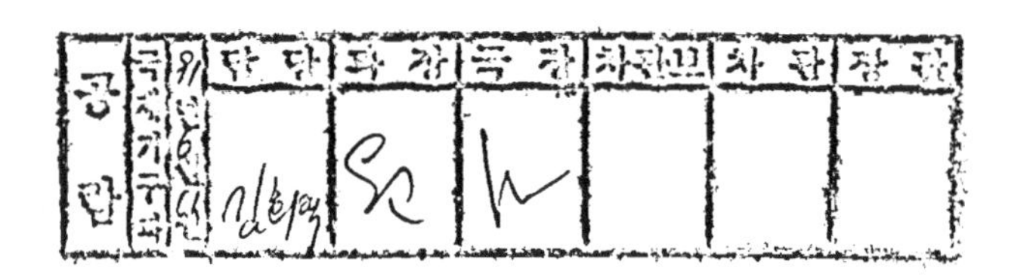

0077

o 90.1.15 비엔나에서 속개된 2차 교섭에서 북한은 기술적사항에 관해서는 IAEA 입장을 모두 수락하였으나, 표준 협정안의 효력조항(제26조)에 "한반도로부터 핵무기가 철거되지 않고 북한에 대한 핵위협이 계속될 경우, 협정의 효력을 정지시킬 수 있다" 는 유보조항 삽입 요구

o 90.6.14 북한은 IAEA 이사회에서 미국의 북한에 대한 명시적 핵선제 불사용을 보장할 것을 요구

o 90.7.10-12 북한은 비엔나에서 IAEA와 협정체결에 관한 제3차 교섭 전개

- 북한은 핵안전협정에 조건없이 즉시 서명하고, NPT 제4차 평가회의 (90.8) 이전에 IAEA 특별 이사회를 소집, 동협정을 상정할 준비가 되어있다고 언급
- 그러나, 북한은 미국의 핵선제불사용보장(NSA)을 받기 위해 미국과의 직접협상을 제의하고 미측 수락을 요구

o 90.8.20-9.14 미국측이 북한에 대한 특별한 NSA 보장은 불가하다는 입장을 분명히 하자, 북한은 협정체결 전제조건으로서 한반도 핵무기 철수 및 비핵지대화 제안등 종래입장을 반복 주장

o 90.11.2 IAEA 사무총장은 북한과 IAEA는 협정초안에는 합의하였으나, 북한이 요구하고 있는 NSA 보장 문제는 미-북한간 문제로서 IAEA가 직접 개입할 문제가 아니라고 언급

o 91.5.28 주 비엔나 북한대사, IAEA 사무총장에게 협정 체결 교섭재개 제의 (서한 전달)

o 91.6.7 북한 순회대사 진충국, IAEA 사무총장에게 협정서명의사 통보

- 91.7.10-15간 전문가 회의 개최, 협정의 본질 내용을 수정함이 없이 문안 최종 확정제의
- 확정된 협정안은 IAEA 9월 이사회에서 승인후 북한 서명 제의

0078

대북한 핵안전협정 촉구 관련 IAEA 이사국 교섭 및 발언현황

1. 1990.2월 이사회

o 대북한 협정체결촉구발언 교섭 국가(7개국)

- 일본, 독일, 호주, 카나다, 화란, 벨기에, 영국

o 실제로 발언한 국가(16개국)

- 호주, 미국, 영국, 화란, 카나다, 소련, 필리핀, 멕시코, 서독, 이태리
  말레이지아, 이집트, 페루, 일본, 폴란드, 튜니시아

2. 1990.6월 이사회

o 대북한 협정체결촉구발언 교섭 국가(19개국)

- 서독, 영국, 화란, 벨기에, 카나다, 호주, 일본, 필리핀, 말련, 폴란드
  스웨덴, 덴마크, 이집트, 페루, 멕시코, 베네주엘라, 가나, 코트디브와르,
  나이제리아

o 실제로 발언한 국가

- 북한을 거명한 국가(18개국)
  서독, 폴란드, 미국, 소련, 이집트, 영국, 페루, 베네주엘라, 필리핀,
  호주, 화란, 동독, 일본, 스웨덴, 덴마크, 벨지움, 말레이지아, 카나다
- 북한 거명없이 발언한 국가(2개국)
  프랑스, 이태리

3. 1990.9월 이사회

o 1990.9월 이사회 대비, 대우방국 교섭은 기존입장을 확인하는 정도의 수준
  으로 하였음

0079

o 15개국이 북한을 거명하여 발언

- 미국, 화란, 호주, 카나다, 서독, 일본, 프랑스, 쏘련, 영국, 동독, 폴란드, 체코, 스웨덴, 이집트, 이태리

4. 1991.2월 이사회(2.26-28)

o 대북한 협정체결 촉구 발언교섭 국가(14개국)

- 쏘련, 영국, 벨지움, 체코, 독일, 모로코, 나이제리아, 튜니시아, 폴투칼. 베네주엘라, 이태리, 인니, 태국, 호주

o 실제 대북한 협정촉구 발언국가(16개국)

- 폴란드, 일본, 인니, 체코, 독일, 미국, 벨지움, 카나다, 이태리, 쏘련, 호주, 이집트, 영국, 오지리, 한국, 헝가리

0080

IAEA 이사국 현황

구	분	이사국수	국 명(임 기)
당연직 이사국 (13개국 : 이사회가 매년지정	o 원자력 선진국 및 핵물질 공급국	10	미국,독일,소련,카나다,프랑스, 일본,영국,스웨덴,호주,중국
	o 원자력 선진국이외 지역의 핵물질 생산 선진국	3	
	- 라틴 아메리카	(1)	알젠틴
	- 아프리카	(1)	이집트
	- 중동 및 남아	(1)	인 도
지역선출 이사국 (22개국) : 매년 총회에서 11개국씩 개선	o 지역대표 이사국	20	
	- 라틴 아메리카	(5)	칠레,베네주엘라(89-91) 브라질,쿠바,우루과이(90-92)
	- 서 유럽	(4)	벨기에,이태리(89-91) 오지리,폴루갈(90-92)
	- 동 유럽	(3)	폴란드,체코(89-91) 우크라이나(90-92)
	- 아프리카	(4)	나이제리아,튜니시아(89-91) 카메룬,모로코(90-92)
	- 중동 및 남아	(2)	사우디(89-91), 이란(90-92)
	- 동남아 및 태평양	(1)	인도네시아(90-92)
	- 극동	(1)	필리핀(89-91)
	o 윤번이사국	2	
	- 중동 및 남아. 동남아 및 태평양. 극동	(1)	이라크(89-91)
	- 아프리카.중동 및 남아.동남아 및 태평양	(1)	태국(90-92)
	계	35	

※ 아국은 이사국 재선 금지규정에 의거 현재 비이사국

- 87-89년 이사국 역임, 91.9월 총회시 이사국 출마 예정

0081

일본 언론보도 주요내용(요약)

국제기구과 91.6.11

1. 한국내 핵철수 검토는 북한의 핵재처리 시설 폐기의 "대가" (도쿄신문, 6.11)

o 91.5월 월포윗츠 미국방차관의 일본 방문시 아래 관련사항을 비공식 전달

- 북한이 건설중인 핵 연료 재처리 시설의 폐기에 대한 "대가"로 주한 미군의 단계적 감축, 주한미군 보유 핵무기의 단계적 철수를 검토

- "대가"의 구체적 내용은 미국 정부에의해 최종 확정이 되지 않은 것으로 보이며, 아직 일본, 한국 양국 정부와 본격적인 협의가 시작되지는 않음

- 북한에 대해 무조건적으로 핵재처리시설의 폐기를 요구하는것보다 어떤 형태의 대상을 제공하는 것이 필요하다는 인식에서 비롯

o 일본 정부, 한국내 핵무기의 단계적 삭감은 북한의 핵재처리시설 건설문제가 제기되지 않더라도 예측할 수 있는 상황

- 일 외무성, 「한반도내 핵무기 배치를 육상보다는 해상에 중점을 두고 고려하는 것이 자연스럽다」는 입장

- 미국내에서도 한국내 핵무기를 육상으로부터 해상으로 이전할 가능성을 강하게 제기하고 있음

o 일본정부, 미국의 의향에 따라서 91.5. 제3차 일.북한 수교교섭 회담에서 처음으로 북한의 핵 재처리시설 문제에 대해 언급

2. 일본, 핵사찰 관련 독자안 제출 계획(니혼게자이, 6.11)

o 91. 6월 IAEA 이사회에서 일본정부는 북한등 개도국에 대한 핵사찰을 원할히 실시할 수 있도록 하기위한 독자안을 제출할 방침

- 현재까지 시행상 어려움이 있었던 IAEA의 「특별사찰제도」의 절차를 명확히 하여, '의혹'이 있는 국가가 사찰을 받도록 조치

o 북한을 대상으로한 핵사찰 수락 촉구 결의안에 대해 6월 이사회에 참가중인 호주, 일본 및 서방국들간 의견조정 계속

- 북한의 자세에 의문이 남아 있다고 판단, 결의안을 이사회에 제출할 예정

o 이라크대표, 이라크의 핵관련 시설현황 및 IAEA와의 협력방안에 대해 설명

공람	국제기구과	91.6.11	담당	과장	국장	차관보	차관	장관
			신동익	(서명)	(서명)			

0082

공 란

공 란

관리번호	91-563

분류번호	보존기간

발 신 전 보

번 호 : WUN-1658 910611 1523 FO 종별 :

수 신 : 주 유엔 대사. 총영사

발 신 : 장 관 (국기)

제 목 : 양상곤 인니방문

양상곤 중국 주석의 6.5-10간 인니 방문중 인니-중국 외상 회담시 논의된 한반도 정세관련 내용을 아래 통보하니 업무에 참고 바람.

1. 남북한 유엔가입 문제

o 양국외상은 남북한의 유엔가입 결정을 좋은 진전이라고 평가하고, 남북한이 금년 9월 유엔가입 신청을 할 경우 유엔가입에 별 문제가 없을것이며 남북한 유엔가입의 쟁점은 제거되었다고 평가함

o 그러나 북한의 핵안전협정체결 지연과 관련 문제발생의 소지가 있을 수도 있다고 보았음

2. 북한의 핵안전협정 체결문제

o 중국 외상은 IAEA 이사회에서 북한의 핵안전협정체결 권고 결의안 움직임에 대해 북한이 불만(UNHAPPY)스럽게 생각하고 있다고 전하고 중국도 북한의 동협정체결을 위해 적극적으로 노력(ACT POSITIVELY) 할것이라고 말하였음

3. 남북한 관계

o 중국외상은 중.쏘관계 개선이 한반도 정세에도 영향을 미쳐 남북 대화를 촉진하는데 기여할 것이라고 말하였음

/계속...

보안통제	

앙고재	91년 6월 11일	국기과	기안자 성명		과 장		국 장		차 관	장 관
			김희택				전결			

외신과통제

0085

o 중국외상은 중국과 쏘련은 한반도의 평화와 안정에 깊은 관심을 갖고 있으며, 쏘련도 공히 남북한과 관계강화를 위해 적극적이라고 말하였음

끝.

예고 : 91.12.31 일반

(국제기구조약국장 문 동 석)

검 토 필(1991. 6. 30.)

일반문서로 재분류(1991. 12. 31.)

0086

관리 번호	91-564

	분류번호	보존기간

발 신 전 보

번 호 : WAV-0602 910611 1524 FO 종별 :

수 신 : 주 오지리 대사. 총영사

발 신 : 장 관 (국기)

제 목 : 북한 핵안전협정 촉구 결의안

양상곤 중국주석이 6.5-10간 인니방문시 행해진 중국-인니 외상회담에서 표제관련 중국측 언급 내용을 아래 통보하니 참고바람.

- 아 래 -

o 중국 외상은 IAEA 이사회에서 북한의 핵안전협정체결 촉구 결의안 움직임에 대하여 북한이 불만스럽게 생각하고 있다고 전하고, 중국도 북한의 동협정체결을 위해 적극적으로 노력(act positively)할 것 이라고 말하였음. 끝.

예고 : 91.12.31 일반

(국제기구조약국장 문 동 석)

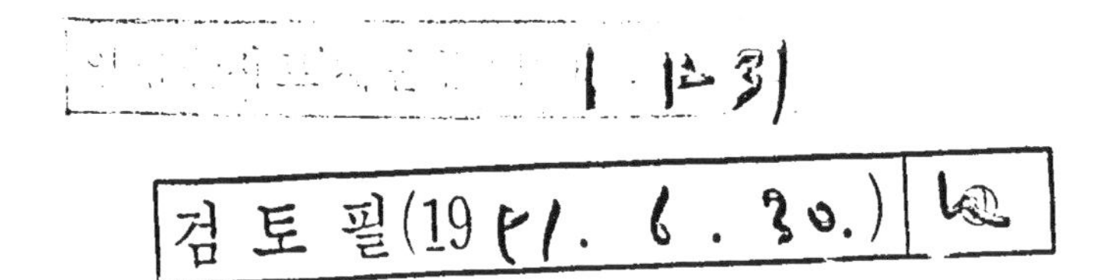

보안 통제	

앙 고 재	91년 6월 11일	국기과	기안자 성명		과 장		국 장		차 관	장 관
			김희덕							

외신과통제

0087

관리번호	91-565

	분류번호	보존기간

발 신 전 보

번 호 : WAV-0603 910611 1525 FO 종별 : 지급

수 신 : 주 오지리 대사. 총영사

발 신 : 장 관 (국기)

제 목 : 대북한 결의안

대 : AVW-0706

대호 우방국 대사 전략회의시 금번 이사회에서 결의안을 제출하지 않기로 결정하는 경우 향후 동면 대책 차원에서 어떠한 내용으로 대외발표를 하는지 하는 문제도 중요하다고 생각하는 바, 동 회의에서 홍보 방향에 관하여도 협의할 후 보고 바람. 끝.

예고 : 91.12.31 일반

(국제기구조약국장 문 동 석)

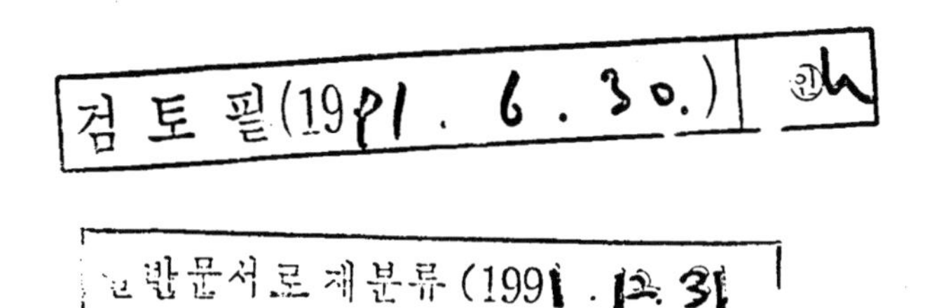

보안통제	

앙고재	91년 6월 11일	국기과	기안자 성명		과 장		국 장		차 관	장 관

외신과통제

0088

분류번호	보존기간

발 신 전 보

번 호 : WAV-0604 910611 1525 FO 종별 : 암호송신

수 신 : 주 오지리 대사. 총영사

발 신 : 장 관 (국기)

제 목 : IAEA 6월 이사회

1. 귀지발 로이타통신 (6.11자 Korea Times 인용 국내보도)에 의하면 IAEA 대변인이 북한의 핵안전협정에 영변소재 비밀 핵발전소가 포함된다고 확인하였다 하는 바, 동건 관련 상세 보고 바람.

2. 상기 로이타 통신 보도 내용은 다음과 같음

An IAEA spokesman confirmed that the safeguards agreement would cover a secret nuclear power facility at Yongbyon. 끝.

(국제기구조약국장 문 동 석)

보안통제	

앙고재	91년 6월 11일	국기과	기안자 성명		과 장		국 장		차 관	장 관
			김희택				전결			

외신과통제

0089

관리 번호	91-567

	분류번호	보존기간

발 신 전 보

번 호 : WUS-2615 외 별지참조 종별 :

수 신 : 주 수신처참조 대사. 총영사

발 신 : 장 관 (국기)

제 목 : 6월 IAEA 이사회 경과

연 : AM-0128

1. 표제 이사회가 6.10(월) 개막되었는 바, 첫날 회의 경과를 하기 통보함

가. 개막직후 IAEA 사무총장으로부터 북한의 핵안전협정 서명(동의)의사 통보 내용등을 포함한 보고를 청취함

나. 상기 보고후 일본대표(Endo 대사)는 북한 대표를 상대로 북한의 진의를 확인하는 하기 5개항의 질의를 하고 해명을 요구함

o IAEA 표준 협정안과 동일한 협정문안을 최종확정할것인가

o 협정안을 9월 이사회에서 승인받겠는가

o 승인후 조건없이 서명할것인가

o 서명후 조건없이 발효시킬것인가

o 모든 핵활동에 대해 예외없이 협정을 전면이행 할것인가

다. 북한 대표단은 상기 질의 시작직전 퇴장하였다가 질의 종료후 입장함 (이와관련 이사회 의장은 일본이 요청한 5개항을 북한대표에게 전달하는 동시에 자신이 북한대표와 협의한 내용을 6.12(수) 이사회에 보고하기로 함)

/계속...

보안 통제	

앙 고 재	91년 6월 11일	국기과	기안자 성명	과 장	국 장	차 관	장 관

외신과통제

0090

라. 호주, 카나다, 독일, 이태리, 태국 및 미국등 6개국 대표가 일본 대표의 해명 요구 발언에 대한 지지입장을 표명한 후 북한이 지체 없이 핵안전조치협정을 체결하도록 촉구하는 발언을 하고, 인니 대표는 북한과의 협정이 9월 이사회에 상정될 수 있기를 기대한다는 사무총장의 보고를 환영하는 발언을 함

2. 상기회의 직후 호주, 일본, 카나다, 체코, 미국(차석 대표), 벨지움 대표 및 주오지리 아국대사가 참석한 핵심 우방국 대사 전략회의를 개최하여 향후 대처 방안을 협의하였음. 동 협의는 6.11(화) 오전(비엔나 시간) 다시 갖기로 하였는 바, 이때 일본대표가 이사회 회의시 질의한 5개항에 대하여 이사회 의장이 타진할 북한 대표의 반응도 파악하여 결의안을 위요한 입장을 결정하기로 하였음

3. 상기 이사회는 6.12(수) 북한 핵안전협정문제를 본격토의할 예정인 바, 아측으로서는 ~~[illegible]~~ (문제에 대해서는 우방의견을 존중한) 금번 이사회에서 결의안 채택을 ~~강행하지는 않는~~다는 입장이며, 이사회의장의 강한 성명 채택선에서 대처할 것임을 귀하의 참고로만 하기 바람.　　　끝.

예고 : 91.12.31 일반

(국제기구조약국장　　문 동 석)

수신처 : 주 미국, 독일, 쏘련, 카나다, 프랑스, 일본, 영국, 스웨덴, 호주, 북경, 알젠틴, 인도, 칠레, 베네주엘라, 브라질, 우루과이, 벨지움, 이태리, 폴투칼, 폴란드, 체코, 나이제리아, 튜니지아, 카메룬, 모로코, 사우디, 이란, 인니, 필리핀, 태국, 유엔, 제네바 대사, 주 카이로 총영사

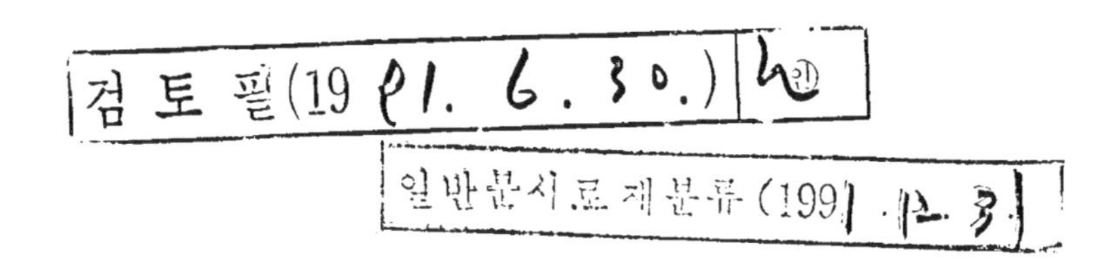

0091

WUS-2615 910611 1743 FO

WGE -0882 WCN -0680 WFR -1219 WJA -2664 WUK -1105

WSD -0304 WAU -0421 WCP -0767 WAR -0262 WND -0546

WCS -0183 WVZ -0194 WBR -0254 WUR -0084 WBB -0293

WIT -0661 WPO -0227 WNJ -0236 WTN -0171 WCM -0166

WMO -0196 WSB -0814 WIR -0473 WDJ -0595 WPH -0520

WTH -0908 WUN -1661 WGV -0760 WCA -0440

0092

관리번호	91-585

	분류번호	보존기간

발 신 전 보

번 호 : WAV-0612 910611 2154 DA 종별 : 긴급

수 신 : 주 오지리 대사. ~~총영사~~

발 신 : 장 관 (국기)

제 목 : IAEA 6월 이사회 대책

대 : AVW-0710, 0711

연 : WAV(F)- 39

1. 대호 6.11(화) 우방국 전략회의시의 각 이사국 대표별 입장을 상세 보고 바람.

2. 아울러 대호 (0711) 진충국의 아국 기자단과의 정확한 기자회견 내용을 지급 보고 바람. 끝.

예고 : 91.12.31 일반

(국제기구조약국장 문 동 석)

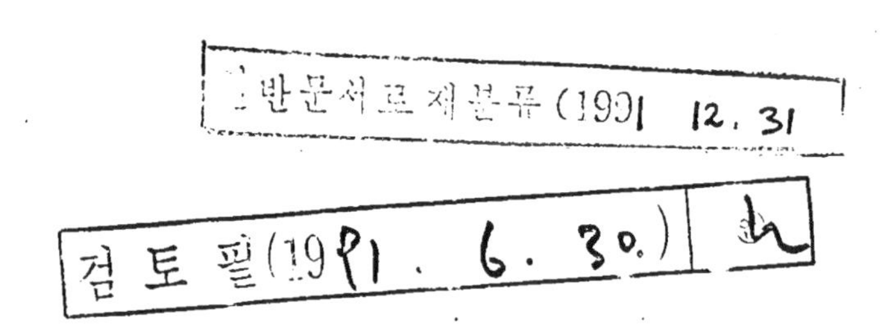

보안통제	

앙고재	91년 6월 11일	기과	기안자 성명		과 장		국 장		차 관	장 관

외신과통제

0093

6/11 길

관리번호	91-570

원 본

외 무 부

종 별 : 긴 급

번 호 : AVW-0710 일 시 : 91 0611 1230

수 신 : 장 관(국기)

발 신 : 주 오스트리아 대사

제 목 : 북한의 핵안전 결의안(3차 수정안)

연:AVW-0705 및 0706

1. 금 6.11(화) 오전 핵심 우방국대사 협의를 거쳐 수정한 결의안 초안은 아래와 같음.

CONCLUSION OF SAFEGUARDS AGREEMENT-DEMOCRATIC PEOPLE'S REPUBLIC OF KOREA

THE BOARD OF GOVERNORS

WELCONES THE REPORT BY THE DIRECTOR GENERAL ON THE NEGOTIATIONS BETWEEN THE AGENCY AND THE DPR(765)년 ON THE CONCLUSION OF THE DPRK'S NPT SAFEGUARDS AGREEMENT

NOTES THAT THE DPRK HAS DECIDED TO AGREE TO THE STANDARD TEXT OF AN NPT SAFEGUARDS A 입 REEMENT

1.DECIDES TO CONVENE A SPECIAL MEETING OF THE BOARD IN JULY FOR THE PURPOSE OF APPROVING THE DRAFT AGREEMENT:

2.EXPECTS PROMPT ENTRY INTO FORCE AND FULL IMPLEMENTATION OF THE AGREEMENT AFTER ITS APPROVAL BY THE BOARD OF GOVERNORS:AND

3.DECIDES TO PLACE A RELEVANT ITEM ON THE PROVISIONAL AGENDA FOR ITS MEETING IN SEPTEMBER.

2. 상기 7 월 특별이사회 개최 조항은 본직의 요청으로 삽입되었는데 정식 상정후 심의시에는 다소 논란이 있을 것으로 보임.

3. 상기 결의안은 작 6.10 오후에 있은 우방국대사 협의가 금차 이사회에서의 결의안 통과 전망을 다소 소극적으로 본것과는 대조적으로, 결의안 통과를 적극적으로 추진할수 밖에 없다는 판단하에 다시 수정된 것임.

4. 이러한 판단을 하게 된 배경에는 북한의 협정서명 의사에 의혹이 있고, 북한이

국기국 차관 1차보 구주국

PAGE 1

91.06.11 20:33

외신 2과 통제관 CE

0094

협정에 서명하리라는 인상을 표면상으로 줌으로서 홍보면에서 커다란 성과를 올리고 있는것에 아측이 자극됨으로써 여하한 내용으로라도 결의안을 금차 회기중 채택하는 것이 좋겠다는 분위기가 살아났기 때문임.

5. 금일자 평양 라디오 방송과 작일 회의에서 북한 대표단이 일본대사 해명요구 발언시 퇴장한 것도 작용하였음.

6. 미국은 금일 결의안에 대한 태도가 다소 적극적으로 바뀌고 있으며, 소련은 금년 여름을 넘긴후 아무 진전이 없으면 결의안에 찬성할수 있을것이라는 반응을 보이고 있음.

7. 상기 결의안을 특히 칠레, 에짚트, 사우디아라비아, 스웨덴, 알젠틴, 모로코, 우루과이, 베네주엘라가 지지하고 인도가 조용히 유보적 태도를 유지하도록 긴급 교섭바람. 끝.

예 고:91.12.31 일반.

검 토 필(1991. 6. 10.)

일반문서로 재분류 (1991. 12. 31

PAGE 2

0095

6/11 기

관리 번호	91-571

원 본

외 무 부

종 별 : 긴 급

번 호 : AVW-0711 일 시 : 91 0611 1230

수 신 : 장 관(국기)

발 신 : 주 오스트리아 대사

제 목 : 진충국의 기자회견

북한의 진충국은 금일 오전 아국 기자단과 회견을 가졌는데, 협정 서명에 대해서는 언질을 주지 않았다고 하며, 본직이 원하면 당지에서 면담을 가질 용의가 있다고 말하였다함. 끝.

예 고:91.12.31 일반.

검 토 필(1991. 6. 30.)

일반문서로 재분류(1991 . 12. 31

국기국 차관 1차보

PAGE 1

91.06.11 20:35

외신 2과 통제관 CE

0096

6/12 길 기

관리번호	91 -572

원 본

외 무 부

주oz지니 중계 선통

종 별 :

번 호 : AUW-0445　　　　일 시 : 91 0611 1730

수 신 : 장관(국기,아동,기정)

발 신 : 주 호주 대사

제 목 : IAEA 6월 이사회 결의안

연:AUW-0419

대:WAU-0410

6.11 본직과 오찬시 CALVERT 아주국장은 현재 진행중인 IAEA 이사회에서의 대북한 결의안 추진과 관련하여 6.7 진충국 북한 순회대사가 BLIX 사무총장을 만나 7.10-15 간 북한과 IAEA 가 전문가 회의를 열어 북한의 핵안전협정 체결협상을 개최하자고 제안한후 비록 IAEA 이사국중 다소 동요가 있다고 하더라도, 호주정부는 이에 개의치 않고, 자국이 준비한 결의안이 통과되도록 초지일관 최선의 노력을 일단 경주할것이라고 알려주었음을 참고로 보고함. 끝.

(대사 이창범-국장)

예고:91.12.31. 일반

검 토 필(1991. 6. 30.)

국기국 차관 1차보 아주국 안기부

PAGE 1

91.06.11 17:38

외신 2과 통제관 BA

0097

11/12 과 기.

관리 번호	91-574

외 무 부

종 별 : 지 급

번 호 : UNW-1523　　　　일 시 : 91 0611 1600

수 신 : 장관(국연,국기,해신,정특,기정)사본:주미(직송필),주오지리대사(중필)

발 신 : 주 유엔 대사

제 목 : 북한대사 기자회견

대:WUN-1661

연:UNW-1521

1. 북한대사 박길연은 6.11 갑자기 유엔출입기자를 대상으로한 회견을 요청, 11:40 부터 약 20 분간 회견을 갖고, 핵사찰 문제관련 북한에 대해서만 사찰을 할것이 아니라 남한에 있는 핵기지공개와 사찰을 동시 실시해야 한다고 주장하는 내용의 미리준비된 성명을 읽은후 질의에 응답한바, 동성명 FAX 타전함.

2. 동 회견에는 AP, UPI, TASS, XINHUA, BBC 등 유엔 외신기자 약 15 명이 참석했으며 질의 응답요지 다음보고함.

문:북한이 유엔가입에 동의해온바 앞으로 주한 미군철수를 계속 주장할 것인지 그리고 남북한간 화해를 위한 노력은 ?

답: 유엔가입후라도 북한의 통일정책과 외국군이 한반도에 주둔해서는 안된다는 기존정책에도 변함이 없다. 남북한관계에 있어서도 대화를 통해 통일을 달성한다는 일관된 정책이다

문:동시가입 신청을 위해 남북한 유엔대사간 접촉이 있었는가

답: 현재까지는 유엔가입의 특정문제를 놓고 접촉은 없었다. 그동안 리셉션등 여러기회에 접촉은 있었다. 남한대사와 만날 기회가 있으리라는 점을 배제하지는 않는다. 그기회 (LATER STAGE) 가 일주 또는 수주일 후일지도 모르지만, 그러나 현단계에서는 사전준비된 접촉계획은 없다.

문:북한은 유엔가입을 위해 곧 단독신청할 것인지 아니면 남한과 동시가입 신청에 관심이 있는지

답: 신청시기 문제는 언제라도 제출 준비가돼 있다. 안보리 일정및 안보리와의 편의등을 고려해서 제출할 생각으로 현재 안보리 이사국들과 개별 접촉중이다.

국기국 장관 차관 1차보 2차보 국기국 외정실 분석관 청와대
안기부 공보처

PAGE 1　　　　91.06.12 05:24

외신 2과 통제관 CE

0098

남한과 동시가입 신청여부는 현재까지 남한 유엔대사와 시기, 형식등 신청절차문제에 관해 협의가 없는 상황이므로 그것이 가능할수 있을지 모르겠다.(DOUBTFUL)

문:그렇다면 북한대표부에서 한국대표부에 만나자고 먼저 전화로 연락 할수도 있는것 아닌가 ?

답: 그렇다.

남한 대사와의 접촉기회를 배제하는 것은 아니다.

문:한국은 국회등의 절차등을 밟아야 하는데 북한에도 그러한 의회 절차가 있는지

답: 외교부에서 이미 유엔가입 결정을 발표했으므로 정부지시만 있으면 즉시 조치를 취할수 있다.

첨부:FAX 3 매:UNW(F)-253

끝

(대사 노창희-관장)

예고:91.12.31. 일반

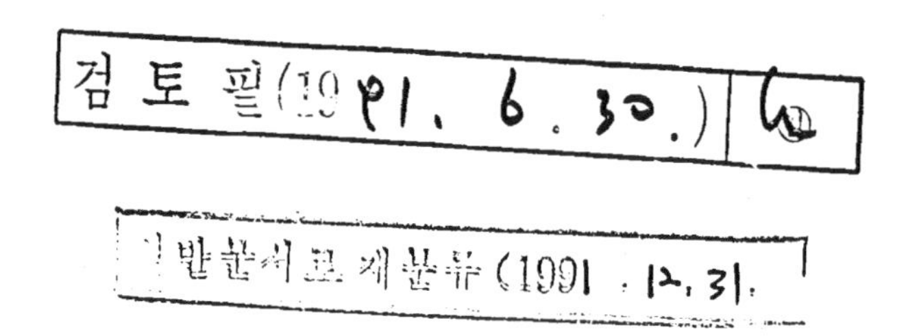

별첨

HNW(F)-253 10611 1600
(국연.국기.해신.정특.기정) 사본:주오지리,미주대사
직송FAX필함
총 3 an.

Ladies and gentlemen,
I would like to take this opportunity this morning to inform of the latest situation on the Korean peninsula.

As was known, the Democratic People's Republic of Korea has put forward an anti--nuke and denuclearization policy and has consistently advocated prohibiting the deployment, production and storage of nuclear weapons and abolishing them.

When the Soviet Union and the United States took some measures to abolish a number of nuclear weapons the DPRK supported them and hoped that such nuclear reduction measures would be also enacted on the Korean peninsula.

However, the US nuclear threat against the DPRK is daily growing. As is known to the world, more than 1000 nuclear weapons are deployed in the south of the Korean peninsula, ready for operation. Now that the whole territory of south Korea has been turned into a nuclear arsenal, our people can never feel at ease. And there can be no guarantee for peace and security in Asia.

Top level officials and military bosses of the United States declared more than once that they would use nuclear weapons on the Korean peninsula, if necessary. They threaten us every year by mobilizing large military forces armed with means of nuclear attack in the "Team Spirit" nuclear war military manouvres.

More recently they are escalating the tensions, noisily crying over our "nuclear capabilities".

The DPRK Government has declared more than once that it has neither intention nor capacity to manufacture nuclear weapons, that it is ready to sign the nuclear safeguards accord any time according to the nuclear non--proliferation treaty and that it does not oppose nuclear inspection.

The question lies in the removal of US nuclear threat to the DPRK and Asia.

-1-

3 - 1

0100

If the nuclear inspection should be made it must not be forced upon us alone with no nuclear weapons but the US nuclear bases in south Korea must be opened to the public and an international inspection of them be made at the same time.

This is fair and is necessary not only for our country but also for the Asian countries.

The nuclear weapons deployed in south Korea threaten the very existence of all the Korean nation.

Eliminating the nuclear threat to our country is an unavoidable duty which the United States assumes as a nuclear power, in accodrance with the nuclear non--proliferation treaty. Our country's demand that the United States eliminate nuclear threat to it is also a right which is vested in us, a non-nuclear nation, in the spirit of that treaty.

TheDPRK has joined the treaty, for the purpose of having the US nuclear weapons pulled out of the Korean peninsula, ending the nuclear threat to our country and, furthermore, making the Korean peninsula a nuclear free zone.

However, after we joined this treaty, the United States' nuclear threat has increased still more.

There is no reason why the United States cannot withdraw more than 1000 nuclear weapons from south Korea, if they have no intention to threaten and attack our country and other Asian countries with nuclear weapons.

It is as clear as noonday that the aim of the United States in keeping its nuclear weapons in south Korea is to maintain its "policy of strength" and thus obstruct the independent development of the Asian countries and gratify its dominationist desire.

From our vital demand for the rights to national dignity and survival and from our high sense of responsibility for the cause of peace in Asia and the rest of the world, we who are under the constant threat of nuclear weapons will make every possible effort to get the US troops and nuclear weapons withdraw from south Korea,make the Korean peninsula a nuclear free,peace zone and ensure peace and security in Asia and the world.

Withdrawing the US nuclear weapons from south Korea and making the Korean peninsula a nuclear-free zone are the fundamental requirement for removing the danger of a nuclear war from Asia..

We hope that all the peaceloving countries will pay due attention to the ever -growing nuclear threat of the US in Korean peninsula and express their solidarity for the effort to remove the nuclear threat and make the Korean peninsula a nuclear free,peace zone.

3-3

0102

6/12 7L

관리 번호	91-575

원 본

외 무 부

종 별 : 지 급

번 호 : AVW-0716 일 시 : 91 0611 1800

수 신 : 장 관(국기)

발 신 : 주 오스트리아대사

제 목 : 북한의 핵안전 결의안 상정 절차

연:AVW-0712

1. 금 6.11(화) 오후(14:45-15:00) 본직을 포함한 호주, 일본, 벨지움, 카나다, 첵코, 미국, 영국등 우방국대사는 공동으로 ZELAZNY 의장을 방문하고, 결의안 상정에 관련하여 면담한 결과 아래와 같은 씨나리오에 합의하였음.

가. 수정의제(GOV/2506/REV 1,10 JUNE 1991) 제 11 항(B) THE CONCLUSION OF SAFEGUARDS AGREEMENTS 에 대한 토의가 정상적으로는 명 6.12(수) 오후 늦게부터 시작될 예정이나, 일본대사가 제기한 5 개항등에 관련하여 북한이 협정문제에 대한 그 공식입장을 이사회 회의에서 개진하도록 기회를 주기 위하여 의장이 의제 11 항(B)만을 명 6.12(수) 오전 회의 벽두에 취급하도록 의사 일정을 조정함

나. 한편 의장은 북한대표와 금일중 접촉하여 명일 오전회의에 그 입장을 명확히 밝히라는 요청을 미리함.(북한대표들은 금일 오후 4 시반 현재 전원회의에 불참하고 있음)

다. 북한이 6.12(수) 오전 이사회에서 입장을 천명하는 내용에 따라 결의안의 상정 여부를 결정함.

라. 북한의 입장 표명이 부정적인 경우에는 결의안을 상정 시킬수 있을 것이며, 이경우에 의제 11 항(B)에 대한 토의는 6.14(금)에 가지도록 의사일정을 다시 조정함.

2. 상기와 같은 씨나리오를 작성하게 된 이유는 의사규칙상의 24 시간 제한때문이었으며, 북한이 회의장 주변에서 다각도로 로비활동을 전개하여 일부 이사국들의 결의안에 대한 지지를 동요 시켰기 때문에, 아측은 반드시 북한의 공식입장을 공식회의에서 듣고 만족스럽다면(ENDO 대사의 5 개항에 대한 항목별 회답은 없다 하더라도) 결의안 제출을 보류하면 될것이라는 생각에서 비롯하였음.

3. 금일 오후의 분위기로는 결의안의 통과에 소극적인 견해가 늘어나고 있고

국기국 장관 차관 1차보 2차보 미주국 구주국 분석관 청와대 안기부

PAGE 1

91.06.12 05:56

외신 2과 통제관 CE

0103

기권이 예상외로 늘어날것이라는 전망이 서고 있는데 이는 북한의 선전공세에영향을 받은 것으로 보임.

4. 본직은 어제에 이어 금일에도 계속 미국에 대하여 미국이 미온적인 까닭으로 결의안 상정과 통과가 불투명하다고 지적하면서 적극성을 보이도록 요망하고 있음.

5. 본직이 감지하기로는 북한이 상기 1 항에 언급된 공식입장 개진을 이사회에서 하지 않을것으로 보이는바(구두로만 경우에 따라 협정에 서명한다고 까지이사국들을 상대로 선전하고 있음), 이렇게되면 적어도 언론대책상 결의안이 상정은 되어야 함을 연호항에 관련하여 참고하시고 본부가 지원해 주기바람. 끝.

예 고:91.12.31 일반.

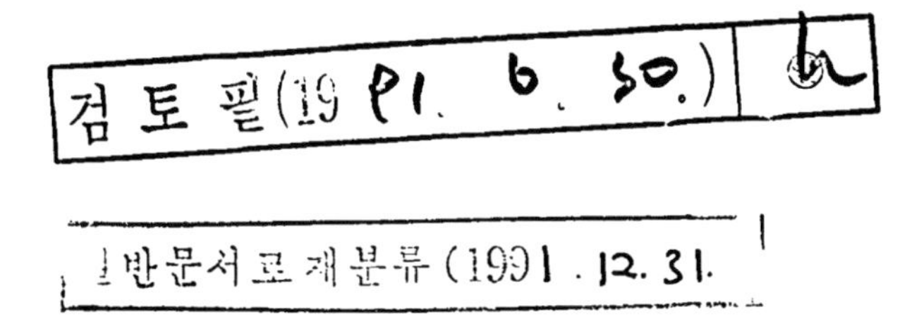

0104

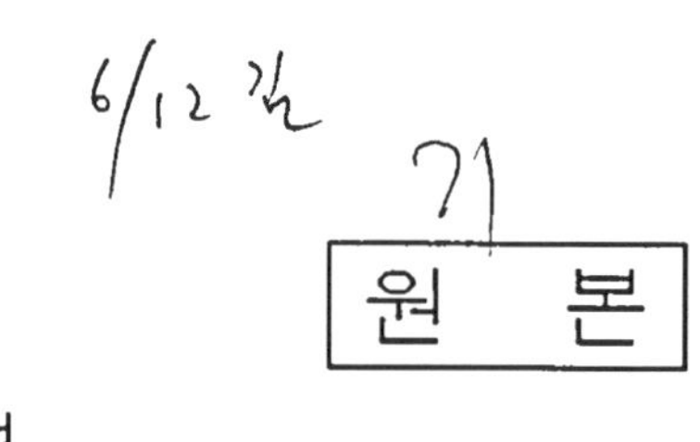

관리 번호	91-573

외 무 부

종 별 : 지 급

번 호 : AVW-0717 일 시 : 91 0611 1930

수 신 : 장 관(국기)

발 신 : 주 오스트리아 대사

제 목 : 북한의 공식입장 개진 시나리오 무산

연:AVW-0716

1. 금 6.11(화) 오후 5 시경 ENDO 일본대사와 ZELAZNY 의장을 대리한 SANMUGANATHAN 사무총장 특별 보좌관은 진충국 북한 순회대사를 접촉 하였는 바, 진충국은 연호 1 항으로 보고한 명 6.12(수) 오전 이사회 회의에서의 공식 입장 개진 기회의 수락을 거부하고 예정된 의사 진행순서에 따라 의제 11 항(B)를 토의할때에(명일 오후가 될것임) 공식입장을 개진하겠다고 함으로써 연호 1 항의 시나리오는 성사될수 없게 되었음.

2.ENDO 대사에 의하면 진충국은 안전조치 협정문제에 관하여 명확한 언질을주지않고 작일 사무총장의 보고서 내용만을 되풀이 하면서, ENDO 대사가 5 개항의 질문을 제기한것이 몹시 못마땅하다는 불평을 늘할 놓았다고 함. 끝.

예 고:91.12.31 일반.

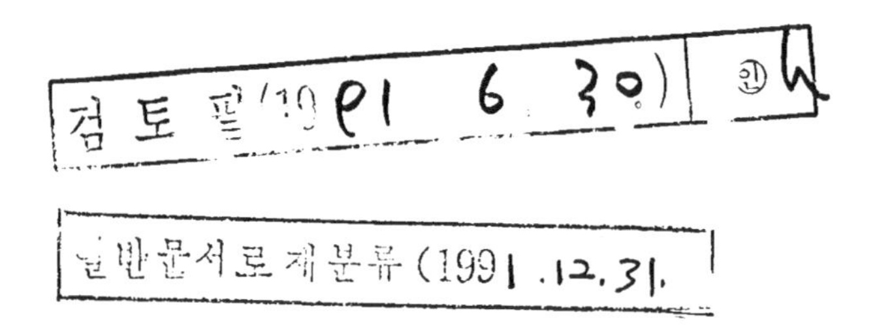

국기국	장관	차관	1차보	2차보	미주국	구주국	분석관	청와대
안기부								

PAGE 1 91.06.12 05:59

외신 2과 통제관 CE

0105

6/12 길 기

관리번호	91-568

원 본

외 무 부

종 별 :

번 호 : SVW-2040 일 시 : 91 0611 2110

수 신 : 장 관(국기,구이,사본:주오지리대사)중계필

발 신 : 주 쏘 대사

제 목 : IAEA이사회대책

연 : SVW-1759,1786

대 : WSV-1759,1766

1. 당관 이원영공사는 금 6.11(화) 주재국 외무성 국제 과학기술협력국 국장대리 IGOR PALENYKH 대사를 면담(마요르스키 국장은 IAEA 이사회 참석차 비엔나 출장중, 김성환서기관및 메쉬코프 서기관배석), 대호 일본, 카나다, 호주, 미국등의 결의안 제출동향에 관하여 설명하고 금번 이사회에서 동결의안이 채택될 경우, 북한에 역작용을 줄 가능성이 있다는 쏘련의 우려와는 반대로 오히려 북한으로 하여금 핵안전협정을 체결토록 하는 결정적인 분위기를 조성하게 될 것이라고 말하고 결의안 채택을 위한 쏘측의 적극적인 협조를 요청하였음.

또한 이공사는 그간 쏘련이 북한에 대해 핵안전 협정체결을 일관되게 촉구해온 점을 상기시키고 핵안전체제 보전을 위한 IAEA 회원국들의 공동노력에 동참해 줄 것을 부탁하였음.

2. 이에대해 PALENYKH 대사는 쏘련도 북한이 IAEA 와 핵안전 협정을 체결토록 하기 위해 가능한 모든 수단을 동원해야 한다고 생각하는 점에서 아측과 같은입장이나 쏘측은 금번 결의안 채택 효과에대해 회의적인 판단을 하고 있다고 하면서 아래와같이 언급하였음.

가. 쏘측은 금번 대북한 결의안이 채택되는 경우 북한의 핵안전협정 체결 협상재개 의사표명 철회 등 부정적인 결과를 초래할 수도 있다고 판단하고 있으며(실제로 북한은 이러한 가능성알 언급한 바있음을 지적함), 지난 주 미국, 일본등과도 이러한 관점에서 협의를 한 바있는바, 양국은 조심스런(CAUTIOUS)반응을 보인바 있음. 나. 따라서 쏘측은 북한이 협상을 재개토록 유도해 나가기 위해서는 현단계에서는 결의안 채택 등 강경한 방법을 동원하는 것은 바람직하지 않다고 보고있음.

국기국 차관 1차보 구주국

PAGE 1

91.06.12 06:54

외신 2과 통제관 FK

0106

다. 누차 밝힌바와같이 북한이 조속 핵안전 협정을 체결해야 한다는 쏘측의기본입장은 한국측과 같으나 방법이 다를뿐이며 쏘련은 금번 기회를 잃고 싶지않음(WE DO NOT WANT TO MISS THIS CHANCE).

라. 쏘외무성은 IAEA 이사회 대표단에게 관계국과 협의, 대북한 관련 결의안이 제출되지 않도록 하라는 훈령을 하달한바 있음. 한국의 입장을 이해하지 못하는 바는 아니나 금번 결의안에 관하여는 쏘측이 다른 판단을 하고 있다는것을 이해해 주기 바람.

3. 이에 이공사는 북한이 과거에도 IAEA 와의 협상을 시도한바 있으나 6 년여가 경과한 지금까지도 협정 체결 의무를이행치 않고 있는 점을 지적한후 금번에도 그 진의가 과연 무엇인지 알 수 없다고 말하고 북한으로 하여금 핵안전 협정을 체결토록 하기 위해서 쏘측이 결의안 채택에 협조해야 될 것이라고 말하면서 쏘측의 입장 재고를 요청하였음.

4. 연호 마요르스키 국장, 페트로브스키차관및 금일 팔레니크 대사의 반응으로 미루어 상기 쏘측의 입장은 확고한 것으로 보임을 본건 추진에 참고하실 것을 건의하며, 대표단의 일원으로 회의 참석중인 마요르스키대사와도 접촉함이 좋을 것으로 판단됨을 첨언함. 끝

(대사공로명-국장)

예고: 91.12.31 일반

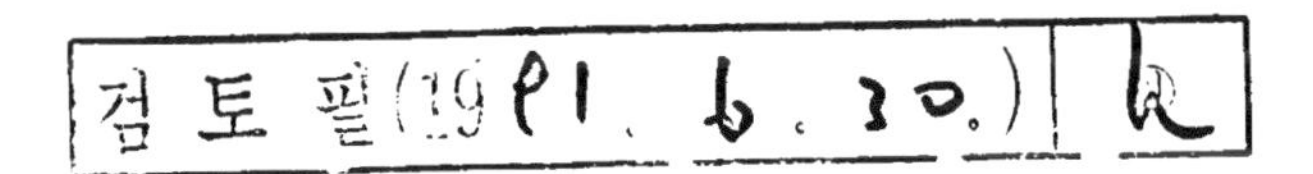

공　　　란

공 란

공 란

공 란

북한의 핵 안전조치협정(Safeguards Agreement)체결 관련 문제 검토

91.6

국 제 기 구 조 약 국

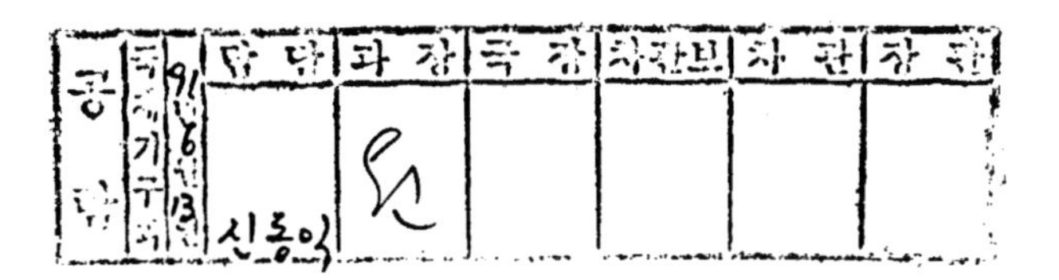

0112

1. 핵 안전조치협정(Full-Scope Safeguards Agreement) 개요

가. 형식

o IAEA와의 안전조치 협정에는 NPT 가입 비핵보유국의 전면 안전조치, 비가입국의 부분안전조치, NPT 가입 핵보유국의 자발적 안전조치등이 있음

- NPT 비당사국인 중국, 불란서등은 자국의 핵시설 일부를 사찰대상으로 제공하기 위한 협정체결
- NPT 당사국으로서 핵보유국인 미국,영국은 NPT 조약상 의무는 없지만 자발적으로 안전협정을 체결하여 자국 핵시설을 사찰 대상으로 제공
- 사찰 내용의 강화를 위한 협정내용 변경에 따라 여러개의 표준협정안이 존재

o 전면 안전조치를 위한 표준 협정안은 전문과 98조로 구성

o 동 협정의 체결시 안전조치 적용 시행방법을 규정하는 보조약정(사찰대상 핵시설, 사찰빈도등을 기술한 시설부록 포함)도 체결

o 75.11.아국이 체결하였고 현재 북한이 체결하도록 제공받은 표준협정안은 INFCIRC/153으로서 내용이 동일함

나. 안전조치의 목적 및 의무

o 원자력의 평화적 이용에 관한 핵무기 비확산 조약(NPT)등의 국제협약이 준수되도록 협약가입 국가가 정치적 의무를 다하는가를 확인하는 기술적 수단

- 해당국가의 원자력 사업이 핵 비확산 및 평화적 이용에 국한되고 있음을 국제사회에 확신시킴
- 안전조치를 받는 핵물질이 핵 폭발물을 만들거나 다른 군사적 목적으로 '전용'되는 것과 안전조치 적용시설이 안전조치를 적용받지 않는 핵 물질을 생산하는 목적으로 '오용'되는것을 방지

o 일반 국가들은 자발적으로 안전조치 협정을 맺고 있으며 IAEA는 당사국이 요청하지 않으면 안전조치를 실시할 권한이 없음. 그러나 NPT 당사국이면 안전조치협정을 체결, 안전조치를 받을 의무를 짐.(NPT 제3조 4항)

- NPT 가입 비핵보유국은 IAEA와 협정체결 교섭후 18개월이내 협정을 체결, 발효시켜야 함

다. 안전조치 사찰 실시 및 제재

o 안전조치의 확인은 IAEA 사찰단에 의한 독립적인 검증으로 이루어지며 IAEA 활동을 통해 얻어진 확신은 국가간의 신뢰도를 향상시킴

o IAEA 사찰활동을 통해 핵물질의 '전용' 또는 핵시설의 '오용'을 적시에 탐지함으로써 핵무기 개발 가능성을 사전 봉쇄

- 평화적 핵시설에서 핵무기 제조를 위해 일정 "유효량"의 핵물질을 전용하는것을 적시에 탐지
- "유효량"이라 함은 핵폭발물을 만드는데 사용할 수 있는 핵물질의 양 (플루토늄 : 8Kg, 고농축 우라늄 : 25Kg에 해당)

o IAEA 헌장과 안전조치 협정을 위반하는 경우, 주로 국제사회(유엔안보리, 유엔총회, IAEA 회원국)에 경보, IAEA 원조의 삭감, IAEA 회원국으로서 갖는 특권과 권리의 정지등의 제재를 가함

라. 안전조치 제도의 한계

o IAEA는 NPT 당사국이 NPT에 탈퇴하려는 법적 권리행사를 저지할 수 없고, NPT나 유사한 조약을 수락하지 않은 나라들이 안전조치를 적용받지 않는 핵시설을 건설하는것을 현실적으로 막을 수 없음

o 안전조치협정체결국에 대하여도 IAEA는안전조치의 적용을 받는 물질의 '전용' 이나 시설의 '오용'을 탐지하고 국제적 조치를 하도록 하는 것 외에 다른 (정치적)역할을 하지 못함

0114

2. 한국, IAEA간 핵 안전조치 협정

가. 체결 경위

o 우리나라는 1975.4. 핵무기 비확산조약(NPT) 가입후 동조약 제3조에 의거 1975.11. 안전조치협정 체결

o 핵 비보유 NPT 가입 국가에 해당되는 IAEA 문서 INFCIRC/153 내용에 따라 안전조치협정을 체결, 세부적인 절차는 1976.2. 체결한 동 협정의 보조 약정(Subsidiary Agreement)에 규정되어 있음

나. 안전조치 협정의 주요내용

(1) 안전조치 대상 핵물질 및 시설 (전문 및 제98조)

o 핵물질 : 플루토늄, 우라늄, 토리움등

o 핵시설 : 원자로, 전환공장, 가공공장, 재처리 공장등으로서 정량 1Kg 이상의 핵물질이 통상 사용되는 장소

(2) 안전조치 적용 및 이행 기본원칙(제1조-제10조)

o 핵 비확산의 검증만을 목적으로 안전조치 수행

- 평화적 핵 활동에 대한 부당한 간섭 배제

o 해당국은 안전조치 대상 핵물질 및 시설에 대한 최소한의 필요 정보 제공

(3) 국가 핵물질 안전조치 체제 확립(제31조,제32조)

o 각 당사국별로 안전조치 수단 확립과 이를 위한 관련 규정제정 및 운영

- 핵물질의 인수, 생산, 선적, 이전량 및 재고량 측정

- 측정의 정확성, 정밀도 및 불확실성 평가

- 물자 재고목록 작성 절차등

(4) 핵물질에 대한 기록유지 및 보고(제51조-제69조)

o 기록 유지의 대상, 국제적 측정기준 및 보관기관(최소5년)설정

o 계량기록 및 작업기록에 포함시켜야할 사항 선정

o 핵물질 계량 기록 보고(계량, 특별 및 추가 보고서등)

(5) 핵시설 설계에 대한 정보(제42조-제50조)

o 검증의 편의를 위해 안전조치 관계시설 및 핵 물질 형태의 확인

o 신규시설은 핵물질 반입전 가능한 조속히 보고

o 설계정보내용

- 시설의 일반적 특성, 목적, 명목 용량 및 지리적 위치등

- 핵물질의 형태, 위치 및 유통 현황등

(6) 안전조치의 기점, 종료 및 면제(제11조-제14조, 제33조-제38조)

o 핵물질의 국내 수입시 부터 안전조치 적용

o 핵물질의 소모, 희석으로 더 이상 이용 불가능하거나 회수 불가능시 (IAEA와 협의) 또는 당사국 밖으로 핵물질 이전시(IAEA에 사전 통보) 종료

o 기기 감도 분석으로 이용되는 gm 규모 이하의 특수 분열성 물질은 면제

(7) 핵물질의 국제이동(제91조-제97조)

o 당사국 밖으로 핵물질 반출시 IAEA에 사전통고

- 반출 핵 물질의 책임 수령일로 부터 3개월 이내 동 물질의 이전 확인 약정 조치 필요

o 당사국내로 핵물질 반입시 IAEA에 보고

- 안전조치 대상 핵 물질 반입시 반입량, 양도지점 및 도착일시등 보고

- 반입시 수시 사찰 가능

(8) 안전조치 사찰(제70조-제90조)

가) 사찰종류

o 수시 사찰(ad hoc inspection)

- 최초 보고서에 포함된 정보 검증

- 최초 보고일자 이후에 발생한 상황변화에 대한 검증

- 핵 물질의 국제이전에 따른 핵물질의 동일성 검사

o 일반 사찰(routine inspection)

- 핵 안전협정의 내용에 따른 정기사찰
- 보고서 내용과 기록과의 일치 여부에 대한 통상적 사찰

o 특별사찰(special inspection)

- 특별 보고서상의 정보를 검증할 필요가 있을 때나 (특별보고서는 돌발적인 사고, 상황으로 인한 핵물질 손실 발생시에 협정 당사국이 IAEA에 제출)
- 일반 사찰 정보와 당사국 제공 정보가 책임이행에 충분치 못하다고 판단되는 경우에 특별사찰

나) 사찰 범위

o 계량기록 및 작업기록 검토

o 안전조치 대상 핵물질의 독자적 측정

o 핵물질 측정, 통제기기의 기능검정 및 검증

다) 사찰 통고

o 수시사찰 : 사찰 내용에 따라 최소 24시간 내지 일주일전 통보

o 일반사찰 : " " "

o 특별사찰 : 당사국과 IAEA간 사전 협의후 조속한 시일내

다. 보조약정 주요내용

o 안전조치협정 제39조에 따라 안전조치 적용을 위한 절차와 시행방법을 명시

o 한국과 IAEA간 업무연락방법, 제반관계서류 및 작성방법, 행정절차 및 조치기한등에 관한 규정을 포함하여 한국내의 모든 평화적 핵활동에 적용되는 일반사항 규정

o 한국내 안전조치 대상시설 및 물질수지(material balance)구역별 사찰 방법, 회수 및 강도의 IAEA 보고등 구체적인 사항을 명시한 시설부록을 포함

라. 아국의 안전조치가입 의의 및 중요성

o 핵안전관련 주요 국제협정 가입

- 핵무기비확산 조약('75)
- 한.IAEA 안전조치 협정('75) 및 보조약정('76)
- 양국간 원자력 협정 및 다자간 안전조치 협정 체결

: 미국, 불란서, 카나다, 호주등과 협정체결,

핵물질의 물리적 방호에 대한 협약 체결(87.2)

o 조약상 의무사항 준수

- 핵물질 관련 계획의 통제 및 허가
- 핵물질 계량관리 및 기록 유지
- 핵물질 재고 변동 및 보유현황을 IAEA에 정기. 비정기적 보고
- 검증.확인을 위한 IAEA의 아국 핵 시설 사찰 허용 및 협조
- 국내 사찰을 통한 독자적 검증 및 확인

o 원자력의 평화적 이용 확대 및 발전에 기여

- 핵물질의 효율적 계량관리 및 통제를 위한 사전대책 마련 가능
- 국가 안전체제의 구축.운영을 통한 원전 핵심기술의 국내이전 촉진 및 자립계획 조기 완수.

3. 북한의 핵 안전조치협정 체결 문제

가. 아국 체결 표준협정안과의 차이점

o 북한이 IAEA와 협상중인 표준협정안은 상기 2항의 아국 체결 협정(INFCIRC /153)내용과 동일함 (총 98조)

o 단, 23조(기타 협정하의 안전조치 적용중단)에 아래 내용이 추가됨

- 북한정부가 IAEA로부터 사업지원을 받아 왔다면, 동지원 내용을 어떠한 군사목적을 위해 사용하지 않는다는 북한의 약속은 계속 유효하다.

나. 북한의 표준협정안 수정희망 내용(91.6. 이사회전까지 제기된 사항)

o 전문

- 협정의 시행, 효력지속 기간을 핵보유국 태도에 연결

o 제8조 (IAEA에 대한 정보제공)

- 정보제공 대상을 핵물질로 한정하고 시설은 제외

o 제26조 (효력의 지속)

- 효력의 지속을 정치적 문제와 연결, 즉 상황에 따라 (핵 위협을 받을 때) 효력 정지 가능성 주장

o 제40조 (부속 협정 효력 발생)

- 보조약정서(Subsidiary Agreement)가 발효할 때, 안전조치 협정도 발효

o 제94조 (핵물질 제3국이전)

- 북한의 핵수출 조항등 새로운 구절을 도입

다. 북한의 안전협정 체결시 예상 부담 내용

o NPT, IAEA 안전조치 협정 가입에 따른 국제법적 의무 준수

- 핵무기 비보유국으로서 핵의 평화적 목적으로만의 사용

- 협정체결 문제를 더이상 정치적으로 이용 불가

o 안전 조치 협정 및 보조약정서상의 가입국 의무 준수

- 핵 물질에 대한 기록 유지 및 보고

- 핵 시설 설계에 대한 정보제공
- 핵 물질 반입 및 반출의 국제이동 보고
- 각종 안전조치 사찰 수락 등

o 협정상 의무 불이행시 IAEA 제재 감수

- IAEA의 지원중단 및 회원국 특권, 권리의 제재
- 의혹이 있다고 판단되는 경우 IAEA의 특별사찰 접수(당사국 동의 필요)

o 핵 재처리 시설 폐기 압력 가중

- 북한이 안전조치 협정을 체결하더라도 북한의 핵 재처리 시설등은 북한이 자진해서 사찰대상으로 신고하지 않는한 IAEA 강제사찰 실시는 불가하나,
- 최근 일본의 강제사찰제도 제안등으로 국제여론에 의해 핵시설에 대한 특별사찰 실시 압력이 가중될 것으로 전망

라. 특별사찰제도

(1) IAEA 핵안전협정의 특별사찰 규정

o 특별사찰 근거(제73조)

- 특별 보고서상의 정보를 확인할 필요가 있을 때
  * 특별보고서는 돌발적인 사고, 상황으로 인한 핵물질 손실 발생시 협정 당사국이 IAEA에 제출
- 일반사찰에 의한 정보와 당사국이 제공한 정보가 책임이행에 충분치 못한 것으로 IAEA가 판단하는 경우

o 특별사찰 실시 절차(제77조)

- 협정당사국과의 사전협의를 요함

(2) 특별사찰의 문제점

o IAEA 측으로서는 의혹이 있다고 판단되는 협정 당사국의 핵시설에 대하여 특별사찰을 실시하고자 하더라도 협정당사국의 동의가 없는 한 불가능

- 지난 91.5.27 일본 교토 개최 유엔 군축회의에서 가이후 일본수상은 IAEA 핵사찰 제도를 효율화하기 위하여 특별사찰 제도의 강화를 주장

o 따라서 북한이 핵안전협정을 체결하더라도 북한의 비공개 원자로와 핵재처리 시설등은 북한이 자진해서 사찰대상이 되도록 신고하지 않는한 IAEA가 강제적으로 사찰을 실시할 수 없음. 그러나 IAEA는 동시설에 대한 특별사찰 실시를 위한 협의를 북한측에 제기할 수는 있음

(3) 특별사찰 실시 전례

o IAEA는 91.4.3 유엔안보리 결의(No. 687)에 의거 91.5.14-22간 이라크의 핵시설에 대한 강제성격의 특별사찰을 실시한 바, 동 사찰이 IAEA에 의한 최초의 특별사찰 임.

공 란

공 란

(참고자료 1)

핵무기 비확산조약(NPT) 주요내용

(1968.7.1. 채택, 1970.3.5. 발효/ 한국, 75.4.23. 발효)

1. 핵무기비확산을 위한 기본원칙(제1조, 제2조)

핵무기 보유국	o 핵무기 비보유국에 대하여 - 핵무기 또는 기타 핵폭발장치 양도 금지 - 핵무기 또는 기타 핵폭발장치의 제조, 획득, 원조, 장려 혹은 권유 금지
핵무기 비보유국	o 핵무기 보유국으로 부터 - 핵무기 또는 핵폭발장치 인수 금지 - 핵무기 또는 기타 핵폭발장치의 획득, 제조 또는 원조 요청 금지

2. 핵무기 비보유국에 대한 IAEA 안전조치 적용 (제3조)

o 핵무기 비보유국에 대한 IAEA 안전조치 수락 의무화

- NPT 조약의 국내 발효후 180일 이내에 IAEA와 협정체결교섭 개시, 교섭개시일로부터 18개월 이내에 발효해야 함

o 안전조치 불수락시 핵물질 또는 처리 생산장비 제공 금지

o 평화적 핵활동시 안전조치 이행에 있어서 회원국에 대한 경제적, 기술개발이나 국제협력 저해 금지

3. 원자력의 평화적 이용 촉진(제4조, 제5조)

o 원자력의 평화적 이용을 위한 장비, 물질, 과학기술, 정보교환 촉진 및 공동기여. 협력

o 핵발전의 평화이용에 대한 이익 공유

0124

o 핵무기 비보유국에 대한 평화적 핵이용, 연구개발 비용의 절감 또는 제외

4. 핵무기 경쟁금지, 핵군비축소 및 비핵지대 설정 (제6조, 제7조)

o 핵무기 경쟁금지 및 핵군비축소를 위한 조치 및 관련조약 체결교섭의 성실한 이행

o 지역협정을 통한 특정지역내 비핵지대 설정 가능

0125

(참고자료 2)

북한 - IAEA간 핵안전협정체결 교섭 경위

o 85.12 북한, 핵비확산조약(NPT) 가입

o 86.2 IAEA 사무국, 북한측에 협정초안 전달

- IAEA 사무국은 착오로 NPT 비당사국과 체결하는 협정초안을 북한측에 전달

o 87.6.2 북한, 상기 협정초안을 거부한다고 IAEA에 통보

o 87.6.5 IAEA 사무국, NPT 당사국과 체결하는 표준 협정안을 북한측에 재 송부

o 89.9.6 북한, 상기 표준 협정안 검토후 하기 제의 포함한 정치적 및 기술적 논평을 IAEA에 제시

- 협정 전문(preamble)에 협정의 시행, 효력 지속 기간을 핵 보유국의 태도에 연결한다는 내용을 삽입
- 제26조 효력조항에 협정의 효력지속을 정치적 문제와 연결, 즉 상황에 따라 효력 정지를 가능케하는 단서조항 추가

o 89.9.21 IAEA, 북한의 논평이 표준 협정안의 기본조항으로부터 일탈하기 때문에 수락불가 하다는 입장통보

o 89.10.17 -23 IAEA 조사단 북한 방문, 북한입장 타진시 북한은 IAEA의 상기 반응 (response)을 연구중이라고만 표명

o 89.12.11 -14 북한 법률전문가 비엔나 방문, 북한과 IAEA간 표준협정안에 대한 정식 교섭 개시하였으나, 북한이 아래 입장을 고수, 이견을 노정

- 협정의 효력발생 및 지속기간을 한반도의 핵무기 철거와 연계
- IAEA에 대한 정보제공 대상을 핵물질로 한정하고 핵시설은 제외

0126

o 90.1.15 비엔나에서 속개된 2차 교섭에서 북한은 기술적사항에 관해서는 IAEA 입장을 모두 수락하였으나, 표준 협정안의 효력조항(제26조)에 "한반도로부터 핵무기가 철거되지 않고 북한에 대한 핵위협이 계속될 경우, 협정의 효력을 정지시킬 수 있다"는 유보조항 삽입 요구

o 90.6.14 북한은 IAEA 이사회에서 미국의 북한에 대한 명시적 핵선제 불사용을 보장할 것을 요구

o 90.7.10-12 북한은 비엔나에서 IAEA와 협정체결에 관한 제3차 교섭 전개

- 북한은 핵안전협정에 조건없이 즉시 서명하고, NPT 제4차 평가회의(90.8) 이전에 IAEA 특별 이사회를 소집, 동협정을 상정할 준비가 되어있다고 언급
- 그러나, 북한은 미국의 핵선제불사용보장(NSA)을 받기 위해 미국과의 직접협상을 제의하고 미측 수락을 요구

o 90.8.20-9.14 미국측이 북한에 대한 특별한 NSA 보장은 불가하다는 입장을 분명히 하자, 북한은 협정체결 전제조건으로서 한반도 핵무기 철수 및 비핵지대화 제안등 종래입장을 반복 주장

o 90.11.2 IAEA 사무총장은 북한과 IAEA는 협정초안에는 합의하였으나, 북한이 요구하고 있는 NSA 보장 문제는 미-북한간 문제로서 IAEA가 직접 개입할 문제가 아니라고 언급

o 91.5.28 주 비엔나 북한대사, IAEA 사무총장에게 협정 체결 교섭재개 제의 (서한 전달)

o 91.6.7 북한 순회대사 진충국, IAEA 사무총장에게 협정서명의사 통보

- 91.7.10-15간 전문가 회의 개최, 협정의 본질 내용을 수정함이 없이 문안 최종 확정제의
- 확정된 협정안은 IAEA 9월 이사회에서 승인후 북한 서명 제의

0127

(참고자료 3)

핵재처리시설과 핵폭탄과의 관계

가. 농 축(Enrichment)

o 정광(Yellow Cake) : 우라늄(U) 광석을 정련해서 순수한 우라늄을 뽑아낸것.

- 정광속에는 핵분열이 가능한 U235는 0.3%, 나머지(99.7%)는 태울수 없는 U238로 차 있음

o 따라서 보다 쉽게 태울수 있는 U235의 함량을 높이기 위해 우라늄의 농축이 필요

- 우라늄을 6불화우라늄(UF) 형태로 만들어 농축과정을 마치면 이를 이산화우라늄(UO_2)형태로 변환(Conversion)시켜 원자로에서 실제 태울수 있는 형태로 가공

나. 플루토늄

o U235를 3% 정도로 농축한 저 농축 우라늄을 경수로에서 태우면 타지 않은 U238의 일부가 중성자를 받아들여 플루토늄(Pu)239로 바뀜

o Pu 239가 만들어지는 양은 원자로의 형태에 따라 달라짐

- 경수로의 경우 Pu 239의 생성률은 1% 정도

다. 핵 재처리(Reprocessing)시설

o 핵재처리 시설은 사용핵연료로부터 우라늄과 PU 239를 뽑아내 유용한 연료로 재활용 하는데 목적

o 그러나 핵 재처리 시설은 사용 목적에 따라 의외의 결과를 초래

(예) : 1백만 KW 급 경수로형 원자로 1기가 1년 가동하면 3백 Kg의 Pu 239가 생성, 40개 이상의 핵폭탄 제조가능

- 순도 95% 이상의 Pu 239 7Kg 으로 1945년 히로시마투하 원폭의 핵탄제조

라. 핵재처리 시설 사찰

o 따라서 핵 재처리 시설을 갖고 있는 나라는 핵연료의 사용은 물론 처리과정을 IAEA의 감시를 받도록 되어 있음

o 원자력 발전소 1개도 갖고 있지 않은 북한이 IAEA 핵사찰을 거부하면서 핵 재처리 시설을 건설하고 있는 것은 핵무기 개발에 목적이 있음이 명백하다는 의혹을 유발함.

0128

공 란

공 란

공 란

	분류번호	보존기간

발 신 전 보

번 호 : WUN-1698 910613 1724 FN 종별 :

WUS -2656

수 신 : 주 유엔, 미 대사.

발 신 : 장 관 (국연)

제 목 : 주유엔 허종 부대사 회견보도(핵사찰 수용)

허종 주유엔 부대사가 북한의 핵안전협정 서명 결정과 관련하여 한겨레신문 워싱턴 특파원과 기자회견한 내용(기사)을 별첨 FAX 송부하니 참고바람.

첨부 : 상기 기사(FAX WUS(F) - 407 WUN(F) - 108). 끝.

(국제기구조약국장 문동석)

보 안 통 제	

앙 고 재	91년 6월 13일	과	기안자 성 명		과 장		국 장	차 관	장 관
							전결		

외신과통제

0132

91. 6. 13 (목) 한겨레 신문 (6면상단)

허종 유엔주재 북한 부대사 회견

북한이 유엔가입 결정에 이어 핵안전협정 체결의사를 발표하는 등 발빠른 움직임을 보이고 있다. 특히 일부에서는 북한의 핵사찰 수용에 대한 반대급부로 미국이 북한에 핵안전 문제와 관련한 모종의 '다짐'을 주었다는 미확인된 주장도 나오고 있는 중이다.

이런 상황에서 11일(현지시각) 이뤄진 북한의 유엔대표부 허종 부대표대사와의 전화회견은 북한의 현재 입장과, 북한-미국 접촉의 진상에 대해 많은 것을 시사하고 있어 주목된다.〈편집자〉

"핵사찰 수용은 주동적 조치"

미 불사용 보장 없이 핵안전 불가능
비핵화 입장 불변…재처리시설 없어

—북한은 얼마전 까지만 해도 주한미군의 핵무기 철수와 북한에 대한 미국의 핵무기 불사용 보장을 조건으로 내걸면서 국제원자력기구(IAEA)의 핵안전협정 서명을 거부해왔다. 그런데 이번에 전제조건없이 핵안전협정에 서명하기로 결정했는데 이처럼 입장이 바뀐 배경은 무엇인가.

=국제원자력기구와 실무적인 일을 마무리짓고 핵안전협정에 서명하겠다는 기본의향을 밝힌 것이다.

그러나 조선반도를 핵전쟁의 위험이 없는 비핵 평화지대로 만들어야 한다는 우리의 입장과 자세에는 아무런 변화가 없다. 우리가 85년에 핵확산금지조약(NPT)에 가입했을 때의 의도와 원칙도, 바로 조선반도의 평화와 통일에 유리한 정치·군사적 환경을 만들자는 것이었다. 그러기 위해서는 미국의 핵무기가 철수되고, 미국이 우리를 핵무기로 공격하지 않는다는 담보가 필요한 것이다.

—이번 북한의 결정에는 그같은 전제조건이 없지 않은가.

=이번에 우리가 취한 조처는 어디까지나 주동적인 조처다. 남조선이나 국제 여론으로 보아, 우리가 핵안전협정에 주동적으로 서명하면 미국도 이에 대응하는 조처를 취할 것으로 본다. 남조선에서도 비핵화 요구가 증대되고 있고 소련도 이를 주장하고 있으며 미국과 일본 일부에서도 한반도 비핵화를 요구하고 있다. 이런 현실에서 우리는 국제기구의 일원으로서 해야 할 의무와 도리를 다할 작정이다. 이제 남은 것은 미국이 이에 대한 대응조처를 취하는 일이다.

—미국은 북한의 핵안전협정 서명과 미군 핵무기 철수의 연계를 부정하고 있는데.

=국제원자력기구의 핵안전협정의 본뜻과 정신은 핵안전의 보장이다. 핵무기를 그냥 두고, 핵공격을 않겠다는 보장도 하지 않는다면 핵안전 보장은 불가능하다. 우리가 주동적인 조처를 취할 때 미국도 대응조처를 취해야 한다. 그렇게 하지 않는다면 이 문제는 현안문제로 계속 남게 될 것이다.

—북한이 핵안전협정에 먼저 서명하면 미국이 북한에 대해 핵 불사용을 공식보장하기로 합의했다는 일부 보도가 있었는데.

=두 나라 사이에 어떤 합의가 있었다고 보지는 않는다. 이미 이야기했다시피 이번 우리의 결정은 주동적인 조처다. 거듭 이야기하지만 우리는 국제기구의 일원으로 당당하게 의무를 다할 것이며, 미국은 조선반도의 평화와 비핵지대화를 위한 대응조처를 취해야 할 것이다.

—미 국무부 대표단이 평양을 방문했다는 보도도 있다.

=그런 일은 없다. 다만 스칼라피노 교수, 전직 태평양 사령관 등 조선반도 문제에 조예가 깊은 분들이 5월에 평양을 방문, 서로 좋은 의견을 많이 나누었다.

—이번 핵안전협정 서명 대상에 지금 문제가 되고 있는 핵재처리시설도 포함되는지.

=재처리시설은 있지도 않다. 우리는 없다고 주장하는데, 한쪽에서는 하느님처럼 하늘에서 찍은 인공위성 사진만 가지고 없는 것을 자꾸 있다고 주장하니 어이가 없다. 그 문제는 국제원자력기구와 협의해서 그 결과에 따라 처리될 문제다. 우리는 국제원자력기구의 원칙과 규정에 따라 그 담보내용과 절차를 따를 것이다.

〈워싱턴=정연주 특파원〉

0133

관리번호	91-601

원 본

외 무 부

종 별 : 지 급

번 호 : AUW-0454 일 시 : 91 0613 1710

수 신 : 장관(국기,아동,정특,기정)

발 신 : 주 호주 대사

제 목 : IAEA 6월 이사회 결의안

금 6.13 12:00 당관 양공사는 COUSINS 외무무역성 핵군축국 부국장(국장대리)을 면담 (BENSON 아주국 부국장 동석), 금번 IAEA 이사회를 종결하는 대책및 향후 전망에 관하여 의견교환 하였는바, 호주측발언 내용 요지를 아래 보고함.

1. COUSINS 국장대리는 비엔나시간 6.13(목) 이사회에서 북한대표가 공개적으로 행할 발언의 내용에 따라 즉각적인 대응조치가 강구될것이라고 말하고, 만일 현재 일반적으로 기대되는바와 같이 북한대표(진충국대사 또는 전인찬 대사중누가 발언할지는 아직 불분명하다 함)가 무조건적으로 9 월까지 핵안전 협정 STANDARD TEXT 에 서명하겠다는 공개발언을 행하는 경우라면 금번 이사회에서는 각이사국들이 동발언을 인지하고 의장이 동 북한대표의 공개발언 내용과 각국 대표들의 발언 요지를 SUM-UP 하는 선에서 결론이 날것으로 본다고 일단 전망하면서, 만일 북한대표의 발언이 호주를 비롯한 결의안 추진 우방국들의 기대에 흡족치않을경우 분위기는 달라질것이라고 말했음.

2. 금번 결의안을 처음부터 주도한 주무책임자인 COUSINS 국장대리는 호주가 추진한 결의안이 당초 28 개국의 지지를 획득, 대세를 좌우하는 과정에서 대호 WAU-0410 북한 진충국 순회대의 BLIX 사무총장 면담 및 WAU-0419 BLIX 사무총장 보고이후 동 결의안 추진국가들 사이에 금번 북한측의 태도를 일단 지켜보자는 나라들이 속출하였다고 밝히고 미국대표의 태도가 다소 NERVOUS 했고 처음 지지를 표시하였던 영국의 태도가 와싱턴의 영향을 받은듯 했고, 여타 칠레, 이집트등 제 3 세계권 국가들도 다소 FLICKERING(오락가락)하는 태도를 보여(아울러 폴란드, 스웨덴도 다소 약화된 태도를 보임에 따라 폴란드인 ZELAZNY 의장과 스웨덴인 BLIX 사무총장의 태도 또한 영향을 받은것 같다고 첨언하면서)이러한 상황에서 다른 변수가 작용하지 않는한 (북한측의 공개발언 거부, 발언내용이 전혀기대에

국기국	장관	차관	1차보	2차보	아주국	미주국	외정실	분석관
청와대	안기부							

PAGE 1 91.06.13 18:06

외신 2과 통제관 CH

0134

못미치는것등)결의안을 유보 시킬것임을 시사했음.

3. 양공사가 만일 북한대표가 공개발언시 발언의 전반부에서는 우방국의 기대에 일응 응하면서 후반부에 가서 어떤 형태로든 소위 한국 배치 미핵무기 철수및 사찰과 연관시키는 소위 TRADE-OFF 형식의 발언을 행하는 경우, 이에대한 대응책을 문의한바, COUSINS 및 BENSON 양 부국장은 북한의 수법으로 보아 그들의 공개발언시 어떤 형태든 직.간접적으로 자신들의 핵안전 협정 서명과 주한 핵무기 철수.사찰문제를 연계시키려고 시도할것으로 일단 예상하면서 북한대표 발언의 전체적인 맥락에서 판단, 대응할것이라고 말하고 실질적인 조치로서는 결의안에 지지를 표명했던 각국대표들로 하여금 발언을 행하도록 촉구할것이라고 했음(동 면담시 양공사는 대호 WAU-0421 제 3 항 아측 대응조치 복안에 대하여는 상대방에게 전혀 언급하거나 시사하지 않았음)

4. COUSINS 부국장은 자국이 발언한 금번 결의안으로 북한 핵사찰문제가 현재 IAEA 이사회의 DOMINANT ISSUE 가 되었고 불, 짐바브웨, 남아연방등 국가들의NPT 가입결정을 유도하였고, 동문제를 위요하여 그 어느때보다도 강력한 대북한 압력을 행사하는 계기를 마련, 북한이 핵안전협정에 서명하겠다는 의사를 밝히는 단계까지 온것 자체로서도 호주외교의 소득은 크다고 자평하면서 금번 결의안 추진과정에서 일본과의 긴밀한 협조를 높히 평가하고 향후 국제 주우문제에 있어서 양국간(호, 일)의 협조 선례가 될것으로 보았음.

5. 한편 호측은 금번 대북 결의안을 위요하고 와싱턴.모스크바간 어떤 형태의 협의가 있었던것으로 짐작하면서(주 오지리 미국대사의 태도등을 미루어 볼때짐작이 간다함)한국의 동결의안 지원에 대하여는 LEG-UP(밑받침)으로 평가 하였음(대사 이창범-국장)

예고:91.12.31. 일반.

일반문서로 재분류(1991 .12. 31.

검 토 필(1991 . 6. 30.)

PAGE 2

0135

6/13 길
기

관리 번호	91 - 602

외 무 부

종 별 :

번 호 : AUW-0455 일 시 : 91 0613 1700

수 신 : 장관(아동,정특,기정)

발 신 : 주 호주 대사

제 목 : 호.북한 관계

연:AUW-0454

1. 연호 양공사가 BENSON 아주국 부국장및 COUSINS 핵군축국 부국장과 면담시 BENSON 부국장은 명 6.14 당지를 방문하는 한봉화 주인니 북한대사와의 면담시금일 비엔나 IAEA 이사회에서의 북한대표의 공개발언 내용에 따라 동대사와의 대화 내용의 강도가 결정될것이라고 말하고 만일 비엔나에서의 북한대표의 발언내용이 미진할 경우라거나 남한내 미핵무기 철수와 연개시키는 TRADE-OFF 형식을취한다면 자신들과 한대사와의 연석회의시 무조건적인 핵안전협정 체결에 대한호주측의 강한 의지를 피력, 촉구할것이라고 말했음.

2. 상기 부국장들은 북한의 핵사찰 협정체결이 호.북한 관계정상화(NORMALIZATION)의 몇가지 고려사항 가운데 가장 우선적인 고려사항이라고 밝히고 EVANS외상의 김영남 북한외교부장 앞 서안도 동 취지에서 발송된것이라고 말했음.

3. 북한이 금년 9 월 핵안전협정에 서명하는 경우 호.북한 관계 정상화가 급진전될수 있는 분위기를 조성하게 될것임을 참고로 첨언함. 끝.

(대사 이창범-국장)

예고:91.12.31. 일반.

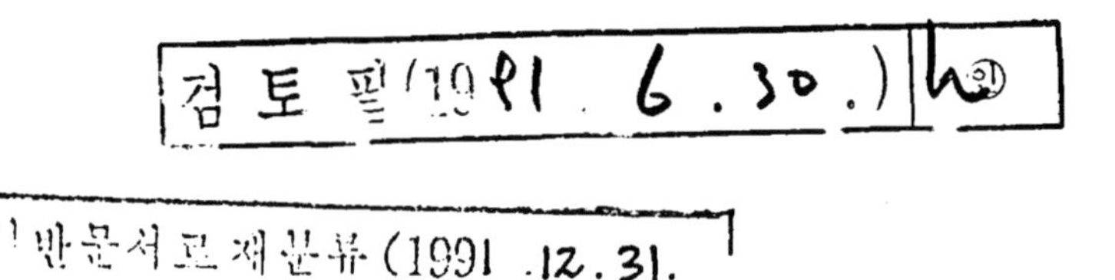
검 토 필(1991. 6. 30.)

일반문서로 재분류(1991 .12. 31.

아주국	장관	차관	1차보	2차보	미주국	국기국	외정실	분석관
청와대	안기부							

PAGE 1

91.06.13 18:08

외신 2과 통제관 CH

0136

6/14 길 기

관리번호	91-819

원 본

외 무 부

종 별 :

번 호 : JAW-3603 일 시 : 91 0613 1807

수 신 : 장관(국기,아일)

발 신 : 주 일 대사(일정)

제 목 : 북한 핵사찰 문제

작 6.12(수) 사까모또 관방장관은 기자회견에서 북한이 핵 안전조치 협정에조인하겠다는 의사를 IAEA 측에 전했다는데 대해서 "핵사찰 수용은 당연의 의무임. IAEA 이사회에서 북한이 정식으로 태도를 표명하기를 기대한다"고 언급 하였음. 끝.

(대사 오재희-국장)

예고:91.12.31. 까지

일반문서로 재분류(1991.12.31.)

검토필(1991. 6. 30.)

국기국 장관 차관 1차보 2차보 아주국 분석관 청와대 안기부

PAGE 1

91.06.13 20:52

외신 2과 통제관 CA

0137

6/13 길

관리번호	91-604

원 본

외 무 부

종 별 : 긴 급

번 호 : AVW-0726 일 시 : 91 0613 1540

수 신 : 장 관(국기)

발 신 : 주 오스트리아 대사

제 목 : 북한의 핵안전 협정문제(진충국 발언)

1. 금 6.13(목) 오전 속개된 IAEA 이사회에서 북한의 진충국은 별전(FAX)과같이 4 분간(1157-1201) 발언하였음.

2. 상기 발언 직후 호주가 북한의 발언에 관련하여 의제 11(B)에 대한 토의연기를 제의(의제 11 항하의 다른 의제토의 종료후 재개)하고 칠레가 이를 지지하여 그렇게 결정하였음.

3. 상기 북한 발언 청취 직후 결의안 추진 우방국대사들은 다시 회동하여 대책을 숙의하였음.

4. 진충국의 발언중 북한이 9 월 이사회에 회부하기로 결정하였다는 부분에유의하여 아측이 결의안 제출을 보류하는 이유로 특히 대언론관계에서 활용하자는 제안을 본직이하여, 일단 그렇게하기로 양해에 도달하였으며, 의장의 SUMMING-UP 문안에 대하여 오후에 다시 협의하기로 하였음.

5. 당지 미국 대표부 차석은 특별이사회 소집 필요성에 대하여 당초의 소극적 태도를 변경, 이를 추진하는 방향으로 적극 검토하고 있다고 금일 오전 회의중 본직에게 말한바 있고, 상기 4 항의 우방대사 회의에서도 시사하였음. 미국에의하면, 미국, 소련, 영국, 불란서가 이에 동조하고 있다고 함(일본대사도 즉석에서 사견임을 전제하고 특별이사회 소집을 지지하였음)

6. 특히 미국은 유엔 안보리에서 남북한 가입안을 심의하는 시기와 관련하여 그전에 핵안전 협정문제가 타결되어야 한다는점을 시사하였음. 끝.

예 고:91.12.31 일반.

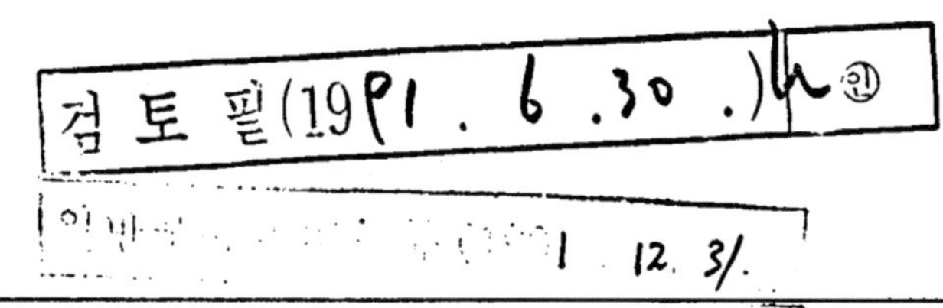

국기국 차관 1차보 구주국

PAGE 1

91.06.13 23:10

외신 2과 통제관 CA

0138

Item 11(b)

Summing-up by the Chairman

Many Governors called on the Democratic People's Republic of Korea to conclude and bring into force a standard-type NPT safeguards agreement without delay. At the same time, we have been told by the distinguished Ambassador-at-large Mr. Jim Chung Guk that the authorities of his country have decided to agree to the standard text of an NPT safeguards agreement at meetings to be held with the Agency's Secretariat in July and that this agreement will be submitted to the Board for approval at its September session. This positive message was welcomed in the Board.

I take it that there is a strong expectation in the Board that the July meetings will lead to the submission of a standard-type NPT safeguards agreement to the Board for approval at its September session and that the agreement will then be signed and brought into force without delay.

I thank the distinguished Ambassador-at-Large of the Democratic People's Republic of Korea for having been with us today and for his positive statement. I hope that he will convey to his Government the conviction expressed_here by many Governors that his country should conclude and bring into force a safeguards agreement with the Agency as required by NPT without delay and without conditions.

1991-06-13, 18.00 hrs

0139

STA[illegible]NT BY THE REPRESENTATIVE OF T[illegible]
DEMOCRATIC PEOPLE'S REPUBLIC OF KOREA,
AMBASSADOR JIN-CHUNG GUK, ON 13 JUNE 1991,
IN THE BOARD OF GOVERNORS

Mr. Chairman,

I take this opportunity to express my gratitude to Mr. Director-General for delivering excellent report on the activities of the Agency. I'd like also thank the Secretariat for its sincere efforts to conclude the safeguards agreement at an early date with the member states.

-- The Democratic People's Republic of Korea has-- exerted its efforts to remove the threat of nuclear war on the Korean peninsula and make it nuclear-free and peace zone in line with the ideal of the Treaty since it joined the NPT.

To speak about our position on the present agenda, the DPRK is ready to sign the safeguards agreement and dose not oppose inspection on US.

As clearly stated in the report of the Director-General, we have already informed the Agency that we decided to agree to the standard text of the NPT safeguards agreement. We have agreed that our experts' delegation visit the Agency in middle of July for the final adjustment of words in the safeguards agreement without any changes of the substance, and that this agreement to be submitted at the September Board meeting for its approval.

- 1 -

0140

In disregard of it, some countries are trying to take so-called "resolution" in this Board meeting for the purpose of giving pressure upon us. This will only result in politicizing the Board meeting and creat difficulties in concluding the safeguards agreement between the Agency and us.

Mr.Chairman,

The issue we have raised in the amendment of Article 26 of the standard safeguards agreement should be resolved between the DPRK and the United States.

Frankly speaking, it is not a secret that negotiations between us and influential organizations of the United States are going on to find out reasonable solution of this issue.

Our demand for removing nuclear threat against our country is a just demand.

The United States should implement its obligations undertaken by the NPT as nuclear weapon state. This is our principal standpoint.

We cannot understand why Japanese, unreasonably provoking us, try to turn this Board meeting into a stage of political confrontation.

Japanese are so interested in the issue of non-proliferation of nuclear weapons. But they join hands with the United States, turning away their face from the numerous nuclear weapons deployed in the South Korea ready for war and only talking about the inspection on our so-called nuclear facilities which do not exist.

We are regretable that the representative of Japan made an inquiry at the first day of the Board meeting.

We strongly reject this inquiry regarding it as a infringement to the souverignty of our nation and a scheme to creat distrust on our country.

Mr. Chairman,

We express our hope that the Board meeting will bring out a fruitful result under your able chairmanship and by the positive contribution of all governors.

Thank you.

0142

13 June 1991

The Conclusion of the Safeguards Agreement

Thank you, Mr. Chairman:

First, I thank Ambassador Jin of the Democratic Peoples' Republic of Korea for his statement. I listened carefully to his statement, and would now like to make some comments on it.

(1) Firstly, I welcome the fact that the DPRK has decided to agree to the NPT standard text and that an expert delegation will visit the Agency in July for the final adjustment of the agreement without any change to its substance. I also welcome the fact that this agreement is to be submitted at the September Board for its approval.

(2) Secondly, I would like to note from the statement of the DPRK that it is ready to sign the Safeguards agreement. Do we understand that this step will be taken immediately after the Board's approval, without any precondition?

(3) Thirdly, it is not clear yet if the DPRK intends to make notification to the Agency to bring the agreement into force after it signs the agreement, as we did not notice any clear reference to this point from Ambassador Jin.

(4) Finally, no clear reference was made to the fact that the DPRK would implement the agreement after its conclusion. However, we understand as a matter of fact that the DPRK will submit all its nuclear activities to the Agency's safeguards as required by the agreement.

.../2

0143

In addition, Mr. Chairman, the Democratic Peoples' Republic of Korea has linked this issue with the Negative Security Assurance by the United States in the past. However, we are still not clear as to whether the DPRK still maintains its position on this point.

I would like to stress that this is simply a matter of abiding by an international agreement, as the DPRK is a party to the NPT.

Mr. Chairman, as you may know, some of the Board Members, including Japan, intended to submit to this session a draft resolution requesting the DPRK's prompt conclusion of the safeguards agreement. However, taking into consideration today's statement by distinguished Ambassador Jin, we suspend our immediate action.

Finally, I would like to say one thing. Ambassador Jin said that Japan's intervention on Monday was provocative. I assure you, however, that the sole purpose of our intervention was to seek clarification from a purely technical and procedural point of view, and that, as Ambassador Jin stated, Japan is very interested in the issue of non-proliferation of nuclear weapons for world peace.

Thank you, Mr. Chairman.

0144

JUNE 1991 BOARD OF GOVERNORS

AVW(F)-009
(총2매)

AGENDA ITEM 1B

U S A
Kennedy

STATEMENT

NORTH KOREA

Mr. Chairman:

My delegation notes the Director General's report that the DPRK has sought to resume negotiations with the IAEA in order to finalize an NPT Safeguards Agreement. If the DPRK is resuming negotiations as a prelude to promptly signing and implementing the agreement, we of course welcome the action.

In November, IAEA Director General Blix stated that the Agency and North Korea were in full agreement concerning the text of the document. Consequently, we believe that the Agreement should be concluded immediately.

Available information indicates that the DPRK has been operating an unsafeguarded reactor at its Yongbyon Nuclear Research Center since 1987 ~~and that substantial new construction is underway at its Yongbyon Nuclear Research Center~~. It is important that this reactor and its support facilities -- as well as all other nuclear activities in the DPRK -- be brought under the coverage of IAEA safeguards. If an agreement is concluded, the DPRK should bring it into force and the parties should move to implement it fully without delay.

2-/

0145

Conclusion and full implementation of an NPT safeguards agreement by the DPRK would make a substantial contribution to the international non-proliferation regime and would be a significant and positive step in reducing tensions in Northeast Asia.

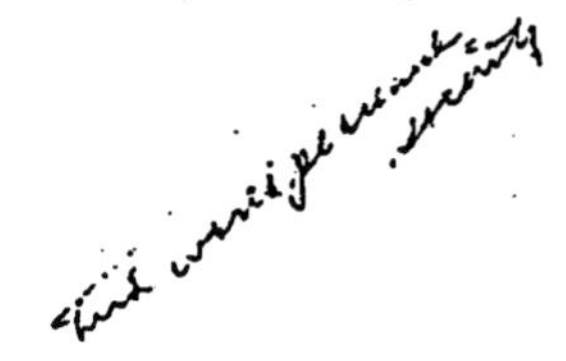

Thank you, Mr. Chairman.

2 — 2

0146

Statement
made by
Ambassador Chang-Choon Lee
Resident Representative of the Republic of Korea to IAEA
at the Meeting of the Board of Governors, IAEA
on 13 June 1991, Vienna

Mr Chairman,

Thank you for giving the floor to my delegation. For record and for reference of all Governors and other interested people, I take the floor to give a brief background of the matter under discussion and make a few observations on it. First of all, I would like to take this opportunity to express my sincere appreciation to you and all Governors for the untiring efforts to ensure an earlier conclusion of an NPT safeguards agreement between the Democratic People's Republic of Korea(DPRK) and the Agency. I also wish to commend the Director General and the members of his staff for their endeavours in conducting a tedious negotiation with the DPRK.

At the outset, we cannot conceal our strong disappointment and regret at an unwarranted, prolonged delay by the DPRK in carrying out its unambiguous commitments to the Treaty on the Nonproliferation of Nuclear Weapons.

Over the last two and a half years, the DPRK has been urged time and again to sign without delay the NPT safeguards agreement in question.

Through the letter of the Director General dated 22 June 1990 sent to the Foreign Minister of the DPRK, the Board conveyed to the authorities in

Pyongyang the deep concerns of its members expressed during the June Board meeting of last year. At the time, the Director General reminded the DPRK that it has an unconditional obligation to conclude a safeguards agreement under Article III(1) of NPT. The DPRK has yet to make a reply to the letter of the Director General.

Last month, the Chairman of the Board Prof Zelazny wrote to the same Foreign Minister of the DPRK to inform him of a discussion on the question of the DPRK's safeguards agreement with the Agency at the last February Board meeting. Having conveyed to the authorities in the DPRK the concern of the Board, the Chairman of the Board expressed his profound hope that the DPRK would fulfil in the very near future its obligations which it voluntarily took upon itself by acceding to NPT five and a half years ago.

In the absence of any reply by the DPRK to these two letters — one from the chief executive of IAEA and another from its main decision-making body — we were told from the Director General on Monday that the DPRK has decided to agree to the standard text of an NPT safeguards agreement as presented by the Agency. We were also informed that talks are scheduled to take place between experts in July for the final adjustment of details in the text without any changes of substance in the expectation that the agreement will be ready for approval by the Board in September.

Having heard of what the DPRK told the Secretariat and the Board this morning, the conventional wisdom may welcome the decision of the DPRK to agree to the draft safeguards agreement as presented by the Agency, and take it that the DPRK will sign the agreement after the finalization of its text in July and implement its provisions in good faith.

-2-

0148

However, we can hardly suppress our scepticism towards the genuine intention of the DPRK to take all the necessary steps to fulfil its obligations under NPT, and we can hardly discard our suspicion arising out of the stereotyped fashion of the DPRK in manipulating the general meaning of languages it uses, let alone a bona fide contextual interpretation of what it says. Because equivocation is a modus operandi of the DPRK. We understand this is why, at the beginning of this meeting, the Ambassador of Japan sought clarification from the DPRK regarding the report of the Director General made on Monday and the annual report for 1990.

Mr Chairman,

This time last year, the DPRK raised expectation by informing the Director General, that the Government of the DPRK wishes to resume the negotiations on the safeguards agreement in July. At the time, the members of the Board were expecting the DPRK to fulfil its obligations under NPT by signing the safeguards agreement before the opening of the NPT Review Conference in August at Geneva. However, we were all informed during the last September meeting of the Board that the expectation was shattered.

One year later, the DPRK is again raising expectation among the members of the Board by informing the same Director General, on the same occasion of the June Board meeting, that it wishes to resume, in the same month of July, the negotiations with IAEA. We are afraid this annual exercise by the DPRK is a charade both to satisfy the members of the Board and to give the impression that the DPRK is abiding by its international commitments.

With the above observations in mind and despite unsatisfactory explanation by Ambassador Jin of the DPRK this morning, we are nonetheless not going to be pessimistic over the question of the conclusion of the safeguards agreement by the DPRK and its adjustments to changes taking place in the world's political and other conditions.

We welcomed the recent decision of the DPRK to join the United Nations. This decision is regarded as a major shift in Pyongyang's external policy which will lead to more pragmatism and disillusionment.

We want to believe that a more realistic trend in the DPRK will continue to encourage its speedy reconciliation with the outside world and its faithful compliance with rules of international law.

We are going to wait and see how the DPRK respond to what the members of the Board have called for the meeting today.

We will give the DPRK kind of the benefit of the doubt for the time being until we are obliged to take all necessary action to ensure the fulfilment of the legal obligations of the DPRK under NPT.

We would like the DPRK to live up to its obligations under international law and to change voluntarily in order that it should not accept any adverse consequences to derive from failure to comply with its international commitments.

Before concluding, I wish to express my sincere gratitude to 29 members of the Board for their interventions in this matter of vital importance to the Korean peninsula and its neighbouring countries as well as world peace.

I am grateful to those speakers who have taken the floor for their endeavours in ensuring an earlier conclusion of the safeguards agreement with the DPRK and its prompt implementation.

-5-

0151

AVW(F)-012 (중 2매)

<u>북한의 핵안전 협정 체결 문제에 관한</u>

<u>한국대표부 보도자료</u>

(1991.6.13, 비에나)

핵무기의 비확산에 관한 조약(NPT)의 당사국이 된지 5년 반이 지난 북한이 현저하게 핵개발 활동을 벌이고 있으면서도 IAEA 와의 핵안전조치 협정 체결을 지연시키고 있는 것에 대하여 우리는 IAEA 이사국을 포함한 대다수의 유엔 회원국들과 함께 깊은 우려와 실망을 금지 못한다.

북한에게 NPT 상의 조약 의무를 지체없이 촉구하고 그 모든 핵시설과 활동을 국제사찰에 두도록 하는 것을 내용으로 하는 결의안을 금차 6월 이사회에서 이사국들의 압도적인 지지하에 통과시키려던 차에, 북한은 5월 28일과 6월 7일 두 차례에 걸쳐 IAEA 측에 대하여 아래와 같이 공식으로 통보하였다 :

1. IAEA 의 표준 안전조치 협정안에 북한 정부가 동의하기로 결정하였다.

2. 북한은 상기 표준 협정안의 실체 조항에 수정을 가함이 없이 협정 문안에 대한 자구 수정 등 마무리 작업을 위하여 7월 10일-15일 기간중 비에나에서 실무 협의를 가질 것을 제의한다.

상기 통보에 관련하여 우리는 앞으로 북한이 조약 의무를 이행하는 과정에서 취해야 할 조약의 서명.발효.시행에 관한 언질을 북한이 하지 않고 있기 때문에, 북한이 과연 조약상의 의무를 곧 그리고 성실하게 이행할 것인가에 관한 의구심을 계속 갖고 있는 것은 사실이다.

-1-

2-1

0152

그러나 북한이 지난 5월 27일 유엔 가입을 결정하고 또한 일본과의 관계 정상화를 위해 핵안전협정 체결이 전제조건으로 되어 있는 것 등에 비추어 그 외교노선을 실용주의로 전환하고 외부세계와의 개방을 추진하지 않겠나 하고 희망을 걸게 되었으며, 이러한 맥락에서 우리는 7월에 있을 IAEA-북한간의 실무 회담을 지켜보고 금년 9월 이사회에서 확정된 협정안을 승인한 직후에 북한이 동 협정에 서명하기를 기대하게 되었다. 그리고 금차 이사회 기간중 많은 우방 이사국들이 북한에 대하여 협정 서명에 대한 명확한 언질을 줄 것을 요청한 바에 따라, 북한 대표가 금일 이사회에서 공식 발언을 통해 협정안을 9월 이사회에 회부하기로 동의하였다고 밝힌 것에 일응 고무를 받게 되었다. 이리하여 결의안을 추진하던 핵심 우방국들은, 일련의 협의를 가진 결과, 금차 이사회에서의 결의안 상정을 보류하고 당분간 북한의 약속 이행을 지켜 보기로 하였다.

그러나 우방 이사국들은 북한이 조속히 조약상의 의무를 이행하지 않을 경우에는 그에 대한 강력한 대응 조치를 위해야 한다는 것에 의견의 일치를 보았다.

우리는, 북한이 그 유엔 가입 결정과 같은 건설적인 방향으로, 핵안전협정 체결 의무를 조속히 이행함으로써 남북한간의 관계 정상화는 물론 동북아세아의 평화와 안정에 기여하기를 기대하는 바이다.

오늘 이사회 회의에서 북한이 금년 9월 이사회에 협정안을 상정하여 승인을 받은 후 지체없이 그리고 조건없이 협정에 서명하고 협정을 발효시켜 시행할 것을 촉구한 29개 이사국들에 대하여 사의를 표하는 바이다.

/14 김

원 본

암 호 수 신

외 무 부

종 별 : 긴 급

번 호 : AVW-0731 일 시 : 91 0613 2130

수 신 : 장 관(국기,미안,기정,과기처)

발 신 : 주 오스트리아 대사

제 목 : 북한의 핵안전 협정 문제(IAEA이사회 경과)

연:AVW-0726

1.IAEA 이사회는 금 6.13(목) 오후 회의에서 의제 11 항하의 다른 안건에 대한 토의를 종료후, 16:23 부터 표제에 관한 토의를 속개, 17:45 에 종결하였는바, 아국을 포함하여 호주등 아래 30 개국이 발언하였음:

호주, 칠레, 카나다, 일본, 소련, 베네주엘라, 인니, 불란서, 독일, 이태리,벨지움, 미국, 필리핀, 폴랜드, 체코, 중국, 태국, 스웨덴, 영국, 나이제리아,오스트리아, 이란, 큐바, 튜니시아, 이집트, 인도, 폴부갈, 한국, 수단(업저버), 헝가리(업저버)

(이상 발언순서:다만 헝가리는 의제 11(E)토의시 발언)

2. 이사회는 IAEA-북한간의 7 월 회담의 결과, 표준협정에 따른 협정안이 9 월 이사회에 제출되어 승인된후 지체없이 그리고 조건없이 서명, 발효되기를 강력히 기대한다는 요지로 별전(FAX:AVW(F)-008) 의장의 성명을 채택하고 토의를 종결함.(이하 회의 경과)

3. 호주대표는 첫번째 발언을 통하여, 다음과 같은 입장을 표명하였음.

가. 북한이 비핵무기 NPT 당사국중 사찰을 받지않고 현저한 핵활동을 하는 유일한 국가라는 점에서 국제안보와 신뢰를 위해 우리가 특히 문제를 삼고 있는 것이며, 다수의 이사국이 지금까지 8 차에 걸친 이사회 회의를 통해 계속 이문제에 관해 관심을 표명하였음.

나. 금번 이사회에서 우리는 북한이 표준 협정안에 동의하기로 결정하였고,이에따라 북한-IAEA 협정안이 이사회의 승인을 받기 위해 9 월 이사회에 제출될것이며, 그직후 협정 서명이 있을 것이라는 보고를 받았음.

다. 이와 관련 단순히 협정서명만이 문제가 아니며 서명후 조속한 비준과 완전한

국기국 차관 1차보 미주국 구주국 안기부

PAGE 1 91.06.14 05:09

외신 2과 통제관 CA

0154

이행으로 IAEA 안전조치가 북한에 대해 전면 적용되는 것이 중요함을 강조하고자 함.

라. 알려진 바와 같이 호주는 일본, 카나다등 몇개국과 함께 이번 이사회에북한의 핵안전 협정 체결 문제와 관련한 결의안을 준비, 제출 예정이었으나, 본건에 관한 사무총장및 이사회 의장의 보고와 북한대사의 발언을 감안하여 동 결의안 제출을 9 월 이사회까지 보류하기로 결정하였음.

마. 우리는 9 월 이사회에 협정안이 제출될 것이라는 양해하에 7 월로 예정된 IAEA-북한간의 회담 결과를 주시할것이며, 본건 관련 'THE CONCLUSION OF A SAFEGUARDS AGREEMENT WITH THE DPRK'를 9 월 이사회 (976)정 의제의 독립항목으로 포함시킬것을 제안함.

4. 호주에 이어 칠레등 토의에 참여한 국가들은 진충국의 발언을 일단 환영한후 IAEA-북한 협정안이 9 월 이사회에 상정되어 승인을 받은후 지체없이 서명,비준, 이행의 절차를 밟을것을 기대한다고 발언 하였음.(일본, 미국대표 발언 전문 별전 FAX 타전:AVWF-010, AVWF-009)

6. 본직은 별전(FAX:AVW(F)-011) 내용의 연설을 하였는데, 이에대해 북한의진충국이 본직에 대해 만약 한국(SOUTH KOREA)이 한반도에서의 핵전쟁을 원하지 않는다면 왜 미국에 대해 핵무기 철수를 요청하지 않는가의 질문을 하였으므로, 본직은 IAEA 이사회는 그런 문제를 토의하는 장소가 아니라고 간단히 일축하였음(MY RESPONSE TO THE QUESTION RAISED BY THE KPRK AMBASSADOR IS VERY BRIEF. IAEA IS NOT THE PROPER FORUM FOR DEBATING HIS QUESTION). 끝.

공 란

공 란

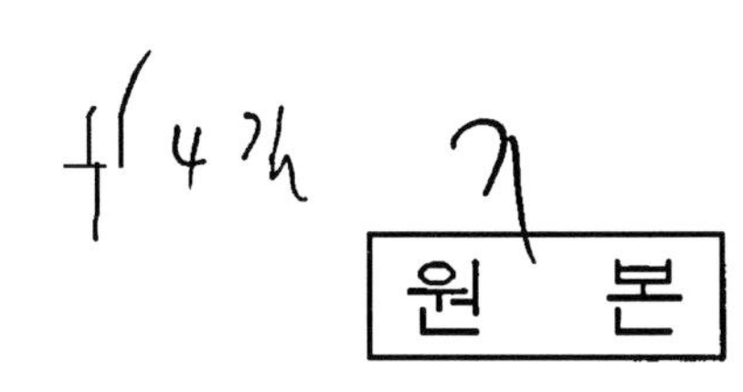

외 무 부

종 별 :

번 호 : AVW-0733 일 시 : 91 0613 2200

수 신 : 장 관(국기)

발 신 : 주 오스트리아 대사

제 목 : 아국 기자단에대한 브리핑

본직은 6.13 아국 기자단을 상대로 북한의 핵안전 협정체결 문제에 관하여 별전 FAX (AVW(F)-012) 보도자료로 브리핑을 하였음.끝.

국기국

PAGE 1

91.06.14 09:08 WG

외신 1과 통제관

0158

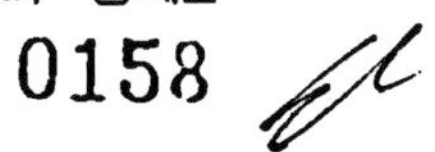

공　　　　란

공 란

공 란

o 북한대표발언요지

- 핵 안전협정 서명 용의있으며 북한에 대한 사찰 반대치 않음
- 협정 본질내용 변경없이 최종 자귀 수정위해 7월 북한 전문가 파견 IAEA와 협의 후 협정안 9월 이사회 상정
- 상기 불구, 일부 국가들이 결의안 채택을 추진, 북한에 압력 행사코자하나 이는 정치문제화 하는것으로서 협정 체결을 곤란하게 함
- 협정의 효력조항(제26조) 문제는 미국과 북한 사이에 해결되어야 할 문제임. 이와관련 미국의 영향력있는 기관과 합리적 해결 방안 강구중
- 핵위협 철거를 위한 북한 요구는 정당
- 일본대표의 6.10 질의는 주권 침해로 간주

o 아국대표발언요지

- IAEA 사무총장(90.6월), 이사회의장(91.5월)이 각각 북한 당국앞 공한으로 협정체결 의무이행 촉구 불구, 현재까지 북한측 의무 불이행 사실 환기
- 북한 대표의 협정서명의사 표명 관련, 북한의 진정한 이행의사 여부에 의구심 표시
- 그러나, 대북한 협정의무이행 위한 모든 필요조치 이전에 당분간 북한측 반응 주시 예정
- 북한의 국제법상 의무준수 재촉구 및 금번 이사회에서 행한 국제적 약속 불이행시 초래할 결과 방지위한 북한의 자발적 변화 기대

0162

보 도 자 료

외 무 부

제 91-157 호 문의전화 : 720-2408~10 보도일시 : 1991. 6 . 14. 09: 30 시

제 목 : IAEA 이사회에서의 북한 핵안전협정 체결문제 토의 관련

외 무 부 당 국 자 논 평

1. 금번 IAEA 이사회에서 대다수 이사국들이 북한대표의 핵안전 협정 동의 표명에 유의하면서 북한의 지체없는 협정체결을 촉구하였고, 또한 이사회 의장이 성명을 통하여 북한에 대하여 지체없는 핵안전 협정체결을 촉구한 것은 국제사회의 여론을 집약한 것이다.

2. 우리는 북한이 금번 이사회에서 IAEA측과 핵안전협정을 조속한 시일내에 체결하겠다는 입장을 표명한 것에 유의하면서 동협정의 완전한 이행을 보장하기 위한 제반조치를 취하기를 기대하며, 앞으로 북한의 IAEA와의 협정체결 과정을 주시해 나가고자 한다.

3. 우리는 누차 촉구한 바와 같이 북한이 핵무기 비확산조약(NPT)의 가입국으로서 당연한 의무인 핵안전협정을 조속히 체결함으로써 한반도의 긴장완화에 기여하고 모든 평화애호 국가의 여망에 부응하기 바란다. 끝.

0163

관리 번호	91-606

	분류번호	보존기간

발 신 전 보

번 호 : WAV-0646 910614 0038 FL 종별 : 긴급

수 신 : 주 오지리 대사. 총영사

발 신 : 장 관 (국기)

제 목 : 북한 핵 안전협정 문제

대: AVW-0726

대호, 우방 전략회의시 호주 및 주요 우방의 진중국 발언에 대한 평가가 있었으면 지급 보고 바람.

예고: 91.12.31일반

(국제기구조약국장 문동석)

검토필 (91. 6. 30.)

일반문서로 재분류 (1991. 12. 31.)

보안 통제	

앙고재	91년 6월 13일	국기과	기안자 성명		과 장		국 장		차 관	장 관
			김희태							

외신과통제

0164

관리번호 91-617

	분류번호	보존기간

발 신 전 보

번 호 : WAV-0649 910614 1412 FO 종별 :

수 신 : 주 오지리 대사. 총영사

발 신 : 장 관 (국기)

제 목 : IAEA 9월 이사회

대 : AVW-0732

대호, 6.13. 오후 회의 발언국가 중 소련, 중국, 인도대표등의 연설 text (없으면 발언개요) 를 가능한한구목 지급 FAX 송부바람. 끝.

예고 : 91.12.31 일반

(국제기구조약국장 문 동 석)

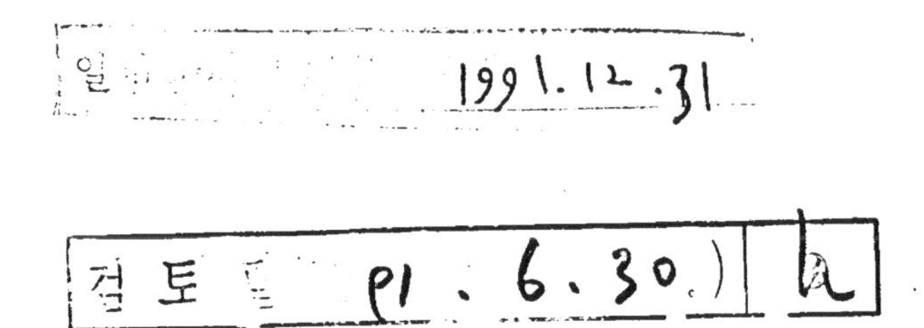

보안통제	

앙고재	91년 6월 14일	국제기구과	기안자 성명		과 장		국 장		차 관	장 관
			신3이				전결			

외신과통제

0165

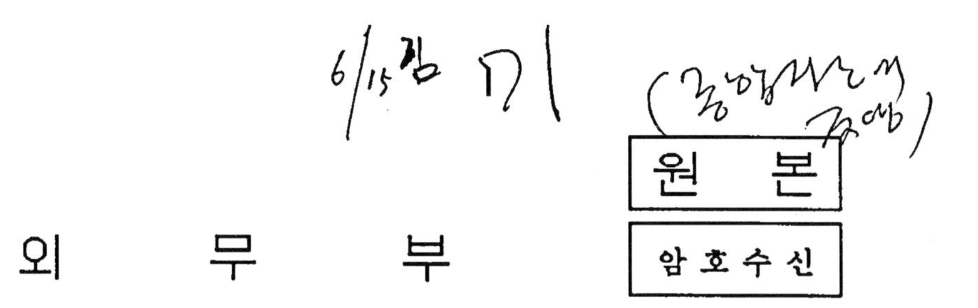

외 무 부

종 별 : 지 급

번 호 : JAW-3629 일 시 : 91 0614 1618

수 신 : 장관(국기,아일,미일),사본:주오지리대사(JAOS-04)-중계필

발 신 : 주 일 대사(일정)

제 목 : 북한의 핵안전조치 협정(IAEA 이사회)

IAEA 핵안전 조치협정 체결문제에 대해 북한이 IAEA 이사회에서 행한 발언과 관련, 금 6.14(금) 주재국 외무보도관은 담화를 발표한바, 동 담화 전문 아래보고함.

1. 일본은 종래부터 일.북 국교정상화 교섭이나 국제 원자력기구(IAEA) 등에서 북한의 핵무기 비확산 조약상의 의무로서 지고있는 IAEA 전면 안전조치 협정을 조속 체결하고, 동 협정을 이행할 것을 강하게 요구해 오고 있음.

2. 북한은 종래부터 다음 전제조건이 충족되면 서명할 용의가 있음을 밝혀왔음.

0 미국이 북한에 대해 법적구속력 있는 핵무기 불사용 보증을 할것

0 한국에 배치되어 있(다고 북한이 주장하)는 미군 핵무기에 대한 동시사찰(또는 철수)를 행할것

3. 금번에 북한의 안전조치 협정의 표준 텍스트에 합의하고, 협정승인을 얻기 위해 9 월 이사회에 제출하겠다고 밝힌것을 적극적으로 평가함. 금번 북한이 상기 2 개의 전제조건을 철회하고 무조건 협정에 서명 하겠다는것을 의미하는지는 불명확한바, 만약 무조건 협정에 서명하겠다는 의향이라면 동 협정 체결 및 이행으로 나아가는 중요한 단계로서 이를 환영함.

4. 일본으로서는 금후 북한이 동 협정을 조속 서명, 동 협정 발표를 위한 국내적 절차를 조속 진행시킴과 동시에 동 협정상의 의무를 완전히 이행하고, 특히 모든 평화적인 원자력 활동에 관한 모든 핵물질을 IAEA 에 신고할 것을 기대하는바, 금후 절차가 진전된다면 현재 행해지고 있는 일.북 교섭의 촉진제가 될 것임.

5. 이와관련, 최근 북한이 영변에, IAEA 의 안전조치가 개별적으로 적용되고 있는 시설 이외에도 재처리 시설을 포함한 각종 원자력 시설을 건설중이거나 가동중 이라고 전해지고 있는 것을 일본으로서도 중시하고 있음. 이들 시설이 존재할 경우 본건 협정발효와 더불에 이들 시설에 존재하는 모든 핵물질에 대해 IAEA 안전조치가

국기국 장관 차관 1차보 2차보 아주국 미주국 외정실 분석관
청와대 안기부

PAGE 1 91.06.14 17:13

외신 2과 통제관 BN

0166

적용되어야 한다는 점을 지적하고자 함.

6. 북한 대표는 금번 발언을 통해, 일본대표의 발언이 북한에 도발적이고 또한 북한 주권을 침해하는 것이라고 하면서 비난하였는바, 일본대표의 발언은 단지 절차면에 관한 조회일 뿐이며, 북한이 주장하고 있는것과 같은 의도에 기초한 것은 아님.끝.

(대사 오재희-국장)

일본 외무성 담화

- 북한 IAEA 안전보장조치체결 문제

(IAEA 6월 이사회에서의 북한 발언)

91.6.14.

1. 일본은 그간 일.북한 국교 정상화 교섭 및 IAEA등 국제무대에서 북한에 대해 NPT 의무사항인 IAEA 전면안전보장조치 체결과 이행을 강력히 촉구해옴

2. 북한은 종래부터 아래 전제조건 충족시 협정 서명 용의가 있다고 주장
   (1) 미국의 북한에 대한 법적구속력 있는 핵무기 불사용 보장 제공
   (2) 한국내 미군 핵무기에 대한 동시사찰(또는 철수) 이행

3. 6월 이사회에서 북한이 7월중 표준 협정안 교섭후 9월 이사회에 상정, 승인을 득하겠다고한 것을 적극적으로 평가. 상기 2가지 전제조건 철회후 무조건적 협정서명 의사가 있다면 협정체결. 이행을 향한 중요한 진전으로 환영

4. 북한이 동 협정을 서명하면 협정의 발효를 위해 국내 절차를 밟아야 하고, 협정이무를 완전히 이행하기 위해 모든 핵 물질을 IAEA에 신고할것 으로 기대되기 때문에, 이러한 절차의 진전은 현재 진행중인 일.북한 수교 교섭에 촉진제가 될것임

5. 일본은 최근 북한이 IAEA의 개별 적용을 받고 있는 시설외에도 핵 재처리시설을 포함한 다른 원자력 시설을 건설하거나 가동하고 있다고 전해지는 것을 중시, 이러한 시설이 존재한다면, 안전협정의 발효와 함께 동시설 및 핵 물질에 대한 IAEA 보장 조치가 적용되어야 함을 지적함

6. 금번 이사회에서 북한대표가 일본대표의 발언이 북한을 자극하고, 북한의 주권을 침해 하였다고 비난하였으나, 일본은 단지 절차문제에 관해 문의를 하였을 뿐 북한측의 주장과 같은 의도에 기인하지 않았음. 끝.

공람	국제기구과	91년 6월 14일	담 당	과 장	국 장	차관보	차 관	장 관
			신동익	(서명)	(서명)			

0168

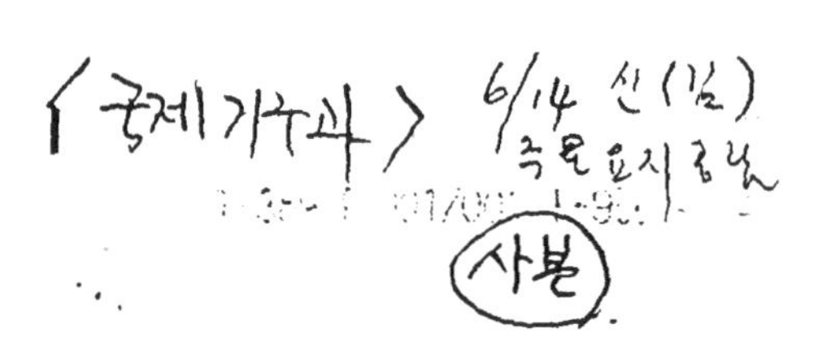

外務報道官談話

北朝鮮のIAEA保障措置協定締結問題
（IAEA ６月理事会における北朝鮮発言）

平成３年６月１４日

１．従来より、わが国は、日朝国交正常化交渉や国際原子力機関（ＩＡＥＡ）等の場に於いて、北朝鮮に対し、同国が核不拡散条約上の義務として負っているＩＡＥＡフルスコープ保障措置協定の締結を速やかに行い、同協定を履行するよう強く求めてきている。

２．北朝鮮は、従来より、以下の前提条件が満たされれば署名する用意がある旨述べてきている。

⑴米が北朝鮮に対して法的拘束力のある核兵器不使用保証を与えること。

⑵韓国に配備されている（と北朝鮮が主張する）米軍の核兵器に対する同時査察（又は撤去）を行うこと。

３．今回北朝鮮が保障措置協定の標準テキストに合意し、協定を、承認を得るため９月理事会に提出すると述べたことは、積極的に評価する。今回の北朝鮮発言は、上記２つの前提条件を撤回し、無条件で協定に署名することを意味するものであるかについては不明であるところ、もし無条件に協定に署名するとの意向である場合は、右は、同協定の締結・履行に向けての重要なステップであり歓迎する。

４．何れにしても、我が国としては、今後、北朝鮮が同協定の署名を速やかに行い、同協定の発効のための国内的手続きを速やかにとり進めると共に、同協定上の義務を同国が完全に履行すること、特に、同国のすべての平和的な原子力活動に係わるすべての核物質をＩＡＥＡに対し申告することを期待するものであり、今後、本件手続きが進展するのであれば、現在行われている日朝交渉の促進材料となろう。

５．この関連で、最近北朝鮮が、ヨンビョンに、ＩＡＥＡの保障措置が個別に適用されている施設以外にも再処理施設を含む種々の原子力施設を建設中ないし稼働中であると言われていることを、我が国としても重視している。これらの施設が存在する場合は、本件協定の発効に伴い、これらの施設に存在するすべての核物質に対してＩＡＥＡ保障措置が適用されるべきものである旨指摘したい。

６．尚、今回の北朝鮮代表の発言では、日本代表の発言が、北朝鮮を挑発し、又、北朝鮮の主権を侵害するものとして非難されているが、右発言は単なる手続き面に関する照会であり、何ら北朝鮮側が主張しているような意図に基づくものではない。

0169

북한 핵사찰관련 일본 언론보도(요약)

국제기구과, 91.6.14

1. 일외무성, 북한의 무조건 협정체결에 의문(산케이, 6.14)

o 북한이 9월 이사회에서의 협정 체결 입장을 밝힌것은 진전 사항이나, 주한 미군 핵 철수를 협정체결 조건에서 제외시켰는가와 사찰 실시를 위해 북한의 핵시설 신고를 고려하고 있는지등은 여전히 불투명함

- 금후 구체적 협정 체결 작업을 통하여 북한의 움직임을 신중히 파악해야 함.

o 비엔나 이사회 참가중인 진충국은 북한의 무조건적 협정체결을 시사한 반면, 본국의 북한 노동당은 계속 미국을 끌어들일것을 요구하는 등 상이한 내용의 주장을 함.

- 일외무성, 이러한 현상이 북한내 혼란으로 부터 비롯되는지 양쪽의 다른 입장을 활용하려는 것인지 파악하기 어려운 상황이라고 언급

2. 한국의 압력이 영향력 발휘(니혼게자이, 6.14)

o 핵사찰이라는 기술적 문제를 통한 북한 자세의 유연화는 당분간 힘들듯

- 북한의 대응이 변하지 않았음에 불구 국제여론과 정치적 압력이 지나치게 앞서간것이 원인

o 「한국이 바람을 보내면, 북한은 바람을 피하고, 마지막으로 감기를 드는 것은 일본과 미국」이라는 말이 6월 IAEA 이사회의 기묘한 구도를 잘 말해줌

- 한국은 금번 이사회에서 목소리가 큰 북한을 코너에 몰기위해 정부와 매스콤이 일제히 북한의 방침 전환을 보도

- 북한은 변화 조짐이 없었으나, 그당시 오해와 이상한 정보가 이사국의 정부, 보도기관들까지도 진동시킴

공람	국제기구과	91년 6월 14일	담 당	과 장	국 장	차관보	차 관	장 관
			신	(서명)	(서명)			

0170

o 91.6월 이사회의 분위기

- 종래 이사회는 전문가들이 각광을 받고 주변문제에는 관심이 크지 않았음
- 금번 이사회에서는 그간 이사회의 주역이었던 미.쏘와 유럽국가들이 외형적으로 침묵
- 미국은 북한과 함께 토의대상이 되는 것을 회피, 소련은 한국과의 관계를 중시하여 중재 역활을 삼가하였고, 유럽국가들은 무관심
- 따라서 '북한'과 '핵'이라고 하는 두가지가 합해져 미묘한 문제를 발생시킴

3. 북한, 유엔가입 장해 우려 핵사찰 수락(산케이, 6.14)

o 북한의 핵사찰 수락은 국제적 고립으로 부터 탈피하기 위한것에 목적이 있음

- 「비평화적 국가」라는 비난을 받아 유엔 가입에 장해가 되는 것을 두려워하고,
- 일.북한 수교 촉진 필요성과 미.북한 직접교섭의기대에서 비롯

o 주한 미군 핵철수를 위한 대미 접촉의 진전 의도(미국은 부인)

- 협정체결과정에서 「다음 문제는 미군의 핵 철수」라고 국제적으로 어필함으로써 대미 교섭에 적극활용

o 금후 협정체결 교섭과정에서 곡절 예상

- 북한의 의도가 불투명한 상황에서 「7월 실무교섭, 9월 이사회승인」의 ~~수준으로~~ 과정에서 북한이 어떠한 조건을 제시할지도 모른다는 의구심 유발.

0171

"핵사찰 협정에 조인한다면 미.북 대화 격상도"

(6.14(금) 니혼게이자이 신문의 Kimmitt 차관 인터뷰 내용)

o 키미트 차관은 니혼게이자이 인터뷰에서 미국의 대북한 외교의 기본정책을 밝혔다.

o 동 차관은 북한의 핵사찰 수락표명을 미.북한 국교 정상화와 결부시키는 것은 너무 이르다고 이야기하면서도 북한이 협정에 조인한다면 미.북 대화 격상도 검토해도 좋다고 말하고, 협정 조인을 전제로 미.북한 대화를 확대해 나갈 의향을 표명했다.

(인터뷰 요지)

Q : 북한이 IAEA에 의한 핵사찰 수락을 표명한 것은 미.북한 관계의 정상화로 연결될 것인가 ?

A : 북한의 핵사찰 수락표명은 환영하지만 이는 북한의 선택이 아니라 의무임. 중요한 step이지만 국교 정상화와 결부시키는 것은 너무 이름. 한국전쟁의 귀환병, 북한의 테러국 지원 및 제3국에의 무기수출등(국교 정상화를 향한) 현안이 남아 있음. 미국은 현재 북경에서 북한과 참사관급 대화를 계속하고 있으나, 북한이 핵안전협정에 조인한다면 미.북한 대화의 격상등도 검토해도 좋을 것임.

0172

Q : 북한대사는 미국이 한국의 핵병기를 철거한다고 표명했기 때문에 핵사찰을 수락한다고 발언했는데...?

A : 북한이 핵사찰 수락은 한국에 있어서의 미군이 편성이나 다른 어떠한 문제와도 관련이 없음.

Q : 북한이 UN 가입신청 의향을 표명한 데 대한 생각은 ?

A : 중요한 step임. 한국과 북한은 유엔에 가입해야 됨. 끝.

0173

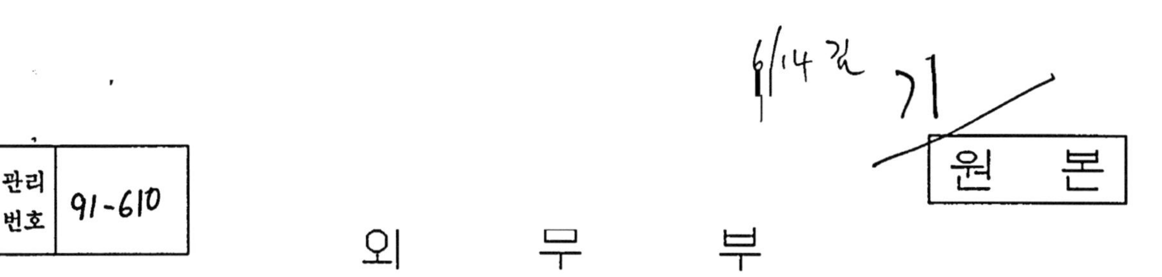

관리 번호	91-610

원 본

외 무 부

종 별 : 지 급

번 호 : AUW-0460 일 시 : 91 0614 1650

수 신 : 장관(국기,아동,정특,기정)

발 신 : 주 호주 대사

제 목 : IAEA 이사회

연:AUW-0454

1. 금 6.14(금) 14:00 COUSINS 외무성 핵군축국장대리는 비엔나에서 개최중인 IAEA 6 월이사회에서의 진충국 북한대표, 호주대표, 일본대표 발언내용 전문과 이사회 의장 발언록 전문을 당관에 전달하여 왔음.

2. 한편 양공사는 동문건들을 검토한후 COUSINS 국장대리와 전화 접촉한바,동인은 금번 IAEA 이사회가 연호 양공사-COUSINS 국장대리 면담시 호주측 대응방안대로 종결되었다고 말하고, 특기사항을 다음과같이 첨가했음.

가. 북한 진충국 대표의 발언문 제 2 페이지중 "THE ISSUE WE HAVE RAISED IN THE STANDARD SAFEGUARDS AGREEMENT SHOULD BE RESOLVED BETWEEN THE DPRK AND THE UNITED STATES"항목(DURATION 을 지칭하는 항목이라함)이 마음에 걸리는부문으로 북한측의도가 UNCLEAR 하나, 호주측은 우선 7 월 북한-IAEA 사무국간회담결과를 예의 주시하고, 9 월까지 모든 절차가 완료되는 진행과정을 계속 예의주시, 대처할것이라고 COUSINS 국장대리는 천명했음.

나. 동국장대리는 한편 작일 이사회에서 35 개국중 27 개국이 발언하였는바이중 특히 쏘련, 중국, 인도, 쿠바 대표도 발언, 북한을 지칭하지는 않았지만,모든국가는 NPT SAFEGUARDS AGREEMENT 에 서명해야 한다고 주장한점을 기대외의 소득으로 평가하고, 향후 특이 인도, 쿠바등의 태도를 주목했음.

3. COUSINS 국장대리가 주재하는 호-일 실무자간 NUCLEAR ENERGY 양자협의 회의가 내주 6.17-19 간 당지 켄베라에서 개최되는바, 이는 금번 IAEA 대북한 결의안 제출을 양국이 주도, 상호간 긴밀한 협조체재를 이룬연후 개최된것에 주목하고 있음, 동 호-일 NUCLEAR ENERGY 실무자 회담이후, COUNSINS 부국장을 접촉,호-일 실무회담 내용, 향후 호주의 대북한 핵사찰 대처방안, 북한의 핵안전협정서명이후의 호-북한

국기국	장관	차관	1차보	2차보	아주국	외정실	분석관	청와대
안기부								

PAGE 1 91.06.14 16:40

외신 2과 통제관 BA

0174

관계를 보는 구상등 제반문제들에 대해 의견 교환코자 함.

4. 금번 IAEA 이사회에서의 진충국 발언이 나오게 된 경위와 북한의 핵사찰문제가 주요 국제문제화 되는데 호주 외교의 기여가 컸다고 사료되는바 이에 대하여 주재국 외무성에 적절한 방법으로 아측에서 ACKNOWLEDGE 을 표시할것을 건의함. 끝.(대사 이창범-국장)

예고:91.12.31. 일반.

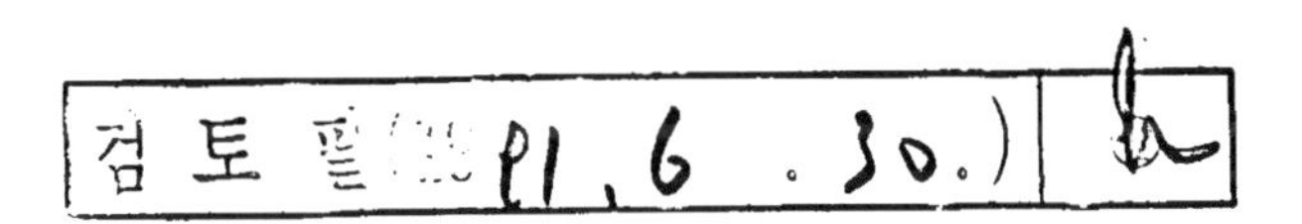

일반문서로 재분류 (1991 .12. 3 .)

관리번호	91/60

외 무 부

종 별 :

번 호 : SVW-2084 일 시 : 91 0614 1500

수 신 : 장 관(동구일,북일,정특,정안,국기,국연,사본:주미대사)-중계필

발 신 : 주 쏘 대사

제 목 : 대북 관련 동향

공람	안보정책과	전원인	담 당	과 장	심의관	국 장	차관보	차 관	장 관

연 : SVW-1993,SVW-2082

본직은 6.13 로가쵸프 차관 면담시 대북한 동향 관련 의견을 교환한바, 동 내용 하기 보고함.(쏘측: 라조프 극인국장리샤코프 한국과장 대리, 미나예프 서기관, 아측: 서현섭참사관, 김성환서기관배석)

1. 북한의 유엔가입 결정

가. 본직이 북한의 유엔가입 결정을 어떻게 평가하느냐고 문의한데 대해, 로차관은 북한이 상식을 발휘한 것으로 옳바른 방향(RIGHT DIRECTION)으로의 변화이며 한반도 긴장완화에 도움이 될 것으로 본다고 하고 북한의 금번 결정을 다른 여타국과 마찬가지로 환영하고 있다고 하였음.

나. 본직이 연호 손성필 북한대사와의 대화내용을 소개한 데 대해 동차관은웃으면서 경청하였음.

2. 북한의 IAEA 핵안전 협정 서명 의사 표명

가. 북한의 IAEA 와의 핵안전 협정 서명 의사 표명관련, 본직이 아측은 이를 신중하게 평가하고 있으며 북한이 진정한 의사를 가지고 IAEA 와의 핵안전 협정에 서명할 수 있게 되기를 기대한다고 한후 6.13 일자 연합통신에 보도된 북한이 IAEA 와의 협정에 서명한면 미국은 북한에대해 핵무기 불사용 보장을 문서로 통보할 것이라는 리챠드슨 국무성 한국과장의 발언 내용을 설명하면서 솔로몬 차관보와의 회담시 이러한 내용을 들은바 있느냐고 문의하였음.

나. 로차관은 자신이 솔로몬 차관보와의 면담시 미국이 강국이니 북한에대해 무언가를 해야되지 않겠느냐고 충고했다 하면서 리챠드슨 과장의 발언은 이러한 자신의 충고가 반영된 것으로 본다고 답한후 아측이 혹시 이에대해 우려하는 것은 아니냐고 문의하였음.

구주국 장관 차관 1차보 2차보 국기국 국기국 외정실 외정실
분석관 청와대 안기부

0176

PAGE 1

91.06.15 00:09
외신 2과 통제관 FK

이에 본직은 아측도 이를고무적인 것으로 판단하고 있으며 미측은 전부터 북한이 IAEA 와의 핵안전 협정에 서명한면 대북한 관계를 개선하겠다는 의사를 표명해 왔다고 답하였음.

3. 김정일 권력 승계

가. 본직이 김정일 권력 승계 관련 쏘측이 특별한 정보를 가지고 있는지 문의한데 대해, 로차관은 지난번 김일성 주석이 내년에 80 세가 되면 권력을 김정일에게 이양하고 은퇴할 것이라고 들은 이외에 특별한 것은 없다하며 김정일의 권련 승계에대해서는 소문이 하도 무성하여 쏘측도 추측만하고 있을뿐이라고 답하였음.

나. 이어 본직이 김정일이 순조롭게 권력을 계승할 수 있을 것인지와 김정일의 지도자로서의 역량에관해 문의하자, 로차관은 김정일이 이미 1973 년 이래 당중앙위 서기로 재직하고 있어 부친인 김일성 주석으로부터 많은 것을 배웠을 것이며 당분간은 급격한 변화가 있을 것으로 예상치 않는다고 답하였음.

다. 이에 본직이 중국은 김정일의 권력 승계를 낙관적으로만 보지 않는 것 같다고 하자, 로차관은 김정일이 김일서에 비해 지도력이나 권위에서 차이가 나고 특히 군에대해 권위를 확립하지 못한 것은 사실이라고 하면서 김정일이 집권하면 무엇인가 변화는 있지 않겠느냐고 언급하였음.

(라조프 국장은 쏘측의 최근의 유엔가입 결정, IAEA 와의 대화 의사 표명등을 김일성 자신의 결정으로 보고 있다고 언급)

4. 남. 북대화

가. 본직이 쏘측은 남북한의 유엔가입과 관련. 한반도 문제 해결에관해 어떠한 새로운 국제적 접근을 고려하고 있는가고 물었던바, 로차관은 남. 북한간의대화가 빨리 재개될수록 좋을 것이라고 한후 쏘측은 평양에대해 항상 대화를종용하고 있으며 대화를 하면 긍정적인 발전이 있을 것임을 애기하고 있다 하면서 중공, 미국도 우리와같은 입장인바, 북한의 유엔가입 결정도 이러한 공동 노력의결과로 본다고 답하였음.

나. 로차관이 본직에게 최근 남. 북 대화와 관련 새로운 진전이 있느냐고 묻기에 아직 아무런 징후가 없는바, 북한은 항상 한국 국내가 정치적을 소란스러운 시기에는 대화를 중단해 왔던 만큼 진전을 기대할 수 없었다고 함. 그러나 향후 2-3 개월내에 북한측이 접근해올 가능성은 있다고 함. 쏘련을 위시한 중국, 일본, 카나다등 최근 북한과 접촉한 국가들이 북에대해 계속 남북대화의 재개를 촉구한만큼 북한의 변화를

0177

기대하고져 한다 하였음.

5. 남. 북불가침선언

로차관은 남북대화하의 재개와 관련, 특히 북한의 유엔가입 결정과 관련지어 아측이 남. 북한 불가침 선언 체결을 어떻게 생각하느냐고 묻고 있었음. 본직은 남. 북 불가침 선언은 선전이나 정치적 목적으로 체결될 성질에 것은 아니며,그것을 뒷받침할 인프라(INFRA-STRUCTURE)가 있어야 한다는 것이 우리 입장이라고 하고, 그러나 남. 북이 유엔 가입한 후 남북관계의 진전에 따라서는 새로운각도에서 검토될 수도 있을 것이라고 하였음. 끝

(대사공로명-차관)

예고:91.12.31 일반

검 토 필(19 . . .)

검 토 필(19 12 3)

19 . 12. 31.에 예고문에 의거 일반문서로 재 분류됨.

PAGE 3

0178

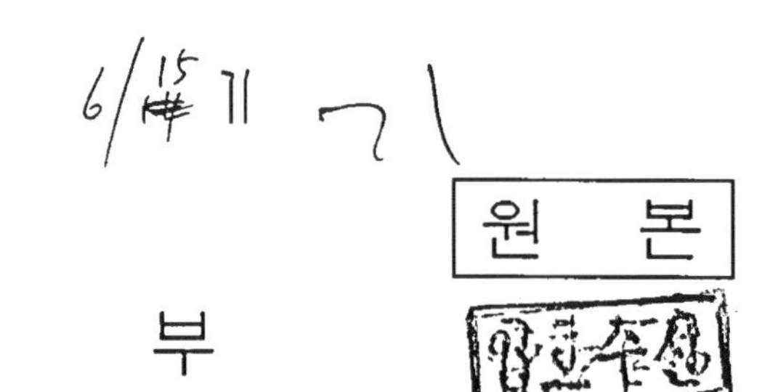

외 무 부

종 별 : 지 급

번 호 : AVW-0735　　　　일 시 : 91 0614 1800

수 신 : 장 관(국기)

발 신 : 주 오스트리아 대사

제 목 : 북한의 핵안전 협정문제(IAEA 이사회 경과)

대:WAV-0649

연:AVW-0731

소련, 중국및 인도대표등의 발언 요지는 아래와 같음.

1. 소련

-핵안전조치 협정 체결및 이행은 NPT 당사국의 의무로서 동의무 이행의 지체는 어느 경우에도 정당화 될수 없음.

-북한과 IAEA 가 7 월중에 회담을 개최 예정이며 9 월 이사회에 협정안을 상정, 승인을 받은후 서명할 것이라는데 대해 환영함.

-동 협정이 이사회의 승인후 가능한 즉시(AS QUICKLY AS POSSIBLE) 발효될 것을 기대함.

2. 중국

-북한이 IAEA 와 회담을 개최, 표준 협정안을 기초로 동 실질 내용에 대한 수정없이 북한- IAEA 협정안을 확정하여 이를 9 월 이사회에서 승인을 받은후 서명할 것이라는데 대해 만족함.

-북한의 긍정적인 태도(POSITIVE ATTITUDE)를 환영함.

3. 인도

-북한대사의 발언을 환영하며, 북한-IAEA 협정안이 9 월 이사회에 상정될 것을 기대함.

-IAEA 도 다른 국제기구와 같이 임무수행에 있어서 헌장(STATUTE)에 충실하여야 하는바, 이사회가 지금 NPT 협약상의 문제를 다루고 있음을 감안, 이 의제에 대한 토의 종결시 의장의 성명에서 IAEA 이사회 임무 범위를 벗어나는 내용의 결정은 하지 않도록 유의하여 줄것을 희망함.

국기국　장관　차관　1차보　2차보　미주국　외정실　분석관　청와대
안기부

PAGE 1　　　　91.06.15　05:22
외신 2과　통제관 DO

0179

4. 독일

-북한이 IAEA 와 7 월중에 핵안전 협정 체결 문제를 협상하여, 9 월 이사회에 협정안을 상정할 것이라는데 대해 환영함.

-동 협정안이 9 월 이사회에서 승인된후 지체없이 서명되어 서명과 동시에 발효되기를 희망함.

5. 스웨덴

-현저한 핵활동을 하고 있는 북한이 9 월 이사회에 협정안을 제출, 승인을 받은후 서명할 준비가 되어 있다는데 대해 환영함.

-이와 관련 중요한 것은 동 협정이 서명후 즉시(IMMEDIATELY) 비준, 시행되어야 한다는 점임.

6. 오스트리아

-NPT 당사국으로 핵안전 조치 의무는 조건부가 아님.

-북한이 IAEA 와의 7 월 협상, 9 월 이사회 상정및 그후 서명을 환영하면서 북한이 더이상 지체없이 의무를 이행할 것을 기대함.

7. 이집트

-북한 대표의 발언을 환영하며, 북한-IAEA 협정안이 9 월 이사회에 상정될 것을 기대함. 끝.

관리 번호	91-616

	분류번호	보존기간

발 신 전 보

번 호 : WAV-0655 910615 1159 CT 종별 : 지급

수 신 : 주 오지리 대사. 총영사

발 신 : 장 관 (국기)

제 목 : 6월 IAEA 이사회

대 : AVW-0732

북한이 IAEA와 핵안전협정을 조속 체결토록 하기위한 앞으로의 대책 수립에 참고코자 하니 아래 사항 가능한 조속 보고 바람.

1. 이사회에서의 각국 대표 발언 내용
2. 북한 대표연설에 대한 귀관의 분석, 평가
3. 앞으로 대책강구관련 특별한 의견 및 건의사항

예고 : 91.12.31 일반

(장 관)

검 토 필(1991. 6. 30.)

일반문서로 재분류(1991. 12. 31)

보안 통제	

앙고재	91년 6월 14일	국기과	기안자 성명		과 장		국 장	1차보	차 관	장 관

외신과통제

0181

	분류번호	보존기간

발 신 전 보

번 호 : WAU-0439 910615 1449 FO 종별 : 지급 암호송신

수 신 : 주 호주 대사. 총영사

발 신 : 장 관 (국기)

제 목 : IAEA 6월 이사회 결과

연 : EM-0021

1. 표제 이사회 회의를 계기로 북한의 핵 안전협정체결 촉구를 위하여 일본과 함께 주도적 노력을 전개한 주재국 정부에 대하여 사의를 표하기 바람

2. 아울러 비엔나 현지에서 일본과 함께 우방국 전략회의 개최등 아측 대처노력에 있어서 주도적 역할을 한 주재국의 Wilson 대사와 외무무역성 군축국 부국장 Cousins의 노고를 높이 평가하는 바, 주재국 본부에서도 이들에게 우리의 이러한 뜻을 전하고 노고를 치하하여 주었으면 하는 아국 정부의 희망을 적의 전달 바람. 끝.

(장 관)

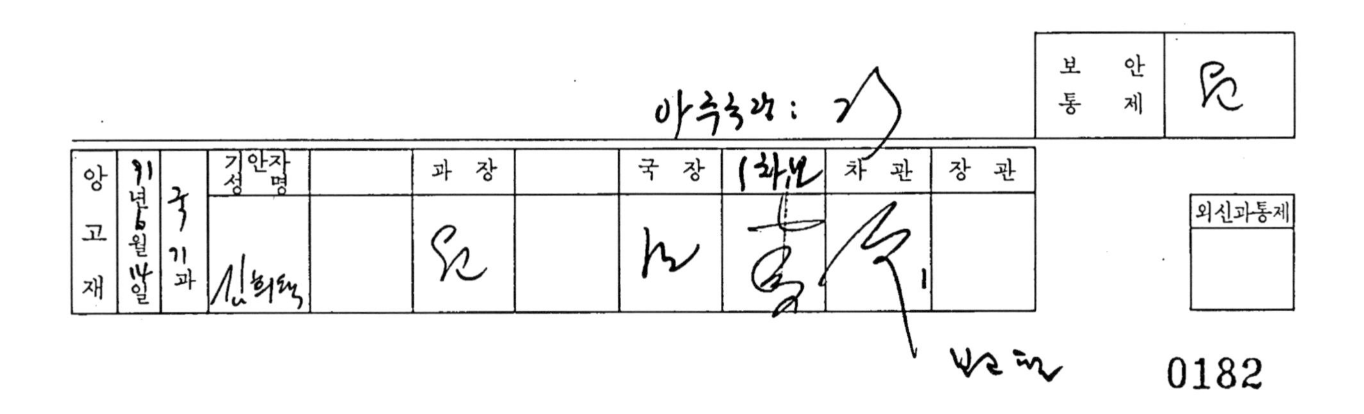

보안통제	

앙고재	91년 6월 14일	국기과	기안자 성명		과 장		국 장		차 관	장 관

외신과통제

0182

북한 핵사찰 관련 일본신문 보도(요약)

1991.6.15.
국제기구과

1. 소련, 핵문제에 대해 북한 입장 지지(니혼게자이, 6.15)
   - o 6.14. 모스크바 방송, 「미국의 핵무기 철거와 북한.IAEA간 협정체결이야 말로 가장 합리적인 해결책이라고」 보도
     - 한반도 핵무기 문제검토가 북한의 협정체결을 촉진하는 요인이 될 수 있음
   - o 소련이 IAEA이사회에서 한반도 핵문제에 대해 논평을 한것은 이번이 처음
     - 미국의 한반도내 핵무기 철수를 북한 핵사찰의 전제조건으로 내세운 북한의 주장을 지지

2. 주쏘 북한대사, 미국의 핵위협제거 보장 요구 철회(마이니치, 6.15)
   - o 6.14 손성필 주쏘 북한대사, 북한이 IAEA 안전협정체결을 위해서 「미국의 핵위협제거」와 「남한에 배치되어 있는 미국의 핵을 사찰 할것」 요구한 것을 철회.
     - 핵무기는 IAEA 관할 밖의 문제로 취급할것임을 언급

3. 북한의 「핵사찰」을 기대해 봄 (요미우리 사설, 6.15)
   - o 김일성은 「북한은 핵무기가 없고, 아직 생산도 하지 않고 있다」고 발언 (91.6.1, 교도통신 인터뷰시), 북한 외무성은 「북한이 핵무기와 화학무기의 실험, 저장 및 외부로부터의 반입도 하지 않는다고」 선언(89.1)
   - o 그러나, 북한이 NPT 의무인 핵사찰을 받지 않고 핵무장을 한다면 동북아시아 안전에 중요한 위협 초래
   - o 6월 IAEA 이사회시 북한 진충국대사의 발언은 북한의 종래 요구(미국의 핵위협 제거)를 핵사찰실시에 링크시켰는지는 명확치 않으나, 「7월 협정교섭, 9월 이사회 승인」이라는 구체적 일정제시는 북한태도의 진전이라고 평가
     - 한반도 핵 문제에 대해서는 미국과 직접 교섭 용의 표명
   - o 핵확산 방지체제의 강화는 냉전이후 신질서 구축에 불가결한 문제
     - 한, 중, 소등 관계국은 동북아시아 신질서 형성을 위해 협력 강화 필요
   - o 북한이 핵의혹 해소의 노력을 행동으로 보인다면, 신뢰구축을 통한 군축의 진전, 한반도내 공존 및 공영의 구조를 정착시킬 수 있을 것임. 끝.

공람	국제기구과	담 당	과 장	국 장	차관보	차 관	장 관
		신[illegible]	[signature]	[signature]			

0183

발 신 전 보

분류번호	보존기간

번 호 : WJA-2736 910615 1450 FO 종별 : 지급

수 신 : 주 일본 대사. 총영사

발 신 : 장 관 (국기)

제 목 : IAEA 6월 이사회 결과

연 : EM-0021

1. 표제 이사회 회의를 계기로 북한의 핵 안전협정체결 촉구를 위하여 호주와 함께 주도적 노력을 전개한 주재국 정부에 대하여 사의를 표하기 바람.

2. 아울러 비엔나 현지에서 우방국 전략회의 개최등 아측 대처노력에 있어서 주도적 역할을 한 주재국 Endo 대사의 노고를 높이 평가하는 바, 주재국 본부에서도 동대사에게 우리의 이러한 뜻을 전하고 노고를 치하하여 주었으면 하는 아국 정부의 희망을 적의 전달 바람. 끝.

(장 관)

보안 통제	

앙 고 재	91년 6월 14일	국기과	기안자 성명	과 장		국 장	1차보	차 관	장 관

외신과통제

0184

	분류번호	보존기간

발 신 전 보

번 호 : WAV-0654 910615 1022 ED 종별 :

수 신 : 주 오지리 대사. 총영사

발 신 : 장 관 (국기)

제 목 : 이사회의 협정안 승인 권한

IAEA가 각국과 체결하는 핵 안전 협정안의 이사회 승인과 절차에 관하여 하기사항을 확인 보고 바람.

1. 이사회 승인 내용과 그 승인 권한의 근거

2. 협정안 체결 당사국은 IAEA사무국과 협정안에 initial하여 text를 확정한 후 협정안에 대한 이사회 승인을 받아 서명하는 지 또는 양측이 먼저 서명한 후 이사회 승인을 받고 발효조치를 취하여도 되는지 여부.

3. 국내 입법 조치후 발효를 위한 절차. 끝.

(국제기구조약국장 문 동 석)

보안통제	

앙고재	91년 6월 14일	국기과	기안자 성명		과 장		국 장		차 관	장 관
			김희택							

외신과통제

0185

6/17 길

	분류번호	보존기간

발 신 전 보

번 호 : WAV-0661 910615 1528 FO 종별 :

수 신 : 주 오지리 대사. 총영사

발 신 : 장 관 (국제기구조약국장 문동석)

제 목 : 업 연

금 6.15(토) 동아일보 4면에 게재된 대사님 인터뷰기사를 별첨 FAX 송부합니다.

첨부 : FAX 2매 (표지포함)

WAV(F)-48

보안 통제	

앙 고 재	91년 6월 15일	3 기과	기안자 성명		과 장		국 장		차 관	장 관

외신과통제

0186

'91. 6. 15 〈동아〉 4면

『北韓 核협정案 상정약속』 큰성과

국제原子力기구 常駐대표 李長春대사

인터뷰

『이번 이사회를 계기로 北韓이 오는7월에 핵안전협정안을 마무리 짓고 9월 이사회에 상정하겠다는 공개적 약속을 받아낸것이 성과입니다』

북한의 핵안전협정서명의사 통보로 국제적 초점이 모아진가운데 열린 국제원자력기구(IAEA)6월 정기 이사회를 치러내느라 눈코뜰새없이바빴던駐오스트리아대사겸 빈주재 국제기구 상주대표 李長春대사는 회의결과를 이렇게 설명했다。

―이번 이사회의 결과를 평가한다면…。

『北韓이 핵안전협정에 서명하겠다 또는 핵사찰을받겠다는등 선전은 해왔지만 공식적으로는 핵무기확산방지조약(NPT)상의 의무를 이행하겠다는 의사표현은 물론 언질조차 준적이 없습니다。그렇지만 앞서 말한대로 北韓이 9월이사회에 핵안전협정안을 상정하겠다는 약속을 받아낸건 큰 성과입니다。북한이 9월 상정을 약속하고도 지키지 않을경우 對北韓 핵안전협정촉구결의안에 소극적 태도를 표시했던 일부 親北韓국간들도 다음 이사회에선 결의안채택을 적극 지지하겠다는 입장을 보였습니다。

약속불이행에 대해 강력히 대응할 수 있는 유리한 분위기가 조성된 셈이지요』

―北韓의 핵안전협정

지키지않을땐 理事會서 강력對應 나설듯

서명 가능성은 어느정도입니까。

『사무총장의 보고서를 듣고 또陳忠國북한특사의 발언을 들어보면 일반인들이 보기에는 北韓이 9월이사회에서 승인받은후 서명할것으로 볼만 합니다。그러나 우리는 北韓이 과연 NPT의무를 이행할 필요한 모든 조치를 취할것인가에 대해서는 의구심이 있습니다。그들이 사용하는 언어에는 일반적 의미를 조작하는 전형적인 수법이 내포되어 있기 때문입니다。日本대사가 두번이나 해명을 요구한것도 이런맥락에서 입니다』

―그런 의심을 들만한 사례가 있습니까。

『작년 이때도 北韓은 7월에 실무회담을 재개하자고해 이사국들로 하여금 기대를 걸게했습니다。1년이 지난 지금 또다시 그렇게 하고있습니다。똑같은 사무총장에게 똑같은 6월이사회에서 똑같이 7월에실무회담을하자고 했습니다。국제의무를 이행하고 있다는 인상을 주려하고 있는겁니다。이런 가식적 행태에도 불구하고 나는 국제정치환경변화와 北韓내부에서 점증하는 현실주의경향을 보면 비관적이고 싶지는 않습니다』

―실무협회담에서 다뤄야할 안건이나 자구수정은 많은가요。

『IAEA의 핵안전협정초안에 동의했고 7월 교섭에서도 실체조항을 수정하지않겠다는 약속을 했으므로 사실상 협정안은 마무리된 상태입니다。종래 IAEA와의 교섭에서 장애가 되어온것은 北韓이 주장한 소위 남한으로부터의 美핵무기의 철수인데 협정안에 그런 조항이 어떤 경우에도 들어갈수 없고 이사회도 그런 조항이 포함된 案은 승인하지않습니다』

―北韓이 약속을 안지키거나 서명을 하지않은 경우의 대책은…。

『9월 이사회까지 약속이행여부를 지켜볼겁니다。7월중순 문안의 최종확정직후 이를 조속승인하기 위한 특별이사회가 소집될 가능성도 전적으로 배제할수 없습니다。또 北韓이 8월20일까지 유엔가입을 신청할것으로 예상되기때문에 약속이행을 안할경우 9월 이사회에서 결의안통과와함께 불이행을 추궁하는 외교적대응책을 강구할 작정입니다』

―유엔가입선언 핵안전협정체결의사통보등북한내부의 변화이유를 어떻게 본는지。

『유엔가입결정을 내리게된 것은 자의에 의한 것이라기 보다는 국제적 변화의 대세에 따른것으로 더 이상 과거의 정책을 고수할 수 없었기 때문입니다。특히 對日수교의 전제조건으로 되어있는 핵안전협정체결문제를 어떻게든 해결해야겠다고 생각하는것 같습니다。이런점을 보면 의구심이 있지만 핵안전협정체결문제해결에 약간의 서광이 있다고 볼 수 있습니다』〈빈=崔孟浩특파원〉

0187

관리번호	91-832

분류기호 문서번호	국기 20332-832	협조문용지 (720-4050)	결재	담당	과장	국장
시행일자	1991.6.15.			(서명)	(서명)	(서명)
수 신	수신처참조	발 신	국제기구조약국장			
제 목	북한의 핵 안전조치 협정체결문제 관련 자료					

북한의 핵 안전 조치 협정 체결 문제와 관련하여 당국에서 작성한 자료를 별첨 송부하니 귀 국(실) 업무에 참고하시기 바랍니다.

첨부 . 상기 자료 1 부. 끝.

수신처 : 외교정책기획실장, 아주국장, 미주국장, 구주국장, 중동아프리카국장, 국제경제국장

일반문서로 재분류(1991. 12. 31.)

검 토 필(1991. 6. 30.)

0188

IAEA 핵안전협정의 사찰 제도

1991. 6

미 주 국
북 미 2 과

0189

1. 사찰의 목적

o 핵물질의 계량(Measurement) 및 통제를 통한 핵물질의 손실, 불법 사용 또는 이전 방지

2. 사찰의 종류

가. 일반 사찰 (Routine Inspection)

1) 목 적

o 당사국이 제출한 보고와 기록과의 동일성 확인

o 안전 조치 대상 핵물질의 위치, 양, 동일성, 구성등 검증

2) 대상 핵물질

o 당사국의 영토 및 통제하에 있는, 핵무기 제조등 비평화적 목적에 사용될 가능성이 있는 모든 형태의 핵물질

3) 대상 시설

o 당사국이 보고한(Declare) 원자로, 임계시설, 변환.가공공장, 재처리시설, 저장소등 안전 조치 대상 물질이 사용, 보관되는 모든 장소

- 채광 광산 및 정련소는 제외

4) 사찰 절차

o 횟수

- 매년 정기적으로 실시

. 단, 대상 핵시설 및 핵물질의 종류에 따라 상이

o 통고 시기

- 플루토늄 또는 5% 이상의 농축 우라늄 보유 시설 : 24 시간전

- 기타 : 1주일전

0190

나. 수시 사찰 (Ad Hoc Inspection)

1) 목 적

o 핵안전협정 체결후 최초 보고서상 정보 검증

o 최초 보고 이후 발생한 상황 변동에 대한 확인

o 새로 건립된 핵시설에 대한 정보 검증

o 국내 반입 또는 국외 반출 핵물질 확인

2) 대상 핵물질

o 일반 사찰과 동일

3) 대상 시설

o 일반 사찰과 동일

4) 사찰 절차

o 횟수

- 사찰 사유 발생시마다 수시로 실시

o 통고 시기

- 최초 보고서 관련 사항 : 1주일전

- 핵물질 국외 반출.입 관련 사항 : 24시간전

다. 특별 사찰

1) 목 적

o 재난, 사고등 돌발 사태 발생에 대한 특별 보고서의 확인

o 일반 사찰에 의한 정보나 당사국이 제시한 보고가 IAEA 핵안전 관련 책임 이행에 충분치 못한것으로 판단될 경우

2) 대상 핵물질

o 일반 사찰과 동일

3) 대상 시설

o 일반 사찰과 동일

0191

4) 사찰 절차

o IAEA와 당사국간 사찰 대상 핵물질과 시설에 대한 사전 합의 필요

o 횟수

- 특별 보고등 사유 발생시마다 수시

o 통고 시기

- 당사국과 IAEA간 상호 협의후 조속한 시일내

3. 사찰 결과 처리

가. 결과 통보

o IAEA는 사찰 결과 및 검증 활동의 결론을 당사국에 통보

나. 벌칙과 제재

o 안전협정 위반 사례 발생시 국제 사회(유엔 안보리 및 총회, 모든 IAEA 회원국)에 경보 발령

o 위반국에 대한 IAEA 원조 삭감, IAEA 회원국으로서의 권리 정지 및 박탈

4. 사찰 제도의 한계

o 사찰의 실효성은 당사국의 성실하고 정직한 태도에 의존

- 당사국이 보고(Declare)한 시설이나 핵물질에 대해서만 사찰 가능

o 보고나 기록의 불확실성에 대한 확인을 위해 실시할 수 있는 특별 사찰도 IAEA와 당사국간 합의시에만 가능토록 되어있어 특정 당사국이 일부 핵물질이나 핵시설을 은닉할 경우, 이에 대한 사찰은 불가

o 위반 사례 발생시 강제 조치 수단 미비

0192

※ 1991.5.27 일본 교또 유엔 군축회의시 가이후 일 수상은 IAEA핵사찰 제도 효율화를 위해 유엔 안보리 결의를 통한 강제 사찰등 핵사찰 제도 강화 주장

5. 참고 사항

가. 대 이라크 강제적 사찰 실시

o 유엔 안보리 결의(No. 689)에 의거 IAEA는 91.5.14-22간 이라크 핵 시설에 대한 강제적 성격의 사찰 실시

- 이라크가 보고한 시설뿐 아니라 IAEA가 지정한 시설에 대해서도 사찰

o 그러나 이러한 강제적 사찰은 안보리의 결의를 IAEA가 이행한 것이며, IAEA 자체의 권능에서 나온 것은 아님

- 실제로는 동 경우에도 이라크 정부의 사찰 접수에 대한 명시적 의사 표시가 있었는바, 당사국과 IAEA간 합의라는 한계를 크게 벗어난 것은 아님

나. 북한의 핵안전협정 체결과 핵재처리 시설 문제

o 미국은 북한이 핵안전협정을 체결하더라도 핵재처리 시설을 보유하고 있는한 핵무기 개발 위협은 계속되는바, 북한이 보유하고 있는 것으로 추측되는 핵재처리 시설 포기 주장

o 그러나 북한이 핵안전협정을 체결하고 그 의무를 성실히 이행할 경우에는 재처리 시설 보유 자체가 핵무기 개발 위협이 된다고 볼 수는 없음

- 재처리 시설도 보고 및 사찰 대상

o 따라서 현단계에서 북한의 핵재처리 시설 포기를 거론하는 것은, 핵 안전협정을 체결도 하기전에 북한의 불성실한 의무 이행을 상정하므로써, 핵안전협정 자체의 실효성을 스스로 부인하고 북한의 핵안전협정 체결 수락 촉구 노력을 무의미하게 하는 것으로 부적절 끝.

0193

I . NPT와 북한의 핵안전조치협정

1. 핵무기 비확산조약(NPT)주요내용

2. 북한의 핵 개발현황

3. 북한-IAEA간 핵 안전협정체결교섭 경위

4. 북한의 핵안전협정 체결시 핵사찰 대상

첨부 : 가. 한국. IAEA간 핵안전조치협정

나. 한국이 받고 있는 핵사찰 내용

다. 미.쏘가 받고 있는 핵사찰 내역

라. IAEA 핵안전협정의 특별사찰관련 규정

0194

1. 핵무기 비확산조약(Treaty on the Non-Proliferation of Nuclear Weapons)주요내용

o 68.7.1. 채택

o 70.3.5. 발효 (한국, 75년 가입)

o 가입국 : 140개국

o 전문 및 11조로 구성

제 1 조

o 핵보유 조약당사국은 어떠한 국가(any recipient)에 대하여도 핵무기를 양도하거나 통제권을 이양치 않으며, 어떠한 비핵보유국(*NPT 가입여부와 무관)에 대하여도 핵개발을 지원치 않음

[참고 - 1] 조약내용상 선진 핵기술보유 비핵보유국에 의한 핵개발 지원은 허용된다고 볼 수 있으나, 실제로 NPT 비가입국에 대한 핵물질, 장비수출은 IAEA와의 부분안전협정 체결을 전제조건으로 이루어지고 있음

[참고 - 2] 조약상 '핵 보유국'은 67.1.1 이전 핵폭발을 실시한 국가를 의미함. 이에 해당하는 국가는 미, 영, 불, 소, 중국임

제 2 조

o 비핵보유 조약당사국은 핵무기를 양도받거나 개발치 않음

제 3 조

o 비핵보유국 조약당사국은 IAEA와 전면 안전협정(자국내 모든 핵물질 및 시설이 사찰대상)을 체결함

o 모든 조약당사국은 국제안전조치가 없는 경우 어떠한 비핵보유국에 대하여도 핵물질이나 장비를 제공치 않음

0195

[참고 - 1] IAEA와의 안전조치협정은 3가지 종류가 있는 바, NPT 가입 비핵보유국의 경우 전면안전조치, 비가입국의 경우 부분안전조치, NPT 가입 핵보유국의 경우 자발적 안전조치등이 있음

[참고 - 2] 조약발효 180일 이후 NPT 가입국(예 : 북한)의 경우 가입서 기탁일자 이전에 IAEA와의 협정체결 교섭을 개시하여야 하며, 교섭 개시일로 부터 18개월이내 협정이 발효토록 되어 있으나 91.6월 현재 북한 포함 51개국이 안전조치협정을 체결하지 않고 있음
동 51개국중 북한만이 핵활동(significant nuclear activities)을 하고 있기 때문에 우려의 대상이 되고 있음

제 4 조

o 모든 조약당사국은 평화적 목적을 위한 원자력의 연구, 생산 및 이용개발에 관해 불가양의 권리(inalienable right)를 가짐
o 모든 조약당사국은 원자력의 평화적 이용을 위한 설비, 자재 및 과학적. 기술적 정보를 가능한 최대한도로 상호교환(the fullest possible exchange)

[참고] 74.5. 인도의 핵폭발이후 핵기술 선진국들의 핵기술 이전 규제조치 강화에 대해 비동맹. 중립그룹은 조약위반 행위라고 비난

제 5 조

o 핵폭발 평화적 응용에서 파생되는 이익은 비핵보유 조약당사국에 제공되어야 함

[참고] 평화적 목적의 핵폭발이 군사적 목적의 경우와 기술적으로 구분하기 어렵고 핵실험 전면금지협약(CTBT)체결문제와도 상충되어 사실상 사문화된 조항

0196

제 6 조

o 조약 각 당사국은 핵군축 교섭을 성실히 추구함

[참고] 비동맹. 중립그룹은 비핵보유국이 조약상 핵무기 개발포기 의무를 성실히 이행하고 있는 반면, 핵보유국은 핵군축 의무를 성실히 이행치 않고 있다고 비난하고 조약 의무 이행에 관한 double standard가 철폐되어야 한다고 주장

제 7 조

o 비핵지대 설치권리 인정

제8조 - 제11조

o 최종조항(조약개정, 서명, 탈퇴, 작성언어등 규정)

0197

공 란

공 란

3. 북한 - IAEA간 핵안전협정체결 교섭 경위

o 85.12 북한, 핵비확산조약(NPT) 가입

o 86.2 IAEA 사무국, 북한측에 협정초안 전달
- IAEA 사무국은 착오로 NPT 비당사국과 체결하는 협정초안을 북한측에 전달

o 87.6.2 북한, 상기 협정초안을 거부한다고 IAEA에 통보

o 87.6.5 IAEA 사무국, NPT 당사국과 체결하는 표준 협정안을 북한측에 재 송부

o 89.9.6 북한, 상기 표준 협정안 검토후 하기 제의 포함한 정치적 및 기술적 논평을 IAEA에 제시
- 협정 전문(preamble)에 협정의 시행, 효력 지속 기간을 핵 보유국의 태도에 연결한다는 내용을 삽입
- 제26조 효력조항에 협정의 효력지속을 정치적 문제와 연결, 즉 상황에 따라 효력 정지를 가능케하는 단서조항 추가

o 89.9.21 IAEA, 북한의 논평이 표준 협정안의 기본조항으로부터 일탈하기 때문에 수락불가 하다는 입장통보

o 89.10.17-23 IAEA 조사단 북한 방문, 북한입장 타진시 북한은 IAEA의 상기 반응(response)을 연구중이라고만 표명

o 89.12.11-14 북한 법률전문가 비엔나 방문, 북한과 IAEA간 표준협정안에 대한 정식 교섭 개시하였으나, 북한이 아래 입장을 고수, 이견을 노정
- 협정의 효력발생 및 지속기간을 한반도의 핵무기 철거와 연계
- IAEA에 대한 정보제공 대상을 핵물질로 한정하고 핵시설은 제외

0200

o 90.1.15 비엔나에서 속개된 2차 교섭에서 북한은 기술적사항에 관해서는 IAEA 입장을 모두 수락하였으나, 표준 협정안의 효력조항(제26조)에 "한반도로부터 핵무기가 철거되지 않고 북한에 대한 핵위협이 계속될 경우, 협정의 효력을 정지시킬 수 있다"는 유보조항 삽입 요구

o 90.6.14 북한은 IAEA 이사회에서 미국의 북한에 대한 명시적 핵선제 불사용을 보장할 것을 요구

o 90.7.10-12 북한은 비엔나에서 IAEA와 협정체결에 관한 제3차 교섭 전개
- 북한은 핵안전협정에 조건없이 즉시 서명하고, NPT 제4차 평가회의(90.8) 이전에 IAEA 특별 이사회를 소집, 동협정을 상정할 준비가 되어있다고 언급
- 그러나, 북한은 미국의 핵선제불사용보장(NSA)을 받기 위해 미국과의 직접협상을 제의하고 미측 수락을 요구

o 90.8.20-9.14 미국측이 북한에 대한 특별한 NSA 보장은 불가하다는 입장을 분명히 하자, 북한은 협정체결 전제조건으로서 한반도 핵무기 철수 및 비핵지대화 제안등 종래입장을 반복 주장

o 90.11.2 IAEA 사무총장은 북한과 IAEA는 협정초안에는 합의하였으나, 북한이 요구하고 있는 NSA 보장 문제는 미-북한간 문제로서 IAEA가 직접 개입할 문제가 아니라고 언급

o 91.5.28 주 비엔나 북한대사, IAEA 사무총장에게 협정 체결 교섭재개 제의(서한 전달)

o 91.6.7 북한 순회대사 진충국, IAEA 사무총장에게 협정서명의사 통보
- 91.7.10-15간 전문가 회의 개최, 협정의 본질 내용을 수정함이 없이 문안 최종 확정제의
- 확정된 협정안은 IAEA 9월 이사회에서 승인후 북한 서명 제의

0201

4. 북한의 핵안전협정 체결시 핵사찰 대상

가. IAEA가 북한에 제의한 핵안전협정안은 IAEA의 표준협정안으로서 NPT 가입국 중 핵비보유국가들은 이와 동일한 형태의 협정을 체결하고 있음

나. 따라서 북한이 핵안전협정을 체결할 경우, 아국과 마찬가지로 북한의 모든 핵시설 및 핵물질은 IAEA의 사찰대상이 됨

다. 그러나 상기 사찰대상은 북한이 제시하는 시설과 장소에만 국한되므로 북한이 그 존재를 부인하는 핵재처리 시설등은 사찰대상이 되지않음

첨 부 : 가. 한국. IAEA간 핵안전조치협정

나. 한국이 받고 있는 핵사찰 내용

다. 미.쏘가 받고 있는 핵사찰 내역

라. IAEA 핵안정협정의 특별사찰관련 규정

0202

〈첨 부〉

한국, IAEA간 핵안전조치 협정(전문과 98조로 구성)

가. 체결 경위

o 우리나라는 1975.4 핵무기 비확산조약(NPT) 가입후 동조약 제3조에 의거 1975.11 안전조치협정 체결

o 핵 비보유 NPT 가입 국가에 해당되는 IAEA 문서 INFCIRC/153 내용에 따라 안전조치협정을 체결, 세부적인 절차는 1976.2 체결한 동 협정의 보조 약정(Subsidiary Agreement)에 규정되어 있음

나. 안전조치 협정의 주요내용

(1) 안전조치 대상 핵물질 및 시설 (전문 및 제98조)

o 핵물질 : 플루토늄, 우라늄, 토리움등

o 핵시설 : 원자로, 전환공장, 가공공장, 재처리 공장등으로서 정량 1Kg이상의 핵물질이 통상 사용되는 장소

(2) 안전조치 적용 및 이행 기본원칙(제1조-제10조)

o 핵 비확산의 검증만을 목적으로 안전조치 수행

- 평화적 핵 활동에 대한 부당한 간섭 배제

o 해당국은 안전조치 대상 핵물질 및 시설에 대한 최소한의 필요 정보 제공

(3) 국가 핵물질 안전조치 체제 확립(제31조,제32조)

o 각 당사국별로 안전조치 수단 확립과 이를 위한 관련 규정제정 및 운영

- 핵물질의 인수, 생산, 선적, 이전량 및 재고량 측정

- 측정의 정확성, 정밀도 및 불확실성 평가

- 물자 재고목록 작성 절차등

(4) 핵물질에 대한 기록유지 및 보고(제51조-제69조)

o 기록 유지의 대상, 국제적 측정기준 및 보관기관(최소5년)설정

o 계량기록 및 작업기록에 포함시켜야할 사항 선정

o 핵물질 계량 기록 보고(계량, 특별 및 추가 보고서등)

0203

(5) 핵시설 설계에 대한 정보(제42조-제50조)

o 검증의 편의를 위해 안전조치 관계시설 및 핵 물질 형태의 확인

o 신규시설은 핵물질 반입전 가능한 조속히 보고

o 설계정보내용

- 시설의 일반적 특성, 목적, 명목 용량 및 지리적 위치등

- 핵물질의 형태, 위치 및 유통 현황등

(6) 안전조치의 기점, 종료 및 면제(제11조-제14조, 제33조-제38조)

o 핵물질의 국내 수입시 부터 안전조치 적용

o 핵물질의 소모, 희석으로 더 이상 이용 불가능하거나 회수 불가능시 (IAEA와 협의) 또는 당사국 밖으로 핵물질 이전시(IAEA에 사전 통보) 종료

o 기기 감도 분석으로 이용되는 gm 규모 이하의 특수 분열성 물질은 면제

(7) 핵물질의 국제이동(제91조-제97조)

o 당사국 밖으로 핵물질 반출시 IAEA에 사전통고

- 반출 핵 물질의 책임 수령일로 부터 3개월 이내 동 물질의 이전 확인 약정 조치 필요

o 당사국내로 핵물질 반입시 IAEA에 보고

- 안전조치 대상 핵 물질 반입시 반입량, 양도지점 및 도착일시등 보고

- 반입시 수시 사찰 가능

(8) 안전조치 사찰(제70조-제90조)

가) 사찰종류

o 수시 사찰(ad hoc inspection)

- 최초 보고서에 포함된 정보 검증

- 최초 보고일자 이후에 발생한 상황변화에 대한 검증

- 핵 물질의 국제이전에 따른 핵물질의 동일성 검사

0204

o 일반 사찰(routine inspection)

- 핵 안전협정의 내용에 따른 정기사찰
- 보고서 내용과 기록과의 일치 여부에 대한 통상적 사찰

o 특별사찰(special inspection)

- 특별 보고서상의 정보를 검증할 필요가 있을 때나 (특별보고서는 돌발적인 사고, 상황으로 인한 핵물질 손실 발생시에 협정 당사국이 IAEA에 제출)
- 일반 사찰 정보와 당사국 제공 정보가 책임이행에 충분치 못하다고 판단되는 경우에 특별사찰
- 협정 당사국의 동의가 없는 한 특별사찰 실시는 불가능

나) 사찰 범위

o 계량기록 및 작업기록 검토

o 안전조치 대상 핵물질의 독자적 측정

o 핵물질 측정, 통제기기의 기능검정 및 검증

다) 사찰 통고

o 수시사찰 : 사찰 내용에 따라 최소 24시간 내지 일주일전 통보

o 일반사찰 : " " "

o 특별사찰 : 당사국과 IAEA간 사전 협의후 조속한 시일내

다. 보조약정 주요내용

o 안전조치협정 제39조에 따라 안전조치 적용을 위한 절차와 시행방법을 명시

o 한국과 IAEA간 업무연락방법, 제반관계서류 및 작성방법, 행정절차 및 조치기한등에 관한 규정을 포함하여 한국내의 모든 평화적 핵활동에 적용되는 일반사항 규정

o 한국내 안전조치 대상시설 및 물질수지(material balance)구역별 사찰 방법, 횟수 및 강도의 IAEA 보고등 구체적인 사항을 명시한 시설부록을 포함

0205

라. 아국의 안전조치가입 의의 및 중요성

o 핵안전관련 주요 국제협정 가입

- 핵무기비확산 조약('75)
- 한.IAEA 안전조치 협정('75) 및 보조약정('76)
- 양국간 원자력 협정 및 다자간 안전조치 협정 체결
  : 미국, 불란서, 카나다, 호주등과 양자 협정체결
- 핵물질의 물리적 방호에 대한 협약 체결(87.2)

o 조약상 의무사항 준수

- 핵물질 관련 계획의 통제 및 허가
- 핵물질 계량관리 및 기록 유지
- 핵물질 재고 변동 및 보유현황을 IAEA에 정기. 비정기적 보고
- 검증.확인을 위한 IAEA의 아국 핵 시설 사찰 허용 및 협조
- 국내 사찰을 통한 독자적 검증 및 확인

o 원자력의 평화적 이용 확대 및 발전에 기여

- 핵물질의 효율적 계량관리 및 통제를 위한 사전대책 마련 가능
- 국가 안전체제의 구축.운영을 통한 원전 핵심기술의 국내이전 촉진 및 자립계획 조기 완수.

0206

공 란

미.쏘가 받고 있는 핵사찰 내역

1. IAEA의 안전조치 협정체결 의무는 핵무기비확산조약(NPT)가입국중 핵 비 보유국에만 적용되므로 미.쏘는 IAEA의 안전조치 협정에 의한 사찰을 받을 의무가 없음

2. 현재 미.쏘는 비군사용원자력 시설에 한하여 자발적으로 IAEA의 안전조치를 적용하고 있으나, 극히 소수의 원자력 시설에 대해서만 형식적으로 사찰을 받고 있음 (이는 핵보유국의 IAEA 사찰 대상 제외에 대한 핵비보유국들의 비난을 면하기 위한 목적도 있음)

0208

IAEA 핵안전협정의 특별사찰 관련 규정

1. IAEA 핵안전협정의 특별사찰 규정

가. 특별사찰 근거(제73조)

o 특별 보고서상의 정보를 확인할 필요가 있을 때

* 특별보고서는 돌발적인 사고, 상황으로 인한 핵물질 손실 발생시 협정 당사국이 IAEA에 제출

o 일반사찰에 의한 정보와 당사국이 제공한 정보가 책임이행에 충분치 못한 것으로 IAEA가 판단하는 경우

나. 특별사찰 실시 절차(제77조)

o 협정당사국과의 사전협의를 요함

2. 특별사찰의 문제점

o IAEA측으로서는 의혹이 있다고 판단되는 협정 당사국의 핵시설에 대하여 특별사찰을 실시하고자 하더라도 협정당사국의 동의가 없는 한 불가능

- 지난 91.5.27 일본 교토 개최 유엔 군축회의에서 가이후 일본수상은 IAEA 핵사찰제도를 효율화하기 위하여 특별사찰 제도의 강화를 주장

o 따라서 북한이 핵 안전협정을 체결하더라도 북한의 비공개 원자로와 핵재처리 시설등은 북한이 자진해서 사찰 대상이 되도록 신고하지 않는한 IAEA가 강제적으로 사찰을 실시할 수 없음. 그러나 IAEA는 동시설에 대한 특별사찰 실시를 위한 협의를 북한측에 제기할 수는 있음.

3. 특별사찰 실시 전례

o IAEA는 91.4.3 유엔안보리 결의(No. 687)에 의거 91.5.14-22간 이라크의 핵 시설에 대한 강제성격의 특별사찰을 실시한 바, 동사찰이 IAEA에 의한 최초의 특별사찰 임.

0209

4. 참고 : IAEA 핵안전 협정규정상 사찰 종류

가. 일반사찰(routine inspection)

o 핵안전 협정의 내용에 따른 정기사찰

* 정기사찰 대상인 핵 관련시설과 사찰 내역을 협정의 보조약정 부록 (별책)으로 작성

o 당사국의 보고서와 기록과의 일치 여부에 대한 통상적 사찰

o 사찰내용에 따라 최소 24시간 내지 일주일전 통보

나. 수시사찰(ad hoc inspection)

o 협정에 따른 안전조치 대상 핵물질에 관한 당사국의 최초 보고서에 포함된 정보의 검증

o 최초 보고 일자 이후에 발생한 상황의 변화(핵시설의 건설등)에 대한 검증

o 사찰내용에 따라 최소 24시간 내지 일주일전 통보

다. 특별사찰(special inspection)

o (전 술) 끝.

0210

박휘

외 무 부

암호수신

종 별 :

번 호 : JAW-3654 일 시 : 91 0615 1944

수 신 : 장관(아일,국기,정특)

발 신 : 주 일 대사(일정)

제 목 : 북한의 핵안전협정 체결문제

1. 당지 금 6.15. 자 마이니찌 신문은 "북한, 미군핵의 사찰요구 취하 주쏘대사 표명, 위협제거의 보장시 교섭"제하에 손성필 주쏘 북한대사와의 인터뷰 내용을 다음과 같이 보도함.

0 6.14. 오후 손성필은 모스크바에서 마이니찌 신문등과 회견, 북한의 핵확산방지 조약에 따른 IAEA 와의 보장조치협정 문제에 관한 북측 방침을 설명함.

0 동 설명시 비엔나에서 개최되고 있는 IAEA 정례이사회에서 북한이 협정을받어들이기 위해 "미국의 핵 위협제거를 요구한데 언급", 한국에 배치된 미국핵의 사찰을 요구한바 있으나, 핵무기는 IAEA 관할 밖이기 때문에 취하했다"고명언함.

0 손성필은 IAEA 이사회에서 진충국 북한특사가 말한 "미국과의 교섭"내용이 "북한에의 핵불사용. 위협의 제거"에 있음을 처으로 밝혔음. 또 사찰 수용과 "보장"이 링크되어 있음을 강하게 시사함.

2. 상기 관련, 금 6.15. 자 닛께이 신문은 키미트 미국무차관과의 회견내용을 게재하였는바, 동 차관의 답변중 북한의 핵안전협정 체결문제와 관련된 부분은 다음과 같음.

0 북한의 핵사찰 수용표명은 환영하나, 그것은 북한의 선택이 아니라 의무임. 이는 중요한 STEP 이긴 하지만 국교정상화와 연결시키는 것은 지나치게 빠름.

0 북한과는 한국동란시 미귀환병, 북한의 테러국가 지원이나 제 3 국에의무기수출등(국교정상화에의)현안이 남아 있음. 미국은 현재 북경에서 북한과참사관레벨의 대화를 계속하고 있으나, 만일 북한이 IAEA 의 사찰협정에 조인하면, 미.북 대화의 격상등을 검토해도 좋음.

0 북한의 핵사찰 수용은 한국에 있는 미군의 편성이나 기타 어떤 문제와도관련이

아주국 장관 차관 1차보 2차보 국기국 외정실 정와대 안기부

0211

PAGE 1

공람	안보정책과	번원일	담당	과장	심의관	국장	차관보	차관	장관

91.06.16 00:30

외신 2과 통제관 DG

없음.

3. 한편, 금일자 요미우리 신문은 일.북 수교교섭 일측대표인 나까히라 대사가 6.14. 동사 기자와의 인터뷰에서 IAEA 6 월 이사회에서의 북측의 핵사찰수용이 "국교교섭의 촉진재료"이기는 하나 은혜문제등으로 인해 금후 일.북 수교교섭의 전망에 대해서는 구체적인 언급을 피했다고 보도함. 끝.(대사 오재희-국장)

0212

PAGE 2

북한의 핵안전협정서명의사 발표(91.6.7)및
91.6월 IAEA 이사회 토의 내용에 대한
주요 언론 논조 분석

91. 6.17

국 제 기 구 과

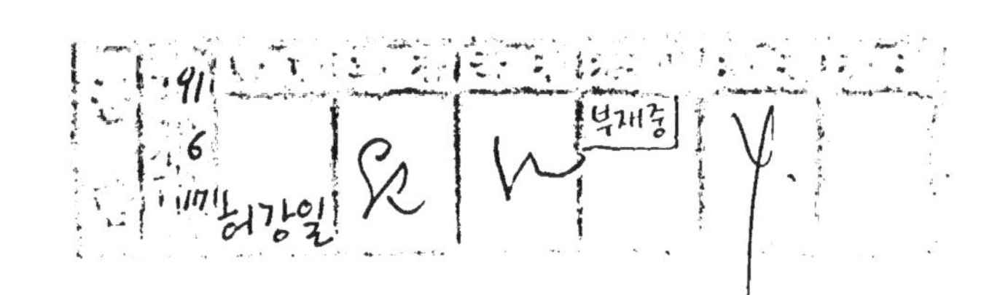

0213

차 례

0214

0215

I. 북한의 핵안전협정 서명의사 발표에 대한 배경 분석

1. 미국.북한간의 흥정설

o 최근 평양을 방문했거나 방문할 미 방문단의 성격이 어떤것인지 분명치 않으나 관례상 방문전에 미국정부와 화음을 조절했을 것이라는 점에 비추어 볼때 흥정이 있었을 가능성이 높고, 또한 지난 3년간 북한과 접촉해왔던 사실도 간과할 수 없으며, 이사회에 참석중인 미국 대표가 대북한 협정촉구결의안 상정에 지극히 소극적 입장을 보이는 것도 흥정설과 같은 맥락으로 볼 수 있음(동아, 6.13/중앙, 6.11)

o 미국이 "지난 5월 10일 베이징에서 열린 미-북한 참사관급 접촉 내용에 대하여는 공개치 않은것이 미정부의 입장"이라며 적극적으로 부인하지 않는다는 점(한겨레, 6.13)

o 진충국의 발언은 그들의 안전협정서명 전제조건에 관해 미국과 직접 대화를 트고 협상중임을 강력히 시사한 것이라고 할 수 있음(세계,6.12)

2. 여건 변화설

o 미국내 학계 언론계 및 한국내 일부에서도 한국의 핵무기 철수 주장등 북한주장에 긍정적이고 유리한 분위기가 조성되고 있으며, 북한은 전제조건의 지속적인 주장으로 이같은 성공적인 효과를 거두었다고 간주할 수도 있고 더구나 미소간에도 핵무기를 감축하는 추세에 있어 미국의 핵 전략수정 움직임도 북한이 고려할 수 있는 사항임(동아, 6.13)

o 미국이 주한 미군의 지상 핵무기를 철수할 가능성을 비친 여러관측도 북한의 정책전환에 큰 영향을 미쳤을 것임 (한겨레, 6.13)

3. 유엔가입, 대일 수교협상등과의 연계설

o 북한의 대외정책상 이미지면에서 핵안전협정보다 유엔가입에 더 비중을 둘 수 밖에 없고, 핵안전협정 불체결은 유엔가입의 중요한 장애요소로 등장할 수 있으므로, 이를 제거하기 위해서라도 지금까지의 전제조건을 더이상 주장하기 어렵게 됨(동아, 6.13)

o 유엔가입 신청을 앞두고 열리는 IAEA 이사회에서 집중될 국제적 압력을 미리 피하고 국제조약이행에 충실하다는 인상을 풍김과 동시에 주한미군의 핵 문제도 거론하자는 포석으로서 협정을 체결키로 서둘러 결정했을 것으로도 추측됨(조선, 6.10)

o 소련, 중국의 압력을 받는데다 경제개발을 위해 일본의 지원이 절실한 현재의 사정으로 이를 풀기 위해서는 핵 안전협정서명이 전제조건이 되고 있어 이러한 압력에 마지못해 굴복했다고 보는 시각도 있음 (중앙, 6.11)

o 북한도 이제 유엔가입이나 일.북한 수교라는 정치동기가 압도적이어서 결국 뒤늦게 핵개발을 포기하려는 의도로 볼 수 있음(한국경제, 6.11)

4. 「당분간 잠복」이라고 보는 설

o 서명을 않은채 유엔가입의 분위기만 조성하고 유엔가입이 실현되면 다시 종전의 주장으로 되돌아갈 가능성도 없지 않은 바, 주 북경 북한 대사, 주 유엔 및 제네바 대사, 조평통등이 종전의 전제조건을 반복 발표한데서도 읽을 수 있음(동아,6.13)

o 6월 이사회의 난국을 모면하고 북한.일 수교와 유엔가입을 9월 이사회전까지 마치려는 단기전일 수 있다는 것임(매경, 6.14)

Ⅱ. 북한의 핵 안전협정서명의사 발표와 주한 미군의 핵무기 철수 문제

1. 주한 미군 핵무기의 성격

o 미국이 한반도에 핵무기를 배치한 것은 북한에 대한 전쟁억지만을 목적으로 한게 아니라 보다 광범한 아시아 전략의 일환으로 취해진 조치로서 미국이 한반도에서 핵무기를 철거함에 있어서는 대소전략이 보다 중요한 판단기준이 될 것임(한국, 6.11/ 세계, 6.11)

o 미국의 세계전략이라는 측면에서 볼때 한반도 배치 핵무기는 결정적 변수로 고려되지는 않고 있는것으로 보이며, 그것을 철수한다고 해도 미국의 세계전략에는 큰 차이가 없다는 것이 전문가들의 견해임(한겨레, 6.11)

2. 주한 미군 핵무기 철수 가능성 및 배경

o 미행정부 역시 한반도 주변 상황의 변화에 따라 긴장완화가 구체적 진전을 보이는 경우 여러 정책대안의 하나로 확인조차 거부해 오던 한국내 핵무기의 감축 또는 철수를 논의할 가능성은 있으나, 그런 검토 가능성은 북한의 태도변화를 전제조건으로 항상 달고 있기 때문에 사실상 의미가 없음(세계, 6.11)

o 주한 미군이 보유하고 있는 전술핵의 철수는 기정사실화 되고 있으며, 미국의 정책도 그쪽으로 잡혀가고 있다는 것이 워싱턴의 분위기 임 (중앙, 6.11)

o 당장 주한 미군의 핵무기에 대한 미당국의 태도변화가 있으리라고는 보이지 않으나, 철수 주장이 보편화되고 특히 이문제의 직접 당사자인 한국에서 폭넓은 여론이 형성될 경우 북한의 핵사찰 수용과 상호적으로 한국내 핵무기 문제에 대해서도 어떤 변화가 이뤄져야 한다는 분위기가 마련되고 있는 것으로 보임(동아, 6.10)

o 미국은 한반도에 핵무기를 배치해 놓고 있는지 여부 조차도 아직 분명히 밝히지 않은 상태이지만 만약 일반적으로 배치해 놓고 있는것으로 알려져 있는 한국내 전술 핵무기의 감소 또는 단계적 철수를 결정했다면 이는 두가지 입장에서 고려한 것이라고 볼 수 있음

첫째는 미소간 냉전체재의 종식결과로서, 새로운 군축 전략의 일환으로 미소가 전략무기 감축 협정을 체결할 입장에 있다면 한국내 핵무기 역시 협상대상에 들어갈 것은 두말할 나위도 없으며,

둘째는 북한의 핵무기 개발에 대한 적극적 저지 정책의 일환으로서, 미국은 일단 핵무기를 철수하거나 감축한다고 미리 말을 함으로써 북한의 핵무기 개발을 저지한다는 것임(한국, 6.11)

※ L.A 타임즈, 부쉬정부가 북한의 핵무기 개발을 중지시키기위해 한국내 배치중인 미국핵무기의 단계적 철수를 검토하기 시작했다고 보도(6.9)

3. 북한의 핵사찰 수용과 주한 미군 핵무기와의 관계

o 북한의 핵 안전조치협정 체결에는 아무런 조건이 따를 수 없으며, 무조건적이어야 함. 그후 남한내 핵무기 철수 문제는 별도의 차원에서 다뤄질 수 있고, 정부도 미국과의 충분한 협의를 통해 독자적 핵정책을 갖고 이에 대비해야 함(동아, 6.10)

o 핵 사찰 수용은 국제적 의무의 이행에 관한 문제이고, 미군 핵무기 철거는 전쟁억지 내지는 핵무기 보유국가의 전략의 문제이기 때문에 우리는 미군의 핵전술 문제를 북한에 의한 「핵안전조치협정」수용과 다른 차원에서 접근하지 않으면 안됨(세계, 6.11)

o 북한의 핵사찰 수락은 앞으로 남한 배치 핵무기 문제에 대해 더 공개적인 다자간 논의를 활성화하는 중대한 분기점이 될것으로 보이며, 북한의 핵 안전협정체결이 남한에 있다는 핵무기 철거의 계기가 될 수 있다면 한반

도의 긴장완화와 나아가서는 통일을 위해서도 북한의 정책변화는 환영할 일이라고 봄(한겨레, 6.11)

o 이제 북한의 핵사찰 수용으로 한반도의 핵문제는 미군의 핵무기 배치에 초점이 모일 수 밖에 없게 되었고, 미국도 그에 대응해야 하는 부담을 안게 됐음. 물론 미국은 일단 북한의 핵사찰 수용에서 멈추지 않고 북한의 핵 재처리시설의 폐기문제를 추가로 들고 나올것으로 보이나, 자신들의 핵무기 문제는 계속 놔둔채 북한의 핵문제만을 거론. 요구하는 것은 더이상 설득력을 얻기 어려울 전망임(한겨레, 6.11)

4. 향후 제기 사항

o 소위 NCND 정책은 이제 재 검토할때가 왔음. 이 정책은 이제 한쪽 당사자인 한국민에게만 일방적인 부담이 되기 때문임. 일본식의 「비핵화 선언」은 성급한 주장이라 하더라도, 보다 공개적인 핵전략 논의가 요구된다고 할것임(한국, 6.11)

o 향후 남북한 관계 개선을 위해선 군축 문제 논의가 필수 불가결하며 이는 당연히 핵문제를 포함한다는 점을 간과할 수 없음(한국, 6.11)

Ⅲ. 아국의 「북한 핵사찰 수락 촉구결의안」 채택 노력에 대한 평가

o 전반적으로 볼때 한국측은 북한의 유엔가입의사 표명을 계기로 대북 강경책, 다시말해 북한의 처지가 어려우므로 끝까지 밀어붙여 북한의 양보를 받아 내자는 방향으로 움직이고 있음이 분명하나, 한국정부의 이 같은 정책이 「대북 압력용 시위」가 아니고 실제로 국제무대에서 실행될 경우 과연 성공을 거둘 수 있을것인가, 성공을 했을 때 그것이 한반도의 긴장완화 및 평화통일에 기여할 수 있을 것인가등에 대한 새롭고도 종합적인 검토가 요구됨 (조선, 6.12)

o 북한이 핵안전협정체결의사를 분명히 밝힌 만큼 그 협정의 문구를 다듬고 체결일정을 정하고 하는 문제는 북한과 국제원자력기구가 합의해서 처리할 절차 문제이며, 이를 정부 또한 모를리 없음. 그럼에도 남쪽이 조기체결을 촉구하는 결의안 채택까지 검토한다는 것이 사실이라면 이는 바람직한 대응이라고 볼 수 없음. 관련 국제기구의 사찰을 받지 않는 북한의 원자력 시설이 여러 갈래의 파문을 불러일으킬 수 있는 미묘한 문제라 하더라도 계속 이토록 짙은 불신을 깔고 대처할 경우 유엔가입 이후의 남북관계 안정을 기대하기 어렵다는 것이 우리의 솔직한 심정임(한겨레, 6.13)

o 결의안 채택이 무산될 경우 북한은 진심이든, 아니면 계략이든 일단은 외교적 승리를 거두게 되는 셈임(중앙, 6.12)

o 결국 결의안의 내용, 제출 여부등이 회의 첫날부터 혼미를 거듭한채 표류하고 있는 것이며, 상황이 여기까지 이른데에는 북한의 「제스처」가 상당수의 이사국들에게 먹혀들어가고 있기 때문임(조선, 6.12)

Ⅳ. 북한의 핵사찰 관련, 주요국 입장 및 대북한 관계 전망

1. 미 국

가. 입장

o 미국은 그동안 북한의 핵문제에 가장 강경한 입장을 보여왔으나 이번 IAEA 이사회에서는 「이중적 자세」를 취함. 미국은 다만 그동안 한국등의 입장을 고려, 압력강화 전략에 동참하는듯 했으나, 북한을 계속 궁지로 몰 경우 북한이 막후 합의 또는 협상 내막을 전면 공개해 버리거나 자세를 경화시켜 대한 관계등에서 오히려 난처한 상황을 초래할 것을 고려, 압력을 완화하고 있는 것으로 보임(한국, 6.13)

o 지상 핵무기의 철수를 협상카드로 현재의 핵 안전협정만으로는 한계가 있는 핵재처리 시설의 폐기등 북한이 핵무기 개발의 포기를 확실히 하는 보장을 얻어내려는게 미국의 구상임(니혼게이자이, 6.12)

나. 대북한 관계 전망

o 미국은 북한과의 관계개선 조건의 하나로 북한의 핵사찰을 고집해 왔고 최근에는 핵재처리 시설 자체를 없애라는 강경한 입장을 밝히고는 있지만, 최근 북한과 미국간에 진행돼온 참사관급 접촉이 대사급 또는 그 이상의 고위급 회담으로 격상될 가능성이 있고 또 최근 미국을 방문한 북한의 한시해 조국평화통일 위원회 부위원장에 대해 미국 당국이 융통성을 보인 사실을 상기할 때 북한의 핵안전협정체결 통보는 북한과 미국과의 관계개선에 도움이 될것으로 봄(한겨레, 6.11)

2. 일 본

가. 입장

o 한반도의 북반부에 핵무기가 수년안에 등장한다고 가정할 때 한국은 물론 극동과 동남아에 그 파장은 막대할 것이며, 북한의 핵개발에 가장 다급해진 나라는 일본임. 일본의 대북 수교협상이 평양의 핵사찰 수용여부를 둘러싸고 유보상태에 빠진것도 바로 이때문이며 「엔도」대사가 북한의 조건없는 서명등 「조건」을 강조한것도 이 때문임 (세계, 6.12)

o 북한의 핵무기 개발이 남한의 핵무장으로 이어지는 것을 가장 두려워 해온 일본으로서는 앞으로 북한과의 수교협상에서 핵 재처리시설 문제를 새롭게 제기할 가능성이 큰것으로 점쳐지기도 함(동아, 6.11)

나. 대북한 관계 전망

o 북한이 종전의 전제조건을 철회하고 핵사찰을 받게 될 경우, 우선 북한과 일본의 국교교섭이 크게 진전될 공산이 큼(한겨레, 6.11)

3. 소 련

o 표면상 소련은 북에 대해 핵사찰을 받아들이라고 요구하는 입장에 있음에도 불구하고, 그 전제조건으로 미국이 핵무기를 쓰지 않겠다는 명시적 보장을 하라는 요구를 덧붙이고 있음. 소련으로서는 평양을 지렛대로 삼아 동북아 전체의 핵전략을 겨냥하고 있음이 분명함(한국, 6.11)

o 국제적으로도 소련은 이미 전략적 계산아래 한반도의 비핵지대화 추진에 적극 나서고 있으며 북한의 태도 변화에 따라 소련의 대미 압력은 더욱 강화될 것으로 예상됨(경향, 6.11)

4. 기 타

o 이번 이사회에서 미국은 북한과 함께 토의 대상이 되는 것을 회피하였고, 소련은 한국과의 관계를 중시하여 중재역할을 삼가하였고, 유럽국가들은 무관심 하였음(니혼게이자이, 6.14)

V. 북한 핵사찰 관련, 금번 IAEA 이사회 토의결과에 대한 분석 및 평가

1. 북한 관련

o 만일 이번 IAEA 이사회에서 「핵사찰 수락 촉구 결의안」이라도 채택 된다면 유엔가입에 치명타가 될것이나, 북한은 회의 벽두 「9월 협정 서명 용의」를 표명함으로써 결의안을 철회시키는데 성공했음(세계, 6.15)

o 북한이 이번 이사회에서 「핵안전협정에 서명할 용의가 있다」고만 밝힘으로서 서명시한을 명확히하지 않은 것은 최소한 이정도의 유보적인 자세를 보여야 앞으로 미국과의 협상에서 일방적으로 밀리지 않을 것이기 때문임(경향, 6.14)

o 북한측이 이번 이사회에서 대미 「조건부」합의사실을 공개한것은 북한은 어떤 형식으로든 협정체결 의지에 대한 의혹을 해소시켜야할 절박한 필요성이 있고, 미국과의 「합의」를 제시하는 것이 국제적 압력에 굴복하는 듯한 인상을 주는것 보다는 대내외적으로 훨씬 명분을 지킬 수 있을 것이기 때문임(한국, 6.13)

o 한마디로 북한은 현재 핵사찰 수용과 거부의 중간지점에 서서 국제여론의 추이를 저울질하는 단계에 까지 와있다고 볼 수 있음(세계, 6.15)

o 이번 이사회에서 한가지 확실한 것은 북한측이 핵안전협정 체결엔 목소리를 낮춘 반면 미국과의 협상이란 쌍무관계에는 목소리를 더 높였다는 점임 (동아, 6.14)

o 대다수 관측통들은 현재의 상황이 술책으로 넘어 갈 수 있는 과거와는 달리 북한도 이를 외면할 수 없을 것으로 보고 있음(매경, 6.14)

o 이번 이사회에서 북한이 주한 미군의 핵무기 철수와 핵안전협정체결을 연계시켜야 한다는 종래 주장을 철회키로 한것은 이번 회의의 뚜렷한 성과로 평가됨(중앙, 6.14 ／세계, 6.14)

o 북한이 9월 이사회에서 협정체결 의사를 밝힌것은 진전사항이나, 주한 미군 핵철수를 협정체결조건에서 제외시켰는지등은 여전히 불투명함 (산케이, 6.14)

o NPT 조약의 1995년 이후 존속을 위해 국제적 노력이 필요한 이때, 북한의 핵사찰 문제가 동북아시아의 안전보장뿐만 아니라 냉전이후 세계평화와 안전에도 직결되는 만큼, 안이한 「정치적 타협」을 배제하고 최후까지 「엄정한 대처」가 있어야 함(요미우리, 6.17)

2. 아국 관련

o 이번 「빈」에서의 외교게임은 우리의 양보할 수 없는 안보이해가 걸린 사안이지만, 기실 처음부터 미.북한간 막후 협상이 지배하는듯 하였으며, 때문에 우리로선 가만히 앉아서 권리를 주장하는 것이 오히려 현명한 전략일 수 있었으나, 우리 외교당국은 공연히 소매를 걷고 나서서 헛주먹질만 하다가 결국 「모양」만 우습게 된 형국을 자초한 듯 함. 결국 우리측은 국내에 비치는 「모양」을 외교의 「실질」보다 중요시하는 구태의연한 실책을 되풀이한것으로 보지 않을 수 없음(한국, 6.15)

o 미.북한간 막후협상설과관련하여 한반도의 핵안보문제는 한국민의 참여 없이는 어떤 결정도 있을 수 없는 일이며, 더구나 북의 핵사찰 문제가 어떤 형태로건 결말지어져야 될 단계인 만큼 한반도를 둘러싼 핵전략 논의에는 반드시 한국이 참여해야됨(한국, 6.14／중앙, 6.17)

Ⅵ. 향후전망

o 북한은 핵안전협정서명 문제와 핵무기 철수문제의 협상대상을 형식상 IAEA와 미국으로 2원화했으나 이 두문제가 「상호 밀접히 연관」되어 있다는 입장을 천명함으로서 앞으로 대외 핵협상결과에 대IAEA 핵안전협정서명을 계속 지연시킬 가능성을 강경 시사하였으나, 북한이 대미 관계 개선, 특히 대일 수교 문제와 유엔가입신청 결정에 따라 현실주의적 실용노선을 취할 수 밖에 없는 상황에 몰려있다는 점에 비추어 앞으로 협상자세를 보다 완화할 것으로 전망됨(연합, 6.14/ 중앙, 6.14)

o 국제적 분위기와 북한의 현실인식을 감안할 때 오랜 국제적 현안이던 북한의 핵사찰 문제의 조기실현 전망은 그리 어둡지 만은 않다고 보임(세계, 6.15)

o 결국 북한은 핵안전협정 체결의 길로 가고 있으며 북한이 서명에 응할 경우는 핵재처리 시설로 의심받는 시설까지 포함한 전면적인 사찰을 받을것으로 보임(매경, 6.14)

o 앞으로 북한은 다소 진전된 입장을 내세우면서 한편으로는 국제적 압력을 무마하고 다른 한편으로는 미국과의 직접 협상을 모색하는 전략을 9월 이사회까지 밀고 갈것으로 보임(세계, 6.15)

o 유엔가입과 핵협정의 불연계라는 우리정부의 입장에도 불구, 결국 북한의 협정 서명여부는 유엔동시가입의 분위기를 결정지을 것으로 보임(매경, 6.14)

끝.

공 란

공　　　　란

공 란

공 란

공 란

國務總理 當付말씀

o 最近 北韓이 유엔加入問題에 대한 態度 變化를 보였고 이러한 가운데 核安全協定締結 問題에 대해 다소 誠意를 보이고 있는데, 北韓이 眞正 國際原子力機構(IAEA)와 核安全協定을 締結하겠다는 政策的 意志가 있는지 여부를 지켜보아야 한다는 것이 一般的 視角이라고 봄

o 外務部는 앞으로 北韓의 協定締結過程을 면밀히 주시하면서 友邦國과의 緊密한 協助하에 繼續 잘 對處하여주기 바람. 끝.

0233

분류기호 문서번호	국기 20332- 22529	기 안 용 지 (전화 : 720-4050)	시 행 상 특별취급	
보존기간	영구 . 준영구 10. 5. 3. 1.	장 관		
수 신 처 보존기간				
시행일자	1991. 6.18.			

보조기관	국장	전결	협조기관		문서통제
	과장				1991. 6. 18
가안책임자		허 강 일			발송인

경 유 수 신 참 조	주 오스트리아 대사	발신명의		1991.
제 목	북한의 핵안전협정체결문제 관련, 최근 주요언론 논조분석			

북한의 핵 안전협정서명의사 발표(91.6.7)와 이와 관련한 91.6월 IAEA 이사회 토의 내용에 대한 국내외 주요언론의 논설 및 해설기사 요약 내용을 별첨 송부하니 참고하시기 바랍니다.

첨 부 : 상기자료 1부. 끝.

0234

長 官 報 告 事 項

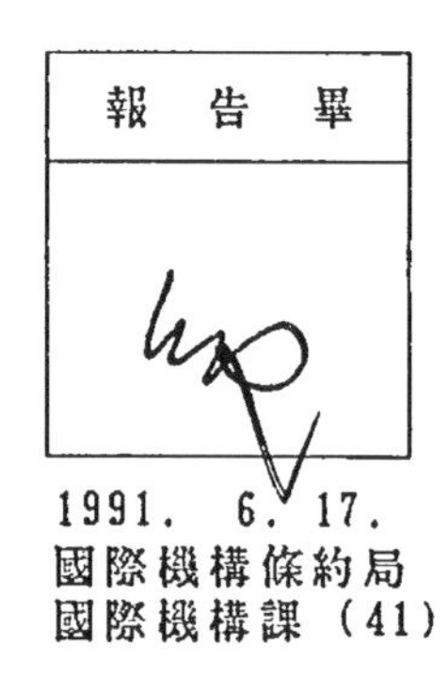

1991. 6. 17.
國際機構條約局
國際機構課 (41)

題 目 : 북한의 핵 안전협정체결문제 관련 최근 주요언론 논조 분석

북한의 핵 안전협정서명의사 발표(91.6.7)와 이와 관련한 IAEA 이사회 (91.6.10-6.14, 비엔나)토의 내용에 대한 국내외 주요언론의 논설 및 해설 기사를 아래와 같이 요약 보고 드립니다.

1. 북한의 핵안전협정서명의사 발표에 대한 배경분석

가. 미국. 북한간의 흥정설

- 평양을 방문했거나 방문할 미 방문단은 관례상 방문전에 미국정부와 화음을 조절했을 가능성이 높음

나. 여건 변화설

- 미국 및 한국내 일부에서 한국의 핵무기 철수주장이 나오는 등 북한 주장에 긍정적이고 유리한 분위기가 조성되고 있음

다. 유엔가입, 대일 수교협상등과의 연계설

- 핵안전협정 불체결은 유엔가입 및 대일 수교에 중요한 장애요소가 됨

라. 「당분간 잠복」이라고 보는 설

- 서명은 않은채 유엔가입 분위기만 조성하고, 유엔가입이 실현되면 다시 종전의 주장으로 되돌아갈 가능성

2. 북한의 핵 안전협정서명의사 발표와 주한 미군의 핵무기 철수 문제

가. 양자는 별개라는 관점

- 핵사찰 수용은 국제적 의무의 이행문제이고, 미군 핵무기 철거는 전쟁 억지내지는 핵무기 보유국간의 전략의 문제이므로 양자는 다른 차원에서 접근하여야 함

나. 양자가 연계되어 있다는 관점

- 북한의 핵사찰 수용으로 한반도 핵문제는 미군의 핵무기 배치에 초점이 모일수 밖에 없으며, 미국이 자신들의 핵무기 문제는 계속 놔둔채 북한의 핵문제만을 거론, 요구하는 것은 더이상 설득력을 얻기 어려울 것임

3. 6월 IAEA이사회에서 아국의 「북한 핵사찰 수락 촉구 결의안」채택 노력에 대한 평가

- 전반적으로 볼때 한국은 북한의 유엔가입의사 표명을 계기로 대북 강경책, 즉 끝까지 밀어붙여 북한의 양보를 받아내자는 방향으로 움직이고 있으나 이것이 과연 한반도 긴장완화 및 평화통일에 기여할 수 있을것인가에 대한 종합적인 검토가 요구됨

4. 북한의 핵사찰 관련, 주요국 입장

가. 미 국

- 그동안 북한의 핵문제에 가장 강경한 입장을 보여 왔으나, 이번 IAEA 이사회에서는 「이중적 자세」를 취함. (막후 협상설과 관련)

나. 일 본

- 북한의 핵무기 개발이 남한의 핵무장으로 이어지는 것을 가장 두려워 해온 일본으로서는 앞으로 북한과의 수교협상에서 핵재처리시설 문제를 새롭게 제기할 가능성이 큼.

다. 소 련

- 표면상 소련은 북에 대해 핵사찰을 받아들이라고 요구하는 입장에 있음에도 불구하고, 그 전제조건으로 미국이 핵무기는 쓰지 않겠다는 명시적 보장을 하라는 요구를 덧붙이고 있음. 소련으로서는 평양을 지렛대로 삼아 동북아 전체의 핵전략을 겨냥하고 있음

5. 북한 핵사찰 관련, 금번 IAEA 이사회 토의결과에 대한 분석 및 평가

가. 북한 관련

- 만일 이번 IAEA 이사회에서 「핵사찰 수락 촉구 결의안」이라도 체결된다면 유엔가입에 치명타가 될것이나, 북한은 회의 벽두 「9월 협정 서명 용의」를 표명함으로써 결의안을 철회시키는데 성공했음
- 이번 이사회에서 한가지 확실한 것은 북한측이 핵 안전협정체결엔 목소리를 낮춘 반면 미국과의 협상이란 쌍무관계에는 목소리를 더 높였다는 점임

나. 아국 관련

- 이번 「빈」에서의 외교게임은 처음부터 미.북한간 막후협상이 지배하는 듯 하였으며, 우리로선 가만히 앉아서 권리를 주장하는 것이 오히려 현명한 전략일 수 있었음
- 미.북한간 막후 협상설과 관련하여 한반도를 둘러싼 핵전략 논의에는 반드시 한국이 참여해야 됨

6. 향후 전망

- 북한이 대미관계개선, 특히 대일 수교문제와 유엔가입 신청 결정에 따라 현실주의적 실용노선을 취할 수 밖에 없는 상황에 몰려있다는 점에 비추어 앞으로 협상자세를 보다 완화할 것으로 전망됨. 끝.

외 무 부

종 별 :

번 호 : AVW-0758 일 시 : 91 0619 1600

수 신 : 장 관(국기)

발 신 : 주 오스트리아 대사

제 목 : 특별사찰 제도와 강제사찰 제도

대:WAV-0658

1.IAEA 사무총장은 6월 이사회에서 의제 11-(D)토의시 IAEA 표준협정안(INFCIRC/66/REV.2및 INFCIRC/153)이 정기 사찰외에 특별사찰(SPECIAL INSPECTION) 제도를 규정하고는 있으나, 동 특별사찰 시행에 대한 구체적 절차가 없는등의 이유로 특별사찰을 지금까지 실시한예가 없다고 보고하였음.(GOV/INF/613)

2.그러나 상기 1항의 특별사찰은, 어디까지나 관계당사국이 IAEA의 표준 협정안을 수락한경우에 실시될수 있는 특별 사찰로서, 금번IAEA의 표준협정안을 자진 수락하거나 또는유엔 안보리가 강제력있는 결의를 행함으로써만이 가능함을 양지바람.

4.상기 2항및 3항에 관련하여 용어상의 혼란때문에 안보리의 강제사찰을 향후 SPECIALMONITORING으로 호칭하겠다는 것이 사무국의 금일현재 의견임을 참고바람.

5.상기 1항에 관련, ENDO 일본대사는 IAEA에의한 특별사찰 제도의 활용 방안에 대한 중요성을 강조하면서 이에 대한 연구가 계속되어야 한다고 주장하고, 일본은 추후에 이사회의 토의를위한 구체적인 의견(DETAILED IDEA DISCUSSION)을 제출 예정이라고 하고, 92.2월 이사회에서는 최소한 하루를 동 특별사찰제도에 할애 할것을 제의하였음.

6.상기 사무총장 보고서및 일본대사 연설문 파편송부함.끝.

국기국 1차보 외정실 정와대 안기부

0238

PAGE 1

공람	안보과	담당	과장	국장	차관	장관

91.06.20 01:42 FN

외신 1과 통제관

6/21 길
대호전문 지참 설명 기

외 무 부

암호수신

종 별 :

번 호 : AVW-0757 일 시 : 91 0619 1600

수 신 : 장 관(국기,조약)

발 신 : 주 오스트리아 대사

제 목 : IAEA 이사회의 협정안 승인 절차

대:WAV-0654

1. 대호 1 항에 관해서는 IAEA 헌장 제 6 조,7 조,11 조및 12 조를 참조바람.

2. 대호 2 항에 관해서는 협정안을 이사회가 먼저 승인한후 IAEA 사무국과 NPT 당사국이 서명함을 참조바람. 그렇기 때문에 9 월 이사회의 승인을 위하여 협정안을 북한이 동 이사회에 상정하겠다는 약속(AGREED)을 하도록 금년 6 월 이사회에서 확보하게 된것이며, 동 9 월 이사회의 승인후 협정안을 지체없이 서명 하라고 이사국들이 촉구하게 된것임.

3. 대호 2 항에 언급된 협정 초안문안 확정에 관해서는 IAEA 와 NPT 당사국이 문안 확정 교섭을 끝낸후 NPT 당사국이 별도의 서한(확정 문안 첨부)으로 IAEA에 문안 확정 사실을 통보하면서 이사회 상정을 요청하는것이 관례임.

4. 대호 3 항은 무엇을 의미하는지 이해하기 곤란함(아국의 경우에는 75.10.31. 안전조치 협정안이 서명되었으며, 아국의 국내절차 완료를 IAEA 가 접수한75.11.14 에 발효하였음). 끝.

국기국 차관 1차보 2차보 국기국

0239

PAGE 1

91.06.20 00:06

외신 2과 통제관 CE

관리번호 91-851

관리번호 ~~97~~ ~~636~~

외 무 부

종 별 :

번 호 : UNW-1593 일 시 : 91 0619 1930

수 신 : 장관(해신,국연,정특,기정) 사본:주미대사:직송필

발 신 : 주 유엔대사

제 목 : 허종 AP 회견

1.AP 통신 유엔지국장 VICTORIA GRAHAM 은 6.19 오후 유엔 2 층 로비에서 북한차석대사 허종과 회견을 가졌다고 알려왔음.

2. 동 회견에서 허종은 미군유해반환 회담이 미.북한관계 개선에 좋은 계기가 되길 바란다면서 북한안 유엔가입을 독자적으로 결정했으며, IAEA 와 협상이 순조롭게 진행되면 9 월 핵안전협정에 서명할수 있으며 미국도 상응한 조치가 있기를 기대한다고 말했다함. 끝

(대사 노창희-관장)

예고:91.12.31. 까지

일반문서로 재분류(1991.12.31)

검 토 필(1991. 6.30.)

공보처 장관 차관 1차보 국기국 외정실 분석관 청와대 안기부

0240

PAGE 1 91.06.20 08:46

외신 2과 통제관 FE

6/25 길.

대 한 민 국
주 오스트리아 대사관

오스트리아 20300-582 　　1991. 6. 20.

수 신 : 장관 　　(보존기간 :)

참 조 : 국제기구조약국장, 미주국장

제 목 : IAEA 이사회 연설문 송부

연 : AVW - 0731

91.6.13.(목) IAEA 이사회의 의제 11항(b)(북한의 핵안전 협정 체결 문제) 토의시에 있었던 본직의 연설문(기록상 보존용)을 별첨과 같이 송부합니다.

첨부 : 동 연설문 1부. 끝.

주 오스트리아 대사

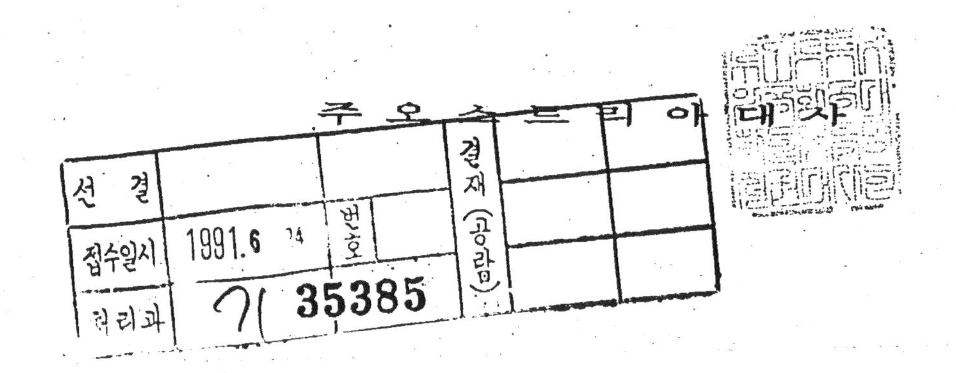

선 결			결재 (공람)			
접수일시	1991.6 24	번호				
처리과	71 35385					

0241

Authentic Copy

Statement
made by
Ambassador Chang-Choon Lee
Resident Representative of the Republic of Korea to IAEA
at the Meeting of the Board of Governors, IAEA
on 13 June 1991, Vienna

Mr Chairman,

Thank you for giving the floor to my delegation. For the record and for reference of all Governors and other interested people, I take the floor to give a brief background of the matter under discussion and make a few observations on it. First of all, I would like to take this opportunity to express my sincere appreciation to you and all Governors for the untiring efforts to ensure an earlier conclusion of an NPT safeguards agreement between the Democratic People's Republic of Korea(DPRK) and the Agency. I also wish to commend the Director General and the members of his staff for their endeavours in conducting a tedious negotiation with the DPRK.

At the outset, we cannot conceal our strong disappointment and regret at an unwarranted, prolonged delay by the DPRK in carrying out its unambiguous commitments to the Treaty on the Nonproliferation of Nuclear Weapons.

Over the last two and a half years, the DPRK has been urged time and again to sign without delay the NPT safeguards agreement in question.

Through the letter of the Director General dated 22 June 1990 sent to the Foreign Minister of the DPRK, the Board conveyed to the authorities in Pyongyang the deep concerns of its members expressed during the June Board meeting of last year. At the time, the Director General reminded the DPRK that it has an unconditional obligation to conclude a safeguards agreement under Article III(1) of NPT. The DPRK has yet to make a reply to the letter of the Director General.

Last month, the Chairman of the Board Prof Zelazny wrote to the same Foreign Minister of the DPRK to inform him of a discussion on the question of the DPRK's safeguards agreement with the Agency at the last February Board meeting. Having conveyed to the authorities in the DPRK the concern of the Board, the Chairman of the Board expressed his profound hope that the DPRK would fulfil in the very near future its obligations which it voluntarily took upon itself by acceding to NPT five and a half years ago.

In the absence of any reply by the DPRK to these two letters —one from the chief executive of IAEA and another from its main decision-making body— we were told from the Director General on Monday that the DPRK has decided to agree to the standard text of an NPT safeguards agreement as presented by the Agency. We were also informed that talks are scheduled to take place between experts in July for the final adjustment of details in the text without any changes of substance in the expectation that the agreement will be ready for approval by the Board in September.

Having heard of what the DPRK told the Secretariat and the Board this morning, the conventional wisdom may welcome the decision of the DPRK to agree to the draft safeguards agreement as presented by the Agency, and take it that the DPRK will sign the agreement after the finalization of its text in July and implement its provisions in good faith.

However, we can hardly suppress our scepticism towards the genuine intention of the DPRK to take all the necessary steps to fulfil its obligations under NPT, and we can hardly discard our suspicion arising out of the stereotyped fashion of the DPRK in manipulating the general meaning of languages it uses, let alone make a bona fide contextual interpretation of what it says. Because equivocation is a modus operandi of the DPRK. We understand this is why, at the beginning of this meeting, the Ambassador of Japan sought clarification from the DPRK regarding the report of the Director General made on Monday and the annual report for 1990.

This time last year, the DPRK raised expectation by informing the Director General that the Government of the DPRK wishes to resume the negotiations on the safeguards agreement in July. At the time, the members of the Board were expecting the DPRK to fulfil its obligations under NPT by signing the safeguards agreement before the opening of the NPT Review Conference in August at Geneva. However, we were all informed during the last September meeting of the Board that the expectation was shattered.

One year later, the DPRK is again raising expectation among the members of the Board by informing the same Director General, on the same occasion of the June Board meeting, that it wishes to resume, in the same month of July, the negotiations with IAEA. We are afraid this annual exercise by the DPRK is a charade both to satisfy the members of the Board and to give the impression that the DPRK is abiding by its international commitments.

With the above observations in mind and despite unsatisfactory explanation by Ambassador Jin of the DPRK this morning, we are nonetheless not going to be pessimistic over the question of the conclusion of the safeguards agreement by the DPRK and its adjustments to changes taking place in the world's political and other conditions.

We welcomed the recent decision of the DPRK to join the United Nations. This decision is regarded as a major shift in Pyongyang's external policy which will lead to more pragmatism and disillusionment.

We want to believe that a more realistic trend in the DPRK will continue to encourage its speedy reconciliation with the outside world and its faithful compliance with rules of international law.

We are going to wait and see how the DPRK respond to what the members of the Board have called for during the meeting today.

We will give the DPRK, in a manner of speaking, the benefit of the doubt for the time being until we are obliged to take all necessary action to ensure the fulfilment of the legal obligations of the DPRK under NPT.

We would like the DPRK to live up to its obligations under international law and to change voluntarily so that it should not accept any adverse consequences incurred from failure to comply with its international commitments.

Before concluding, I wish to express my sincere gratitude to 29 members of the Board for their interventions on this matter of vital importance to the Korean peninsula and its neighbouring countries as well as to world peace. I am grateful to those speakers who have taken the floor today, for their endeavours in ensuring an earlier conclusion of the safeguards agreement with the DPRK and its prompt implementation.

1/22 재
사본 주오

기

관리번호	91-629

원본

외 무 부

K/ ...

종 별 :

번 호 : JAW-3766 일 시 : 91 0621 1903

수 신 : 장관(국기,아일,정특)

발 신 : 주 일 대사(일정)

제 목 : IAEA 6월이사회

대: WJA-2736

1. 당관 남공사는 금 6.21. 외무성 오오따 과학기술심의관(대사)을 방문, 대호에 따라 IAEA 6 월 이사회시 일정부 및 엔도대사가 적극 협력해 준데 대해 사의를 표하고, 금후에도 일측이 북한의 핵사찰 문제에 관해 적극 협력해 줄것을요청하였는바, 동 대사는 일측도 북한의 핵문제를 중시하여 일북수교 교섭의 전제조건으로 하고있는 만큼 앞으로 북측이 핵안전 협정을 서명, 비준하여 핵사찰 의무를 성실히 이행할 것인지를 주의깊게 지켜보면서 북측태도가 성실치 못할경우에는 한국등과의 긴밀한 협의하에 9 월 이사회시 대북결의문 채택을 재추진하는등 북측에 대한 압력을 계속가할 생각이라고 말함. 또한 엔도대사가 구주지역 공관장회의 참석차 일시귀국중이므로 다음주 중이라도 엔도대사에게 치하의뜻을 표할 예정이라함.(일측 가또 원자력과 과장보좌, 당관 박승무 정무과장 배석)

2. 오오따 대사는 이어서 6 월 이사회시 북측이 핵안전협정의 STANDARD TEXT 에 합의하겠다는 의사를 표명한것은 일응 진전된 자세로 보나, 동 의사표명과같은 시기에 평양방송이 노동당등 20 여개 단체명의로 한국내 미군핵무기 철거등 종전과 같은 주장을 반복하고 있어 북측 진의가 확실치 않다고 말함. 또한 동대사는 일측으로서는 7.10. 부터 시작되는 IAEA-북한간 교섭진행 상황을 면밀히 관찰하고, 특히 9.17. 유엔총회 개최시기에 즈음하여 개최되는 9.11-13. IAEA 이사회 및 9.16-20. IAEA 총회시 북측의 대응자세에 계속 주목을 할것이라함.

3. 오오따 대사는 6.17-18. 간 일.호 원자력관련 연례협의차 칸베라에 출장후, 6.19. 귀국하였음. 끝

(대사오재희-국장)

예고:91.12.31. 일반

검 토 필(1991. 6. 30.)

일반문서로 재분류(1991. 12. 31.)

국기국	장관	차관	1차보	2차보	아주국	외정실	분석관	청와대
안기부								

PAGE 1 91.06.21 20:29

외신 2과 통제관 CA

0246

1/22 길 기

원본

외 무 부

암호수신

종 별 :

번 호 : AVW-0775 일 시 : 91 0621 1730

수 신 : 장 관(국기,미안,구이)

발 신 : 주 오스트리아대사

제 목 : 핵사찰 관련, 북한대사 기자회견

1. 주오스트리아 북한대사 박시웅은 6.20 APA(THE AUSTRIA PRESS AGENCY) 통신과의 기자회견에서, 북한은 핵시설에 대한 국제사찰을 받을 준비가 되어 있으나, 남한에 배치되어있는 미핵무기도 사찰을 받아야 한다고 주장하였음.

2. 동대사는 남한에 1,000 여개의 미핵무기가 존재하는 한 한반도및 동아시아에서 실질적인 평화가 유지되기 어렵다고 전제, 냉전체제 종식이후 미핵무기 위협은 더이상 정당화될수 없다고 주장하였음.

3. 동대사는 또한 북한은 핵무기를 개발할 능력도 의사도 없으며 최근 핵안전 조치 협정에 서명할 의사를 밝혔다고 부언, 한반도를 비핵지대화 하여야 한다는 종전의 주장을 되풀이 하였음. 끝.

국기국	장관	차관	1차보	2차보	미주국	구주국	분석관	청와대
안기부								

0247

PAGE 1 91.06.22 05:24

외신 2과 통제관 CA

관리 번호	91-1571

외 무 부

원 본

종 별 :

번 호 : USW-3147 일 시 : 91 0621 1919

수 신 : 장관(미일,미이,정특, 국기,기정)

발 신 : 주 미 대사

제 목 : 북한 핵 문제(김영남 W.P. 회견)

1. 당관 김영목 서기관은 금 6.20. W.P 지의 김영남 회견기사와 관련 정보조사국 BOB CARLYN 한반도 수석 담당관을 접촉한바, 동인은 김영남의 발언과 관련 다음과 같은 관찰을 표시함.

-김영남의 회견 내용을 볼때 북한이 완전히 새로운 정책으로 전환한것으로 볼수 없으며, 북한도 내부에 다소 혼선이 있음을 보여주고 있음.

- 김영남의 주장속에는 북한측 입장을 포괄적으로 제시하는데 있어 새로운 조건이 있는바, 북한 핵시설의 사찰을 주한미군 핵무기에 대한 사찰과 연계한다는것. 북한은 최근 핵 안전협정 서명 의사 발표 이후 , 여사한 조건을 내걸지 않았으며, 과거에는 주한미군 핵무기에 대한 사찰을 핵 안전협정의 서명에 부쳐 조건화 했었음.

따라서 논리적으로 보면 서명은 일단 하겠다는 의사 표시임.

-북한은 자신들 스스로가 어떤 정책을 취할지 분명한 생각을 갖지 못하고, 과거의 입장과 새로운 현실 사이에서 왔다 갔다 하는것으로 보임.

다만, 전반적으로 보아 북한은 IAEA 표준 협정을 수락하고, 결국은 사찰도 허용하게 되는 방향으로 움직여 나가게 될것으로 예측됨.

2. 이에 대해 김서기관은 , 금일 김영남의 회견은 북한이 의도하고 있는바를 드러냈으며, 북한은 근본적으로 과거의 입장에서 탈피한것이 아니라는 견해를 표시하고, 북한이 서명과 협정의 이행 사이의 과정을 최대한 지연시키면서 한.미 양국에 대한 정치공세를 극대화 해 보겠다는 전술로 보여진다고 설명해 두었음.

3.CARLYN 담당관은 북한이 핵 안전 협정과 이행문제를 위요, 한. 미 양국 특히 미국에 대해 선전 공세를 강화할것에는 의문의 여지가 없다고 전제하고, 다만 이론적으로는 안전협정 의 서명과 이의 비준(수락)은 북한내 핵 시설의 사찰을 요구하며, 미군 핵무기에 대한 사찰과는 아무런 법적관계가 없기 때문에, 북한이 동

미주국	장관	차관	1차보	2차보	미주국	국기국	외정실	분석관
청와대	안기부							

0248

PAGE 1 91.06.22 10:28

외신 2과 통제관 BN

미군 핵무기 사찰 문제를 자신의 안전협정의 의무 이행(북한내 사찰) 과는 사실상 연계하지 않고, 정치 공세에만 활용할 가능성도 배제할수 없다는 분석을 보임. 동 담당관은 북한의 진의는 현재로서는 속단할수 없는바, 향후 2-3 개월이 북한의 진의 판단에 매우 중요한 시점이 될것이라고 부언함.

4. 한편, 금일 국무부 한국과는 김영남 회견에 대해 미국의 기본입장을 재반복하는 보도 지침을 별전(팩스)과 같이 준비하였으며, 북한측의 법적 서면 보장요구에 대해서는, 미국으로서는 안전 협정 서명에 대해 어떠한 대가(QUID PRO QUO)도 제공할 의도가 없다는점을 강조 하였음.

(대사 현홍주- 국장)

91.12.31. 일반

검 토 필 (1991.6.30. 서명)

0249

USW(F) - 2509
수신: 장관 (미북, 미이, 정홍, 기정)
발신: 주미대사
EAP PRESS GUIDANCE
June 21, 1991
제목: 기자회견에 대한 언론보도지침 (2매)

1. KOREA -- NUCLEAR ISSUES/REACTION TO WASHINGTON POST ARTICLE.

Q: Do you have any reaction to reported North Korean statements that they will not allow inspection of nuclear facilities in the North unless the U.S. allows inspection or removes nuclear weapons from South Korea and provides legal and written assurances that the U.S. poses no nuclear threat to North Korea?

A: -- THERE IS A CLEAR INTERNATIONAL CONSENSUS OF WHICH THE UNITED STATES IS A PART THAT PYONGYANG MUST ABIDE BY THE SAFEGUARDS REQUIREMENTS OF THE NPT "WITHOUT CONDITION". WE WILL CONTINUE TO WORK WITH OTHERS TOWARD THIS END.

-- IF NORTH KOREA WAS TO SIGN A SAFEGUARDS AGREEMENT AND THEN NOT BE WILLING TO FULFILL IT, THAT WOULD RAISE QUESTIONS ABOUT ITS GOOD FAITH.

Q: What about North Korean allegations of U.S. nuclear weapons in South Korea?

A: -- AS A MATTER OF POLICY, THE UNITED STATES NEITHER CONFIRMS NOR DENIES THE PRESENCE OR ABSENCE OF NUCLEAR WEAPONS AT ANY SPECIFIC LOCATION.

2509-1

사본: 주일대사, 소련, 호주, 캐나다, 영국, 제네바, 북경

0250

06/21/91 19:06 ☎202 797 0595 EMBASSY OF KOREA --- WOI

-2-

Q: What about the North Korea suggestions that the U.S. should allow inspections of its facilities in South Korea or provide legal and written assurances that the U.S. poses no nuclear threat to North Korea?

-- THE U.S. HAS NOT AND WILL NOT OFFER NORTH KOREA ANY QUID PRO QUOS FOR FULFILLING ITS INTERNATIONAL OBLIGATIONS, INCLUDING THE SIGNING AND IMPLEMENTING OF A SAFEGUARDS AGREEMENT REQUIRED BY ITS ACCESSION TO THE NUCLEAR NON-PROLIFERATION TREATY IN 1985.

-- THE U.S. HAS STATED PUBLICLY THAT IT POSES NO NUCLEAR THREAT TO NORTH KOREA. IN ADDITION, WE HAVE MADE A GENERAL PUBLIC STATEMENT THAT THE U.S. "WILL NOT USE NUCLEAR WEAPONS AGAINST ANY NON-NUCLEAR-WEAPON STATE PARTY TO THE NPT. THIS ASSURANCE APPLIES EXCEPT IN THE CASE OF AN ARMED ATTACK ON THE UNITED STATES OR ITS ALLIES BY SUCH A STATE ASSOCIATED WITH A NUCLEAR WEAPONS STATES. THE ASSURANCE APPLIES TO ALL NON-NUCLEAR-WEAPON STATE PARTIES TO THE NPT, INCLUDING THE DPRK, IF THEY MEET THE ASSURANCE'S CRITERIA." (Richard Solomon, January 17, 1991 Speech to the Korea Society in New York. The general NSA was reiterated by ACDA Director Ronald Lehman at the 1990 NPT REview Conference and reflects the policy of the last three administrations -- attached.)

-- THERE IS NO DIFFERENCE BETWEEN OUR PUBLIC STATEMENTS AND WHAT WE HAVE CONVEYED PRIVATELY TO THE NORTH KOREANS.

2509-2

북한에 대한 특별핵사찰 실시문제(마이니치, 6.22)

- H. Blix IAEA 사무국장 인터뷰 내용

1. NPT의 과제

o NPT 체제는 계속 발전해 왔으며 95년까지 전세계가 참여하기를 기대

o 핵 시설에 대한 의혹이 있는 경우 IAEA의 특별사찰 요구를 거부할수 없도록 하는 방안모색이 과제

2. 현행 핵 사찰제도의 한계

o IAEA는 예를들어 상대국에 낙하산을 타고 들어가 핵 시설의 안전을 확인할 수 있는 권한이 없음

o IAEA의 권한은 NPT나 중남미 비핵조약(트라테로코)등에 가입한 상대국과의 합의(안전보장협정)에 의해서만 발생함

3. 사찰제도의 활용 실태

o IAEA 사찰관의 수는 현재 약 2백명으로 과거 8년간 변화가 없으나, 핵사찰 대상이 되고 있는 전세계 핵시설은 약 1,000개에 가까움

o 내년이후 알젠틴,브라질,남아공,북한등이 협정에 가입하게 되는 경우 현재 사찰관의 인력이 절대적으로 부족, 증강이 필요함

4. 특별사찰제도의 활용

o 신고된 시설에 추가로 보조적인 사찰을 수행하기 위해 특별사찰을 실시한 예가 있으나, 미신고 시설에 대한 특별사찰 제도를 발동한 사례는 없음

o 의혹이 있는 시설이 있는 경우 사찰을 요구하는것은 당연하나, 그러한 권한을 경솔하게 사용할수는 없음

5. 대이라크 핵사찰 내용

o 유엔결의안에 기초한 사찰명령을 이라크가 수락하여 IAEA가 실시를 지시받은 특수한예로서 특별사찰과는 다르다고 봄

o 특별사찰 보다 더 강하고 광범위한 권한을 사찰관에게 부여하였고, 이라크내에서 사찰관의 국내이동과 사찰대상에 관해 완전한 자유가 보장되었음

o 이라크 정부가 신고한 약40Kg의 핵물질의 이라크 국외로의 이동 및 미신고 시설의 현지 조사등을 실시함

- 1 -

0252

o 일반 사찰시 사찰 접수국은 IAEA로 부터 파견되는 사찰관 명단을 보고 특정 사찰관의 입국을 거부할 수 있으나, 금번 이라크 사찰시에는 그럴수가 없었음

6. 대이라크 사찰을 핵사찰 강화의 선례로 활용가능 여부

o 유엔 안보리결의와 이라크의 경우 처럼 이에대한 상대국의 수락이 있다면 가능하며, 중동의 비핵지대화를 위해서는 이와같은 강력한 핵사찰을 어떤 국가에도 실시할수 있는 방안을 고려할수 있음

o Blix 사무총장 자신도 사찰 권한 강화에 찬성

- 현재 NPT 가입국들은 핵 사찰이 자연스러운 것이며, 가입국들의 이익과 상호 신뢰 강화와 연관되있다는 인식을 갖고 있음

7. 북한의 핵 의혹에 대한 IAEA 기본 입장

o 안전보장협정체결을 위한 대화를 계속하고 있으며, 협정이 서명, 발효되면 북한이 보유하고 있는 모든 핵물질과 핵시설을 신고하지 않으면 안됨

o IAEA는 북한이 모든것을 신고하지 않았다는 충분한 의혹의 근거가 발생하면 특별 사찰을 요구하게 될것

o 이와는 별도로 북한이 소련으로 부터 구입한 연구용 원자로에 대해서는 구입시 협정에 따라 IAEA가 매년 1회의 정기사찰을 실시하고 있음

8. NPT 사찰제도의 현 상황 평가

o 지난 1년간 알젠틴, 브라질 양국이 핵시설 사찰에 동의, 큐바를 제외한 모든 중남미 지역 국가가 사찰 개방 지역이 됨

o 남아프리카 공화국도 사찰 수락 자세를 보임으로써 아프리카 대륙의 비무장화에 제1보 전진을 이룩함

o 부쉬 미 정부의 중동 군축안에 중동지역 비핵지대화가 포함되어 있는 것도 NPT 체제의 착실한 진전이라 볼 수 있음

o NPT는 가장 성공적인 국제 군비 관리 조약으로서 아직 완전하다고는 볼수 없으나, 95년까지는 완전해질것으로 기대해 봄

- 불란서, 중국도 NPT가입 용의 표명

o 핵 군축이 진척되어감에 따라 모든국가가 NPT에 가입하기가 쉬워질것이며, 이것은 핵 보유국에 의무를 부과하는 것과 관련이 있을것임. 끝.

(참고자료)

1. 핵확산 방지조약(NPT)에 의한 안전보장협정체결 과정

① 당사국과 IAEA간 교섭시작
↓
② 협정안 합의
↓
③ IAEA 이사회의 승인
↓
④ 당사국의 비준
↓
⑤ 보장협정의 발효 (NPT 비준부터 18개월 이내)

---

⑥ 당사국이 사찰대상이 될 모든 핵물질에 대한 보고서를 IAEA에 제출(최초 보고) (협정발효후 30일이내)
↓
⑦ IAEA에 의한 보고내용 확인(수시사찰)
↓
⑧ 당사국이 기존 핵관련 시설에 대한 설계정보를 IAEA에 제출
↓
⑨ IAEA에 의한 확인
↓
⑩ 보조 약정서 작성. 발효 (90일이내)

↓

(일반 사찰 실시)

2. NPT 핵사찰 제도의 약점

o 사찰대상이 당사국의 자발적 신고에 기초하기 때문에 당사국이 신고하지 않는 핵시설물은 사찰이 불가

- 특별사찰의 경우도 당사국의 합의가 필요하기 때문에 의혹대상 시설의 사찰이 사실상 어려움

o 90년 NPT 평가회의에서 이러한 문제의 해결을 위해 아래와 같은 방안이 제시된 바 있음

- 제3국이 미국의 위성 사진을 증거로 특별사찰 요청 가능

- 비엔나 IAEA 본부에 모니터용 감시 카메라와 비데오 설치등의 기술적 방법 개선

0254

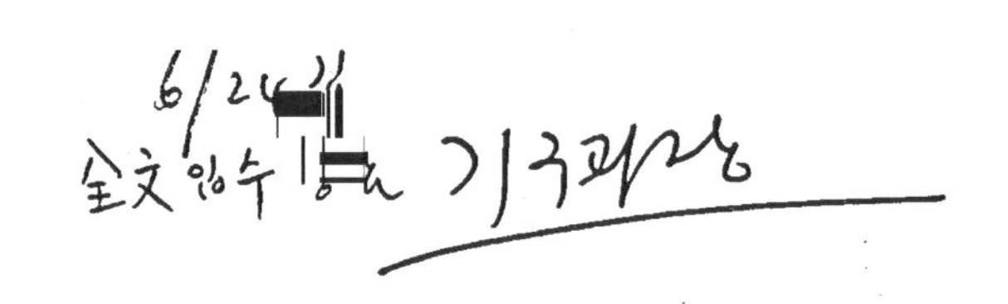

북한, 핵사찰 문제 뒤늦게 보도

(서울=聯合) 北韓은 지난 10일부터 14일까지 오스트리아 빈에서 열렸던 국제원자력기구(IAEA) 이사회에서 北韓內 핵사찰 문제가 거론된 사실을 23일 상오 방송을 통해 뒤늦게 보도했다.

內外통신에 따르면 北韓의 중앙방송 및 평양방송은 이날 IAEA 이사회 개최 소식을 보도하면서 北韓 정부가 이 이사회 개최전에 핵안전협정 표준문 내용에 동의한다는 것과 이를 완성하기 위해 IAEA 측과 실무 협의를 재개할 의사가 있음을 통보했으며 이와 관련 이사회에서 北측 대표가 7월경 IAEA와 실무협의를 거쳐 9월 이사회 심의에 핵안전협정문을 제출할 것에 동의한다고 천명했다고 전해, 핵사찰 수용 의사를 표명한 사실을 對內 보도로는 처음으로 밝혔다.

北韓방송들은 이어 이번 이사회에서 北측이 핵안전협정 서명과 관련 구체적인 일정을 밝혔음에도 불구하고 美國과 日本등 일부 국가들이 "우리에게 집단적 압력을 가하기 위해 그 무슨 결의안을 제출하려고 시도하는가 하면 '9월 이사회 이후 곧 협정문에 전제 조건없이 조인하겠는가' 라는 등의 당치 않는 질문을 제기했다" 고 美.日측의 태도를 비난했다.

北韓방송들은 또 이번 이사회에서 핵안전협정 서명과 관련, 北측이 밝힌 입장이 中國. 쿠바. 이란. 이집트. 인도. 나이지리아등에 의해 호응을 받았다고 선전하면서 北측 대표 陳忠國이 기자회견등을 통해 北韓의 핵안전협정 서명과 駐韓美軍의 핵무기 철수를 연계시킨 사실도 상세히 전했다.

한편 北韓은 향후 "핵확산금지조약의 의무에 충실할 것이며 핵안전협정 체결에 난관을 조성하는 온갖 시도를 철저히 배격할 것" 이라고 北韓 방송들은 강조하기도 했다.(끝)

(YONHAP) 910623 1326 KST

0255

71 6/24 기

관리번호	91-632

외 무 부

종 별 : 지 급

번 호 : CNW-0884 일 시 : 91 0622 2330

수 신 : 장관(미일,국기,국연,정이)

발 신 : 주 카나 다대사

제 목 : 카.북한 외교관 접촉

연:CNW-0783

대:WCN-0719

1. 연호 카. 북한 접촉관련 6.21(금) 저녁 조창범 참사관이 외무부 GWOZDECKY 한국담당관과 면담 청취한 내용을 아래 보고함.

가. 금번 접촉은 주중카 대사관 JUTZI 공사의 질병으로 당초 예정일(6.17)보다 늦어진 6.20(목) 주중 북한 대사관에서 있었음.

나.JUTZI 공사는 북한 박석균 참사관에게 본국의 훈령임을 전제로 하기 요지의 TALKING POINT 를 읽어 주었다고함.

-금번 접촉의 목적은 최근 북한측의 IAEA 핵안전조치 협정체결 용의 표명이전제조건이 달린것인지 여부를 확인키 위한 것임

-북한이 핵안전조치 협정체결을 무조건적으로 수락하는 것이라면 카정부는 이를 환영함

-카측으로서는 북한측 입장을 진의가 무엇인지 예의 주시할 것인바 만약 전제조건이 붙은것이라면 불행한(UNHAPPY) 한 것임.

다. 상기에 대해 박석균 참사관은 직접적인 답변없이 6.10 자 북한 정당 및공공단체의 공동성명 전문을 건네주면서 동성명이 북한측의 입장을 상세히 밝히고 있다고 말하고 북한은 핵안전조치 협정을 체결할것이며 핵사찰을 받을 준비가 되엇있다.

그러나 이와 동시에 남한에 있는 미국의 핵기지도 사찰되기 바란다고 말하였다함

라. 북한측의 상기 성명은 북한의 전형적인 REHTORIC 을 담은것으로 미국의핵위협 제거를 주장하고 있어 JUTZI 공사가 거듭 전제조건 여부를 문의해 보았으나 박참사관은 전제조건이라는 용어를 사용치는 않으면서 한국에서의 미국핵기지에 대한

미주국 장관 차관 1차보 국기국 국기국 문협국 외정실 분석관

PAGE 1

91.06.23 23:22

외신 2과 통제관 CH

0256

사찰을 거듭 강조했다고함

마.JUTZI 공사가 다시 카측은 과번 비엔나 IAEA 6 월 이사회시 북한대표의 발언이 전제조건이 없는 것으로 이해하고 있다고 말하자 박참사관은 비엔나 발언은 상기 6.10 자 공동성명과 같은 맥락에서 봐야한다는 반응이었다고함

바.JUTZI 공사는 북한측 입장이 전제조건이 붙은것이라면 카측은 북한측의 비엔나 발언에 대한 긍정적인 반응을 재고하겠다고 밝히면서, 금번 면담에서 밝힌 카측 입장을 본국정부에 전달하여 주고 카측 입장에 오해가 있으면 알려달라고 요청한데 대해 박참사관은 그렇게 하겠다고 동의했다함

사. 또한 금번 접촉에서 JUTZI 공사는 최근 북한의 유엔가입 신청의사 표명에 대하여 환영의 뜻을 표하고 카나다의 종래입장이 보편성의 원칙에 따라 남. 북한의 유엔가입을 지지하는 것인만큼 주유엔 카대사를 통해 유엔 안보리 의장에게 이러한 입장을 표명하는 서한(별전보고 참조)을 송부할 것이라고 알려주었함.

이에 대해 박참사관은 유엔가입 신청의사를 표명한 북한 외교부 성명내용을설명하면서 별다른 COMMENT 는 없었다고함

아. 카측평가

-금번 접촉결과 카측으로서는 최근 핵안전 협정체결 문제와 관련한 북한측 입장이 전제조건을 달고있는것인지 여부가 아직 불확실한것(UNCERTAINTY)으로 평가함.(특히 6.10 자 북한 정당공공단체 공동성명은 조건을 달고 있는 것처럼 해석된다고함)

2. 상기 관련 조참사관은 카측의 상세한 디브리핑에 사의를 표명한후 앞으로 북한측이 IAEA 핵안전조치 협정을 실제 체결하게 될 경우 카측의 대북한 관계전망에 관한 입장을 타진해본바, GWOZDECKY 담당관은 아래요지 반응이었음

가. 종래 카나다의 대북한 관계 입장은 북한의 IAEA 핵안전조치 협정체결과남. 북한 관계의 실질적 진전이라는 두가지 전제조건이 우선 충족되어야 한다는 것인바, 이에는 아직 상황 변화가 없다고봄

나. 북한히 앞으로 실제 핵안전조치 협정체결을 이행할 경우 이는 북한의 유엔가입 신청 결정과 함께 북한 태도의 중요한 변화로 평가될수 있을 것임

다. 카측으로서는 핵안전조치 협정문제 뿐만아니라 남. 북 관계의 진전여하를 예의 주시해 나가고저함

라. 북한측이 남. 북 총리회담을 재개해오고 남. 북한 관계에 새로운 진전이 있을경우 카측으로서는 이러한 북한의 변화를 고무하는 뜻에서 어떤 SUBTLE SIGNAL 이

필요할 것으로 봄

(SUBTLE SIGNAL 의 구체적 내용 문의에 대해서는 당장 공식관계의 수립을 뜻하는 것은 아니라면서 언급을 회피)

3. 상기 카측 언급에 대해 조참사관은 카. 북한 관계 문제는 매우 민감한 사안으로 계속 한. 카간에 긴밀한 사전 협조하에 신중을 기해야 할것임을 거듭 당부하고 아울러 북한의 유엔강비 신청 결정에도 불구 남. 북한 관계에 관한 북한의 근본적 태도에는 아직 변화가 없다는점, 북한의 과거 행태로보아 북한이 IAEA 핵안전조치 협정을 체결하게 되더라도 동협정의 효율적 이행과 핵개발 의사의 완전 포기여부는 계속 주시해야 할 문제라는 점, 남. 북 총리회담의 외형상의재개만으로는 큰 의미가 없으며, 회담의 실질적 내용의 진전과 북한의 한국태도에 근본적인 변화가 있어야 한다는점 등을 지적해 두었음.

4. 건의사항(외무장관 회담 관련)

그간의 카. 북한 접촉추이(북경외교관 접촉, 북한관리의 VICTORIA 북태평양안보협의 학술회의 참가, 카정부관리의 평양 IPU 총회 참가등)와 앞으로 북한의 IAEA 핵안전조치 협정 체결 가능성, 남. 북한 유엔 가입등 상황변화 전망, 이에따른 카측의 대북한 관계의 재조정 가능성등에 비추어 금번 오타와 양국 외무장관 회담시 카. 북한 관계 문제와 관련한 아국의 대응입장을 카측에 분명히 해두는것이 좋을것으로 사료됨.

(대사 박건우-국장)

예고:91.12.31. 일반

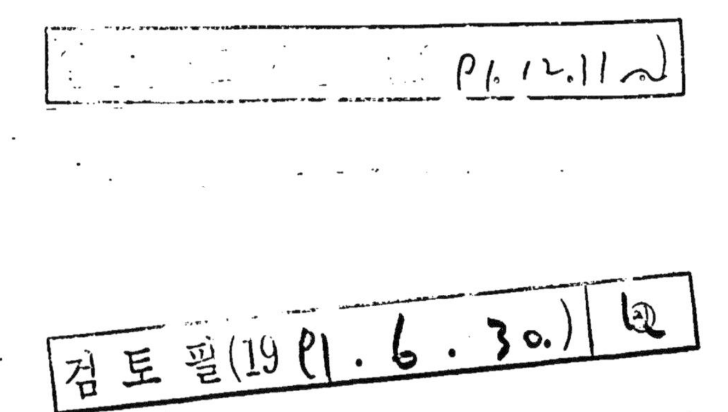

PAGE 3

0258

6/24 ...

기

관리번호	91-633

외 무 부

원 본

종 별 : 지 급

번 호 : CPW-1405　　　　일 시 : 91 0624 1550

수 신 : 장관(국기,아이,정특,정보,기정) 사본:주홍콩총영사-중계필

발 신 : 주 북경대표

제 목 : 전기침 외교부장, 북한 핵사찰건 발언

1. 본직은 금 6.24 DAVID SADLEIR 당지 호주대사를 예방하였는바 (정상기 서기관 배석), SADLEIR 대사가 작 6.23(일) 전기침 외교부장 면담시 전기침 부장은 북한이 핵사찰 조약서명건과 주한미군 핵무기 철수건을 별개로 추진키로 결정했다고 SADLEIR 대사에게 알려주었다 함.

2. SADLEIR 대사는 동 사안이 중요하다고 생각하여 캔버라 본부에 즉시 보고하고 당지 미대사관에도 알려주었다고 함. 끝.

(대사 노재원-국장)

예고: 91.12.31. 일반

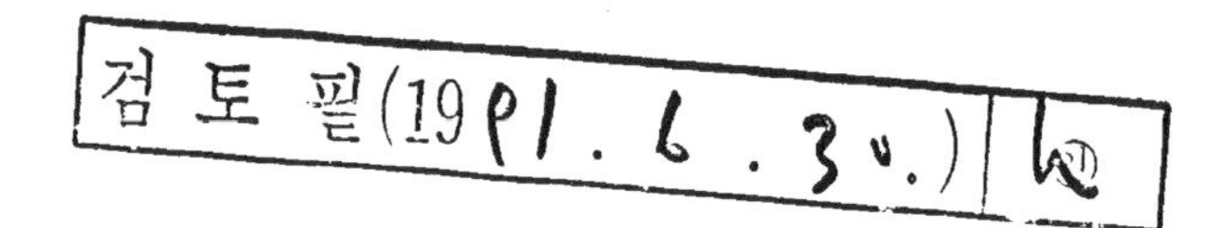

검 토 필(1991. 6. 30.)

국기국	장관	차관	1차보	2차보	아주국	외정실	외정실	청와대
안기부								

PAGE 1　　　　91.06.24 16:34

외신 2과 통제관 BN

0259

관리 번호	91-634

외 무 부

원 본

종 별 :

번 호 : AUW-0484　　　　일 시 : 91 0624 1650

수 신 : 장관(국기,아동)

발 신 : 주 호주 대사

제 목 : IAEA 이사회 결과

대:WAU-0439

1. 본직은 금 6.24 BARRATT 외무무역성 차관보 및 BENSON 아주국 부국장을 오찬에 초대한 석상에서(양공사 동석)대호 IAEA 이사회에서의 호주의 주도적인 노력에 대한 아국정부의 사의를 표하고 적절한 방법으로 동 아측뜻이 WILSON 대사및 COUSINS 부국장에게 전달 되도록 희망했음.

2. 호주측은 아측의 이러한 뜻에 사의를 표하고 최근 김영남 북한 외교부장이 미국 워싱톤 포스트 지와의 회견에서 핵안전협정에 서명은 하되 북한의 실질적인핵사찰을 남한의 미 핵무기와 연계시킨 사실에 주목하면서 이러한 북한측 태도를 앞뒤가 맞지 않는(PREPOSTEROUS) 행동이라고 평하고 호주는 북한측의 태도를보아가면서 오는 9 월 이사회시 결의안을 재제출하도록 정지작업을 게을리 하지 않을것이라고 말했음을 참고로 보고함. 끝.(대사 이창범-국장)

예고:91.12.31. 일반

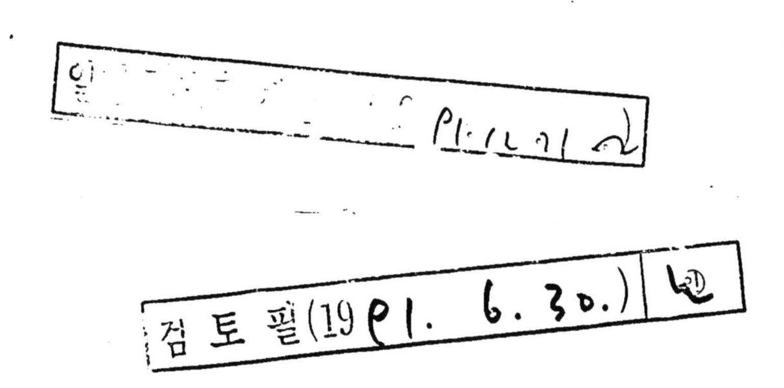

국기국　차관　1차보　2차보　아주국　청와대　안기부

PAGE 1　　　　91.06.24 16:53

외신 2과 통제관 BN

0260

공　　란

관리 번호	91-636

	분류번호	보존기간

발 신 전 보

WJA-2854 910625 1026 CT

번 호 : 종별 : 긴급

수 신 : 주 일 대사. 총영사

발 신 : 장 관 (국기)

제 목 : 북한 핵문제

1. 전기침 중국 외교부장은 6.23(일) 북경주재 David Sadleir 호주 대사에게 북한이 핵안전협정 서명건과 주한미군 핵무기 철수건을 별개로 추진키로 결정하였다고 알려주었다 함(주 북경대사 보고)

2. IAEA 6월 이사회시 북한의 태도와 북한 김영남이 6.20 워싱톤 포스트지와 기자회견을 한 내용(6.21자 W.P 보도)을 감안할 때, 북한은 일단 IAEA와의 핵안전조치 협정은 서명하고 동 협정의 발효는 주한 미군의 핵무기 철수 또는 동시사찰과 연계 시키는 2단계 전략을 구상할 ~~고 있는 것으로 보임~~ 가능성도 배제할 수 없음

3. 상기관련 향후 대책수립에 참고코자하니 금번 전기침 외교부장의 귀지 방문중 귀주재국 외무성에서 핵 안전협정 체결문제에 관한 북한의 태도에 대하여 전기침 외교부장이 어떠한 인식을 가지고 있는지(북한이 상기 2항과 같이 서명과 발효를 분리하는 자세로 임하고 있다고 보는지 또는 북한의 핵안전협정 서명건이 주한 미군의 핵무기 철수와 연계됨이 없이 협정발효 조치까지 차질없이 될것이라는 의미인지)를 상세파악하여 주도록 협조 요청하고 그 결과 보고바람. 끝.

4. 기타 참고사항도 파악 보고 바람. (북한의 핵안전협정 체결문제 관련)

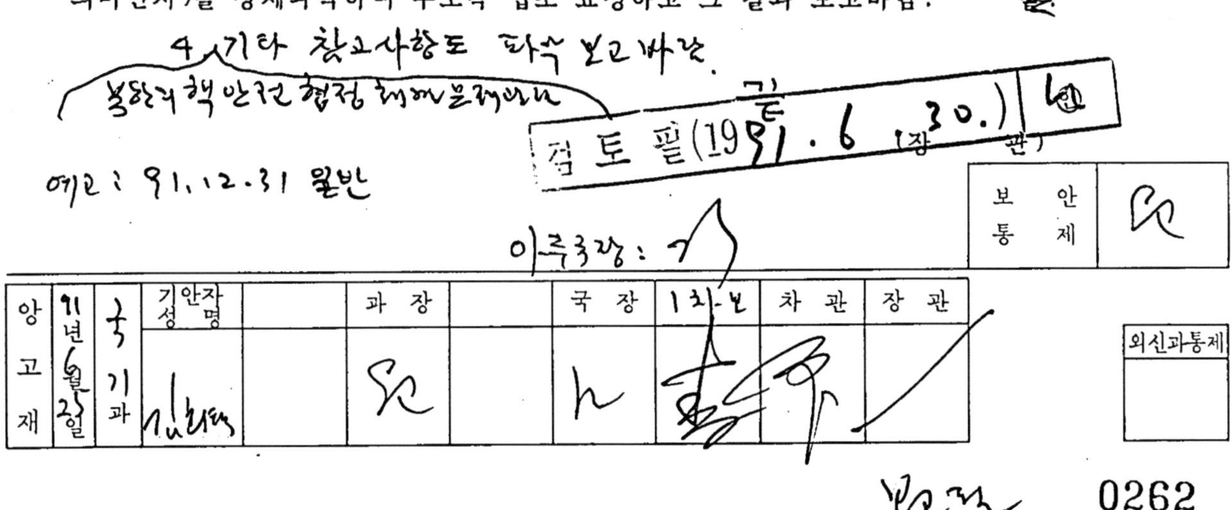

검토필(1991. 6. 30.)

예고 : 91.12.31 일반

보안 통제	

앙 고 재	91년 6월 25일	국기과	기안자 성명	과 장	국 장	1차보	차 관	장 관

외신과통제

0262

관리번호	91-84

외 무 부

종 별 : 지 급

번 호 : JAW-3801　　　　일 시 : 91 062 1639

수 신 : 장관(국기,아일)

발 신 : 주 일 대사(일정)

제 목 : 북한 핵문제

대:WJA-2854

1. 당관 유병우 참사관은 금 6.25. 14:00 외무성 아주국 "우라베" 참사관을방문, 대호 취지를 설명하고 금번 전기침 외교부장 방일시 핵안전 협정체결 문제에 관한 북측태도와 관련, 동 외교부장의 인식을 상세 파악하여 주도록 협조를요청하였음.

2. 이에대해 동 참사관은 명일 오전있을 일.중 외상회담에 대비, 금일 16:30 부터 나까야마 외상주재하에 종합대책 회의가 있을 예정이라고 밝히고, 북한의 핵안전 협정체결 문제는 일본으로서도 중요한 문제인 만큼 본건 한국측 요망은 외상에게 직접 주지시켜 성의껏 대응토록 하겠으며, 그 결과를 추후 당관에 설명하겠다고 말하였음.

3. 한편, 북한의 핵안전 협정체결 문제와 관련, 동 참사관은 전기침의 방북내용에 대해 상금 중국측으로 부터 청취한바는 없다고 전제하고, 다만 외무성 실무수준에서는

1) 북한이 금년 가을 유엔가입을 전후하여 IAEA 핵안전 협정에는 서명하되

2) 주한미군 핵철수 또는 남. 북한 동시사찰을 조건으로 협정 발효는 계속 지연시켜 나가면서

3) 미국에 대해서는 동 두가지 조건협의를 위한 직접 교섭을 시도하는 한편

4) 일본에 대해서는 일본이 대북수교 교섭시 요구해온 유엔가입과 핵안전 협정 체결이 모두 이행 되었으므로 수교교섭을 조속 매듭 짓도록 압력을 가해올 것으로 전망하고 있다고 말하였음.

동 참사관은 이어 북측의 여사한 태도는 사실상의 핵사찰 수락이 아니므로 일 정부가 이를 "핵사찰 수락"으로 간주하기는 어려울 것이라고 말하고, 다만 북한으로서는 금후 특히 일정계 및 언론에 대해 북한이 일측조건을 모두 수락한 만큼 이제는 대북 수교교섭에 있어 일 정부가 양보할 차례라는 분위기를 조성하려 애쓸 것이며, 이에대한 당시 일정계 및 언론계 반응 여하에 따라서는 외무성의 입장이

국기국　장관　차관　1차보　2차보　아주국　외정실　분석관　청와대
안기부

0263

PAGE 1

91.06.25　17:13
외신 2과　통제관 BN

어려워질 가능성도 있을 것이라는 의견을 시사하였음.

4. 본건 일.중 외상회담 결과 청취하는 대로 추보 하겠음. 끝.

(대사 오재희-장관)

예고:91.12.31. 일반

검 토 필(1992.6.30.)

검 토 필(1991.12.31)

1991.12.31.에 예고문에 의거 일반문서로 재 분류됨.

PAGE 2

0264

공 란

6/26 기

관리번호	91-643

외 무 부

종 별 : 긴 급

번 호 : CPW-1431 일 시 : 91 0625 1630

수 신 : 장관(아이,아일,국기,국연,정북,정보,기정)사본:US,JA,AV,HK 대사

발 신 : 주 북경 대표 -중계필

제 목 : 전기침 외교부장 방북 결과

주재국 외교부 조선처 "리빈' 부처장은 금 6.25(화) 당지 일본대사관 YOSHIDA 2등서기관의 요청에 따라 표제결과를 디브리핑 해주었는바 당관 정상기 서기관이 요시다 서기관으로부터 청문한 내용 다음 보고함.

1. 전기침의 방북시 김일성 예방 및 김영남 외교부장과의 회담에서 유엔관계, 북한 핵사찰관계, 일.북한 수교회담의 3 가지가 주요 의제로 논의되었음. 한반도 정세, 중.북한 쌍무관계, 국제정세도 논의되었으나 큰 비중을 차지하지는 않았음.

의제별 논의사항은 다음과 같음(이하 리빈 부처장 언급 내용)

가. 유엔관계

(1) 북한측은 중국측에 유엔가입 결정 사실과 배경을 설명하였으며 유엔가입후 유엔헌장을 준수할 것이라고 설명하였음 (리빈 부처장은 요시다 서기관에게북한측 언급 내용 상세에 관해서는 더이상 설명하지 않았음)

(2) 중국측은 북한의 유엔가입 결정에 환영을 표하면서 금년 유엔총회에서 가입 결의안이 순조롭게 통과 되기를 희망한다고 밝히고 남북한 어느 일방에 의한 타방에 대한 모욕(HUMILIATION) 또는 비난(ACCUSATION) 행위를 보고 싶지 않다는 희망을 밝혔음.

(3) YOSHIDA 서기관이 리빈 부처장에게 유엔가입 결의안 표결시 중국측의 태도를 문의하자 중국측은 남북한 모두에게 찬성표를 던지게 될것이라고 말하였다 함(CHINA WILL VOTE FOR BOTH KOREA).

나. 북한 핵사찰 관계

(1) 북한측은 핵안전협정 서명의 조건으로 주한 미군 핵무기 철수 및 미국의 대북한 핵무기 불사용 무조건 보장 조항을 협정서에 포함시키는 것을 요구하지 않기로 하였으며(NORTH KOREA DECIDED NOT TO ASK THESE SENTENES TO BE INCLUDED IN THE

아주국 장관 차관 1차보 2차보 아주국 국기국 국기국 외정실
외정실 분석관 청와대 안기부

PAGE 1 91.06.25 17:21
외신 2과 통제관 BN

0266

STANDARD DOCUMENT) 동 문제는 미국과 별개로 협의하겠다고 밝혔음.

(2) 북한측은 IAEA 와의 7 월 회담시 이러한 입장에 따라 회담에 임하겠다고 하였음.

(3) 중국측은 이러한 북한측의 설명을 경청하였음(리빈 부처장은 중국 자신이 북한의 핵사찰 문제에 NEUTRAL 한 입장을 보이려 해오고 있기 때문에 별다른 반응을 보일 필요가 없었다고 부연 설명하였다 함)

다. 일.북한 수교회담

(1) 북한측은 대일 수교회담이 일본측의 각종 전제조건 특히 이은혜건 제기로 난항을 겪고 있다고 설명하고 동 회담의 조속한 재개를 희망한다고 밝혔음.

(2) 중국측도 동 회담이 조속히 재개 될것과 원만한 협상을 통해서 가능한 빨리 구체적인 결과가 나타나기를 바란다고 언급하였음.

(3) 북한측은 일.북한 수교회담을 위한 중국측의 중재 역할을 요청하지는 않았음.

라. 기타

(1) 한반도 정세 및 남북한 대화에 관해 상호 의견을 교환하였으나 특별한 것은 없었으며 북한측은 종전 입장을 반복하였음.

(2) 중.북한 쌍무관계도 논의되었으나 양국은 양호한 관계를 유지하고 있기때문에 특별히 언급할 필요가 없었음.

2. 김정일 방북설

가. 리빈 부처장은 요시다 서기관에게 전기침의 방북시 김정일과 면담은 없었으며, 김정일의 방중에 관한 협의도 없었다고 언급하고, 김정일이 가까운 장래방중할 계획도 없다고 언급하였다 함.

나. 김정일은 상금 외국 지도자들을 단독으로 면담하는 기회는 드물며 중국측 인사와도 양상곤, 강택민, 이붕등의 방북시 김일성과 함께 면담하였다 함.

3. 기타

전기침 외교부장은 6.25-28 방일시 일본측에 자신의 방북결과에 대한 설명을 할것으로 예상됨. 끝.

(대사 노재원-국장)

예고: 91.12.31. 일반

-6/26 ㄴ 71

관리번호	91-641

외 무 부

종 별 : 지 급

번 호 : JAW-3801　　　　일 시 : 91 062 1639

수 신 : 장관(국기,아일)

발 신 : 주 일 대사(일정)

제 목 : 북한 핵문제

대:WJA-2854

1. 당관 유병우 참사관은 금 6.25. 14:00 외무성 아주국 "우라베" 참사관을방문, 대호 취지를 설명하고 금번 전기침 외교부장 방일시 핵안전 협정체결 문제에 관한 북측태도와 관련, 동 외교부장의 인식을 상세 파악하여 주도록 협조를요청하였음.

2. 이에대해 동 참사관은 명일 오전있을 일.중 외상회담에 대비, 금일 16:30 부터 나까야마 외상주재하에 종합대책 회의가 있을 예정이라고 밝히고, 북한의 핵안전 협정체결 문제는 일본으로서도 중요한 문제인 만큼 본건 한국측 요망은 외상에게 직접 주지시켜 성의껏 대응토록 하겠으며, 그 결과를 추후 당관에 설명하겠다고 말하였음.

3. 한편, 북한의 핵안전 협정체결 문제와 관련, 동 참사관은 전기침의 방북내용에 대해 상금 중국측으로 부터 청취한바는 없다고 전제하고, 다만 외무성 실무수준에서는

1) 북한이 금년 가을 유엔가입을 전후하여 IAEA 핵안전 협정에는 서명하되

2) 주한미군 핵철수 또는 남. 북한 동시사찰을 조건으로 협정 발효는 계속 지연시켜 나가면서

3) 미국에 대해서는 동 두가지 조건협의를 위한 직접 교섭을 시도하는 한편

4) 일본에 대해서는 일본이 대북수교 교섭시 요구해온 유엔가입과 핵안전 협정 체결이 모두 이행 되었으므로 수교교섭을 조속 매듭 짓도록 압력을 가해올 것으로 전망하고 있다고 말하였음.

동 참사관은 이어 북측의 여사한 태도는 사실상의 핵사찰 수락이 아니므로 일 정부가 이를 "핵사찰 수락"으로 간주하기는 어려울 것이라고 말하고, 다만 북한으로서는 금후 특히 일정계 및 언론에 대해 북한이 일측조건을 모두 수락한 만큼 이제는 대북 수교교섭에 있어 일 정부가 양보할 차례라는 분위기를 조성하려 애쓸 것이며, 이에대한 당시 일정계 및 언론계 반응 여하에 따라서는 외무성의 입장이

국기국 장관 차관 1차보 2차보 아주국 외정실 분석관 청와대
안기부

PAGE 1

91.06.25 17:13
외신 2과 통제관 BN
0268

어려워질 가능성도 있을 것이라는 의견을 시사하였음.

4. 본건 일.중 외상회담 결과 청취하는 대로 추보 하겠음. 끝.

(대사 오재희-장관)

예고:91.12.31. 일반

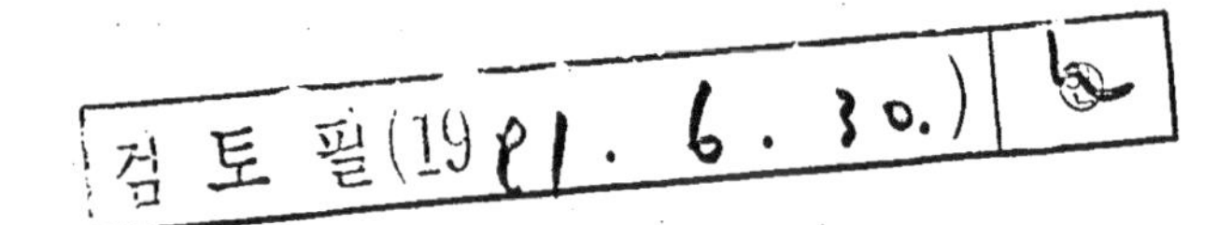

PAGE 2

0269

6/26 경향신문

北韓 核개발 증거 포착

美선 요격미사일 체제로 대응

【워싱턴=金學淳특파원】 북한이 핵무기및 이를운반할수있는 장거리 미사일개발을 시작한 증거가 여러곳에서 드러나고 있는만큼 미국은 이를 방지하기위해 모든조치를 취해야할 것이라고 美정부관계자와 전문가들이 24일 주장했다。

이날 보수적 연구단체인 헤리티지재단이 개최한 동아시아무기통제에 관한 토론회에서 대니얼 폰맨美국가안보회의(NSC)국방정책및 무기통제담당관은 주제발표를 통해 『북한이 핵무기를 보유하게되면 한반도는 물론 동북아시아전체에 매우 심각하고 불리한 결과를 낳게될것』이라고밝혔다。

한편 이재단의 전략방위정책분석가인 베이커 스프링씨는『북한의 이같은 위협때문에 미국은 한국과 일본을 방어하기 위해 전략방어계획(SDI)의 일환으로「제한공격대비 전세계보호체제 (G-PALS)」라는 요격미사일체제를 추진하고 있다』고 밝혔다。

北韓 核재처리시설 포기 관계개선 前提 안삼기로

美·日 공동보조 협정준수만 일단 수용…韓國도 양해

美國정부는 對北韓관계개선의 전제조건에 북한의 핵재처리시설 포기문제를 추가하지 않을 방침인것으로 알려졌다。

美國은 그대신 北韓의 국제원자력기구(IAEA) 핵안전협정서명과 국제사찰등 이의 충실한 이행여부를 지켜본뒤 對北韓관계개선조치를 시작하되 북한核재처리시설 포기를 계속촉구하면서 관계개선의 속도를 조절해 나갈 것으로 예상된다。

정부의 한 당국자는 25일『내달초 워싱턴에서 열리는 韓·美정상회담의 핵심의제는 북한의 핵문제이며 그것의최대관심사는 재처리시설에 대한 공동대응방안』이라고 말하고『그러나 양국정부간 사전의견조정과정에서 북한이 유엔가입및 핵안전협정체결 의사를 공식 표명한 상황에서 북한을 책임있는 국제사회의 일원으로 끌어들이기위한 분위기조성이 필요하다는데 의견이 접근되고 있다』면서 이같이 밝혔다。

이와관련, 日本정부는 북한핵재처리시설포기를 日·北韓수교의새로운전제조건으로 설정하는것은 교섭상무리라는 의견을 강력히제시한 것으로 전해졌다。

0270

일본의 핵 사찰제도강화 방안 제의내용

91.6.26. 국제기구과

1. 제2차 유엔 군축회의시(91.5.27, 교토) 가이후수상 발언

o 안전보장 체제의 효율성을 강화하는 수단으로서 특별사찰의 활용가능성을 진지하게 연구해야 함

o IAEA의 제한된 자원의 효율성을 극대화시키기 위해 보다 유연한 안전조치 실행 체계를 구축해야 함

- 사찰빈도의 고려와 특별한 상황에 맞는 사찰제도의 창안등

2. IAEA 이사회시(91.6. 비엔나) Endo 대사 발언

o 안전조치 협정상 책임을 완수하기 위해 IAEA는 신고되지 않은 시설내 핵물질에 대한 특별사찰의 적용을 고려해야 함

o 특별사찰에 대한 IAEA 사무국 문서(GOV/INF/613)상의 해석을 지지

- 표준 협정안 73(b)조에 따라 특별사찰은 협정체결국이 IAEA에 보고를 했어야 하나 보고하지 않고 핵시설을 가동중이라는 신빙성있는 정보를 접수함으로써 실시할 수 있음

o IAEA가 특별사찰 적용 여부를 결정하기 위해서는 보다 세밀한 절차가 수립되어야 하고, 안전조치 협정의 명확한 해석을 통해 협정적용에 대한 회원국간 공동 이해가 이루어져야 함

o 일본은 IAEA내에서 이에관한 연구를 계속하여 92년 2월 이사회에서 최소한 하루동안 동 문제를 공식 토의하자는 입장임. 끝.

공람	국제기구과	91년 6월 26일	담당	과장	국장	차관보	차관	장관
			신공이	82	h			

0271

분류번호	보존기간

발 신 전 보

번 호 : WAV-0691 910626 1706 FO 종별 :

수 신 : 주 오스트리아 대사. 총영사

발 신 : 장 관 (국기)

제 목 : 핵사찰관련 기사

91.6.21 Blix IAEA 사무국장과의 인터뷰 내용을 실은 일본 마이니치 신문(6.22자) 번역문을 별첨 FAX 송신하니 귀관 업무에 참고하기 바람.

첨부 : 상기 FAX 3매
WAV(F)-52.

(국제기구조약국장 문 동 석)

보안 통제	

앙고재	91년 6월 26일	국제기구과	기안자 성명		과 장		국 장		차 관	장 관
			신중이				전결			

0272

외신과통제

북한에 대한 특별핵사찰 실시문제(마이니치, 6.22)

- H. Blix IAEA 사무국장 인터뷰 내용

1. NPT의 과제

o NPT 체제는 계속 발전해 왔으며 95년까지 전세계가 참여하기를 기대

o 핵 시설에 대한 의혹이 있는 경우 IAEA의 특별사찰 요구를 거부할수 없도록 하는 방안모색이 과제

2. 현행 핵 사찰제도의 한계

o IAEA는 예를들어 상대국에 낙하산을 타고 들어가 핵 시설의 안전을 확인할 수 있는 권한이 없음

o IAEA의 권한은 NPT나 중남미 비핵조약(트라테로코)등에 가입한 상대국과의 합의(안전보장협정)에 의해서만 발생함

3. 사찰제도의 활용 실태

o IAEA 사찰관의 수는 현재 약 2백명으로 과거 8년간 변화가 없으나, 핵사찰 대상이 되고 있는 전세계 핵시설은 약 1,000개에 가까움

o 내년이후 알젠틴,브라질,남아공,북한등이 협정에 가입하게 되는 경우 현재 사찰관의 인력이 절대적으로 부족, 증강이 필요함

4. 특별사찰제도의 활용

o 신고된 시설에 추가로 보조적인 사찰을 수행하기 위해 특별사찰을 실시한 예가 있으나, 미신고 시설에 대한 특별사찰 제도를 발동한 사례는 없음

o 의혹이 있는 시설이 있는 경우 사찰을 요구하는것은 당연하나, 그러한 권한을 경솔하게 사용할수는 없음

5. 대이라크 핵사찰 내용

o 유엔결의 에 기초한 사찰명령을 이라크가 수락하여 IAEA가 실시를 지시받은 특수한예로서 특별사찰과는 다르다고 봄

o 특별사찰 보다 더 강하고 광범위한 권한을 사찰관에게 부여하였고, 이라크내에서 사찰관의 국내이동과 사찰대상에 관해 완전한 자유가 보장되었음

o 이라크 정부가 신고한 약40Kg의 핵물질의 이라크 국외로의 이동 및 미신고 시설의 현지 조사등을 실시함

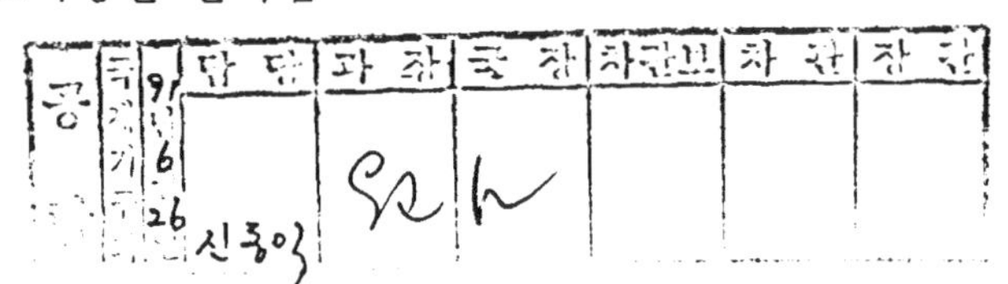

0273

o 일반 사찰시 사찰 접수국은 IAEA로 부터 파견되는 사찰관 명단을 보고 특정 사찰관의 입국을 거부할 수 있으나, 금번 이라크 사찰시에는 그럴수가 없었음

6. 대이라크 사찰을 핵사찰 강화의 선례로 활용가능 여부

o 유엔 안보리결의와 이라크의 경우 처럼 이에대한 상대국의 수락이 있다면 가능하며, 중동의 비핵지대화를 위해서는 이와같은 강력한 핵사찰을 어떤 국가에도 실시할수 있는 방안을 고려할수 있음

o Blix 사무총장 자신도 사찰 권한 강화에 찬성

- 현재 NPT 가입국들은 핵 사찰이 자연스러운 것이며, 가입국들의 이익과 상호 신뢰 강화와 연관되있다는 인식을 갖고 있음

7. 북한의 핵 의혹에 대한 IAEA 기본 입장

o 안전보장협정체결을 위한 대화를 계속하고 있으며, 협정이 서명, 발효되면 북한이 보유하고 있는 모든 핵물질과 핵시설을 신고하지 않으면 안됨

o IAEA는 북한이 모든것을 신고하지 않았다는 충분한 의혹의 근거가 발생하면 특별 사찰을 요구하게 될것

o 이와는 별도로 북한이 소련으로 부터 구입한 연구용 원자로에 대해서는 구입시 협정에 따라 IAEA가 매년 1회의 정기사찰을 실시하고 있음

8. NPT 사찰제도의 현 상황 평가

o 지난 1년간 알젠틴, 브라질 양국이 핵시설 사찰에 동의, 큐바를 제외한 모든 중남미 지역 국가가 사찰 개방 지역이 됨

o 남아프리카 공화국도 사찰 수락 자세를 보임으로써 아프리카 대륙의 비무장화에 제1보 전진을 이룩함

o 부쉬 미 정부의 중동 군축안에 중동지역 비핵지대화가 포함되어 있는 것도 NPT 체제의 착실한 진전이라 볼 수 있음

o NPT는 가장 성공적인 국제 군비 관리 조약으로서 아직 완전하다고는 볼수 없으나, 95년까지는 완전해질것으로 기대해 봄

- 불란서, 중국도 NPT가입 용의 표명

o 핵 군축이 진척되어감에 따라 모든국가가 NPT에 가입하기가 쉬워질것이며, 이것은 핵 보유국에 의무를 부과하는 것과 관련이 있을것임. 끝.

(참고자료)

1. 핵확산 방지조약(NPT)에 의한 안전보장협정체결 과정

① 당사국과 IAEA간 교섭시작
↓
② 협정안 합의
↓
③ IAEA 이사회의 승인
↓
④ 당사국의 비준
↓
⑤ 보장협정의 발효 (NPT 비준부터 18개월 이내)

---

⑥ 당사국이 사찰대상이 될 모든 핵물질에 대한 보고서를 IAEA에 제출(최초 보고) (협정발효후 30일이내)
↓
⑦ IAEA에 의한 보고내용 확인(수시사찰)
↓
⑧ 당사국이 기존 핵관련 시설에 대한 설계정보를 IAEA에 제출
↓
⑨ IAEA에 의한 확인
↓
⑩ 보조 약정서 작성. 발효 (90일이내)

↓

(일반 사찰 실시)

2. NPT 핵사찰 제도의 약점

o 사찰대상이 당사국의 자발적 신고에 기초하기 때문에 당사국이 신고하지 않는 핵시설물은 사찰이 불가

- 특별사찰의 경우도 당사국의 합의가 필요하기 때문에 의혹대상 시설의 사찰이 사실상 어려움

o 90년 NPT 평가회의에서 이러한 문제의 해결을 위해 아래와 같은 방안이 제시된 바 있음

- 제3국이 미국의 위성 사진을 증거로 특별사찰 요청 가능

- 비엔나 IAEA 본부에 모니터용 감시 카메라와 비데오 설치등의 기술적 방법 개선

0275

공 란

공　　　란

공 란

공 란

91. 6. 27
국제기구과

1. 북한은 자국의 전문가를 비엔나에 파견하여 7.10-15 IAEA 사무국측과 핵 안전협정안의 최종 자귀수정 교섭을한 후 동 협정안을 9월 IAEA 이사회에 상정하여 승인을 받고 서명을 하겠다고 제의하였는데 북한이 제의한 협정체결 일정상 문제점은 없는지?

답 : 북한이 제의한대로 9월 이사회에 협정안을 상정하여 이사회의 승인을 받는다 하더라도 협정의 발효가 되기까지에는 다음과 같은 북한의 성의가 필요

o 9월 이사회에서 협정안을 승인한 후 즉시 서명

o 상기 서명후 발효를 위한 절차(국내 비준후 IAEA통보)를 즉시 취함

※ 91.6월 현재 NPT의 비핵보유 당사국으로서 IAEA와 핵안전협정을 체결치 않은 국가는 50개국인 바, 이중 6개국은 협정안에 대한 이사회 승인만 받은채로 방기하고 7개국은 협정 서명후 발효를 위한 절차를 취하지 않고 있음

o 협정 발효이후 약30일 이내에 사찰대상이 되는 핵물질에 관한 최초 보고서를 제출하고 90일 이내에 사찰 대상의 시설을 포함한 보조약정서 발효를 위한 모든 노력을 경주

o 협정과 보조약정 발효후 IAEA의 사찰관 임명에 대한 순수한 동의
(?)

2. 북한이 소련과의 원자력 협정에 따라 IAEA의 부분적 사찰을 받아오지 않았는지?

답 : o 북한은 1965년 소련으로 부터 2MW급(85년에 4MW급 출력으로 증대) 연구용 원자로(IRT - 2,000형) 1기를 구입할때 IAEA 사찰을 받도록 규정한 양국간 협정을 체결하여 동 원자로를 ~~자발적으로~~ IAEA의 사찰대상으로 제공 (이와관련 IAEA와 NPT 비당사국이 체결하는 형태의 안전조치협정을 체결)함

☆ o 북한은 77.7.20 IAEA와 상기 협정(INFCIRC/252)을 체결한 후 1978년부터 동 연구용 원자로(제1호기)에 대한 IAEA 사찰을 매년 1회 받아온 것으로 파악됨

0280

3. 북한의 85.12월 NPT 가입 배경은?

o 북한은 85.12월 소련과 원자력 발전소 건설 지원협정을 체결함에 따라 발전용 원자로 VVER-440형 4기(총 1,760MW) 구매 계약에 기본합의(86.2)하였으나 현재 실행은 유보 상태임

o 소련이 원전 건설지원협정체결 조건으로 북한의 NPT 가입을 제시하였는 ~~을 것이며~~ 이에 따라 북한이 85.12월 NPT에 가입하였으나, 소련이 추가조건으로 북한의 핵안전조치협정 체결을 요구하자 북한이 반응을 보이지 않음에 따라 원전건설 프로젝트는 유보된것으로 추정됨

4. IAEA의 특별사찰은 무엇이며 최근(91.5월) 이라크에 대한 핵사찰과는 무슨 차이가 있는지?

o 특별사찰은 일반사찰에 의한 정보가 충분치 못한 경우나 특별 보고서상의 정보를 확인할 필요가 있을때 협정 당사국과의 사전 협의를 거쳐 실시함.

o 특별사찰결과 협정당사국의 협정위반 사실이 밝혀지면 IAEA는 관련 지원사업 중단 및 회원국 자격 정지등의 제재를 가할 수 있음

o 91.5.14-22간 이라크에 대해 실시한 핵사찰은 대이라크 제재 유엔 결의(91. 4.3. 채택 제687호)에 의거 유엔안보리의 사찰 명령을 이라크가 수락하여 IAEA가 실시한것으로 아래와 같은 점에서 특별사찰과는 다르다고 볼 수 있음

- 특별사찰시보다 더 강하고 광범위한 권한을 사찰관에게 부여하였고, 이라크 내 사찰관의 이동과 사찰대상에 관해 완전한 자유가 보장되었음
- IAEA로부터 파견되는 모든 사찰관에 대해 이라크 정부가 입국 거부권을 행사할 수 없었음(평상시 접수국은 사찰관 명단을 보고 특정사찰관의 입국을 거부할 수 있음)

0281

공 란

발 신 전 보

분류번호	보존기간

번 호 : WUS-3012 910628 1400 FO 종별 :

WJA -2926

수 신 : 주 수신처참조 대사. 총영사

발 신 : 장 관 (국기)

제 목 : 보고시 수신처 첨기

북한의 핵안전협정체결 관련사항 보고시에는 수신처에 반드시 "국기"가 포함되도록 조치바람. 끝.

수신처 : 주미국, 일본대사

(국제기구조약국장 문 동 석)

보안 통제	

앙 고 재	91년 6월 28일	국기과	기안자 성명		과 장		국 장		차 관	장 관
							전결			

0283

외신과통제

공 란

관리 번호	91-660

	분류번호	보존기간

발 신 전 보

번 호 : WAV-0709 910629 1450 FO 종별 :

WUS -3052 WAU -0474
WCP -0909

수 신 : 주 수신처참조 대사. 총영사

발 신 : 장 관 (국기)

제 목 : 북한 핵문제

전기침 중국 외교부장의 일본방문기간(6.25-28)중 가진 일-중 외상회담(6.26) 시 표제관련 ~~다른~~ 발언 내용을 아래 통보하니 참고 바람.

1. 전기침

가. 핵사찰 문제에 관해서 북한은 IAEA와의 ~~관계~~ 안전 협정을 체결할 용의가 있으며, 그 경우 다른 조건이나 부대조항을 달지 않겠다고 강조하고 있음

나. 물론 북한은 주한미군 핵무기를 걱정하고 있음. 그러한 걱정도 일리는 있으나, 이는 미.북간 문제이며 북한과 IAEA간 문제는 아닌것으로 봄~~고 있음~~.

2. 나까야마 일본외상

가. 북한의 핵개발은 일본뿐 아니라 동아시아 전체의 안보에 중대한 영향을 미치는 문제이므로 북한이 NPT 조약의무에 따라 IAEA와의 핵안전협정을 조기에 무조건으로 체결하고 이를 성실히 이행하는게 불가결함

나. 지난번 IAEA 이사회에서 행한 서명용의 표명까지는 좋으나, ~~한편~~ 이것이 미국의 핵선제 불사용 약속, 남한과의 동시핵사찰등 종래의 조건을 철회하겠다는 것인지 아직 불명함

보안 통제	(서명)

/계속...

앙 고 재	91년 6월 29일	국기과	기안자 성명		과 장		국 장		차 관	장 관
			김회택		(서명)		전결			(서명)

외신과통제

0285

다. 일본으로서는 북한의 동향을 계속 주시해 나가겠으나, 방금 귀하의 발언으로 보아 북한이 핵안전협정에 서명은 무조건 하되, 실제 사찰에는 조건을 붙이겠다는 건지 금번 방북시 인상이라도 좋으니 설명해 주기 바람.

3. 전기침 : 금번 방북시 인상으로 보아 북한은 두문제를 나누어 해결하려는 것 같음. 즉 IAEA와 협정을 체결하는 문제는 해결될 것으로 보고 있으나, 다만 주한 미군핵문제, 남한에 대한 사찰요구는 철회하는 것이 아니라는 인상이었음

4. 나까야마 : 다시한번 협정서명뿐 아니라 실제 사찰 수락이 중요함을 강조하는 바임. 이문제는 계속 추적해 나가고자함. 끝.

예고 : 91.12.31 일반

수신처 : 주오스트리아, 미, 호주, 북경 대사

(국제기구조약국장 문 동 석)

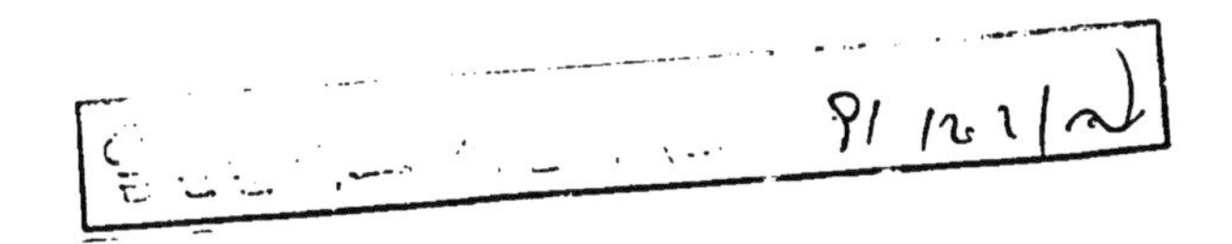

검토필(1991. 6.30.) 인

0286

정 리 보 존 문 서 목 록

기록물종류	일반공문서철	등록번호	2020010080	등록일자	2020-01-14
분류번호	726.62	국가코드		보존기간	영구
명 칭	북한.IAEA(국제원자력기구) 간의 핵안전조치협정 체결, 1991-92. 전15권				
생 산 과	국제기구과/국제연합1과	생산년도	1991~1992	담당그룹	
권 차 명	V.4 IAEA 6월 이사회 관련 지지 요청				
내용목차	* IAEA 6월 이사회 (6.10-14)에서의 협정 체결 관련 지지 요청				

0001

관리 번호	91-483

	분류번호	보존기간

발 신 전 보

번 호 : WAV-0534 외 별지참조　　종별 :

수 신 : 주 수신처참조 대사. 총영사

발 신 : 장 관 (국기)

제 목 : IAEA 6월 이사회 대책

1. 오는 6.10-14간 비엔나에서 개최되는 IAEA의 6월 이사회에서 북한의 핵안전협정체결 문제가 재심의될 예정임

2. 호주, 일본, 카나다와 미국등 4개국은 보다 효과적인 대북한 협정 체결 압력의 일환으로 상기 이사회에서 북한의 협정체결을 촉구하는 결의안 채택을 추진중에 있음. 이와관련 동 4개국이 상기 IAEA 이사국을 상대로 5월 중순부터 시작한 동 결의안 채택 추진 교섭에 대하여 호주측이 아측에 알려온 상황은 다음과 같음

가. 지지 : 영국, 인니, 필리핀, 태국

나. 반대 : 소련

다. 무반응 : 중국

3. 결의안 채택을 주도하고 있는 호주측은 다수 이사국이 컨센서스로 결의안 채택을 동조하는 분위기가 될경우 소련도 반대할 수 없으며 중국, 인도, 쿠바도 마찬가지로 이의를 제기할 수 없을것이라는 판단하에 제2단계 교섭 전략으로 결의안 공동추진국인 일본, 카나다, 미국과 함께 또는 각개로 귀주재국의 지지 요청 교섭을 전개할 예정임

/계속...

보 안 통 제	(서명)

앙 고 재	91년 6월 3일	국기과	기안자 성명		과 장		국 장		차 관	장 관
			김희택		(서명)		전결			(서명)

외신과통제

0002

4. 상기를 참고하여 귀관은 핵확산 금지에 의한 세계평화라는 명제하에 주재국이 금번 6월 이사회에서 북한의 핵안전협정체결을 촉구하는 결의안 채택을 지지하도록 적극교섭하고 결과 보고바람. 끝.

(국제기구조약국장 문동석)

예 고 : 91.12.31 일반

수신처 : 주 오지리, 알젠틴, 벨지움, 브라질, 카메룬, 칠레, 체코, 프랑스, 독일, 이란, 이태리, 모로코, 나이제리아, 폴랜드, 폴투칼, 사우디아라비아, 스웨덴, 튜니지아, 우루과이, 베네주엘라 대사, 주 카이로 총영사.

검 토 필(1991. 6. 30.)

일반문서로 재분류(1991.12.31.)

0002-1

관리 번호	91-484

	분류번호	보존기간

발 신 전 보

번 호 : WAV-0536 외 별지참조 / 종별 지급

수 신 : 주 수신처참조 대사. 총영사

발 신 : 장 관 (국기)

제 목 : IAEA 6월 이사회 대책

연 : 수신처별 참조

연호 주재국을 상대로 한 교섭관련 귀지주재 호주 또는 일본 대사관을 접촉하여 주재국에 대한 동 대사관측의 결의안 제출 관련 교섭 (~~representation~~) 이 있었는지 여부를 먼저 확인하고 동 교섭이 있은 연후에 아측 교섭을 시행하기 바람. 끝.

(국제기구조약국장 문동석)

예 고 : 91.12.31 일반

검토 필(1991.6.30.)

수신처 : 주 오지리(WAV-0534), 알젠틴(WAR-0248), 벨지움(WBB-0274), 브라질(WBR-0237), 카메룬(WCM-0159), 칠레(WCS-0172), 체코(WCZ-0439), 프랑스(WFR-1162), 독일(WGE-0845), 이란(WIR-0455), 이태리(WIT-0613), 모로코(WMO-0179),나이제리아(WNJ-0225),폴랜드(WPD-0520),폴투갈(WPO-0218), 사우디아라비아(WSB-0802), 스웨덴(WSD-0286), 튜니지아(WTN-0157), 우루과이(WUR-0080),베네주엘라(WVZ-0179)대사, 주카이로(WCA-0427)총영사.

일반문서로 재분류(1991.12.31.)

보안 통제	

앙 고 재	91년 6월 3일	국기과	기안자 성명		과 장		국 장		차 관	장 관

외신과통제

0003

WAV-0536 910603 1906 FO

WAR -0250 WBB -0276 WBR -0239 WCM -0160 WCS -0176

WCZ -0441 WFR -1164 WGE -0847 WIR -0460 WIT -0616

WMO -0180 WNJ -0226 WPD -0524 WPO -0219 WSB -0804

WSD -0287 WTN -0159 WUR -0081 WVZ -0183 WCA -0428

0004

관리 번호 91-485

원 본

외 무 부

종 별 :

번 호 : CPW-1116 일 시 : 91 0603 1700

수 신 : 장관(국기,국연,아이,기정)

발 신 : 주 북경 대표

제 목 : 북한 핵사찰건 중국 반응

대: WCP-0685

1. 대호 북한의 핵사찰 협정 교섭 재개용의 표시에 대해 주재국에서는 6.3 현재 일체의 언론보도나 반응을 보이지 않고 있음.

2. 그간 주재국은 북한과 핵분야 협력이 없음을 이유로 북한핵시설 사찰 문제에 대한 입장을 밝히지 않으려는 자세를 보여 왔음. 끝.

(대사 노재원-국장)

예고: 91.12.31. 일반

검 토 필(1991. 6. 30.)

일반문서로 재분류(1991 .12. 31.

국기국	장관	차관	1차보	2차보	아주국	국기국	분석관	청와대
안기부								

PAGE 1

91.06.04 05:40

외신 2과 통제관 DO

0005

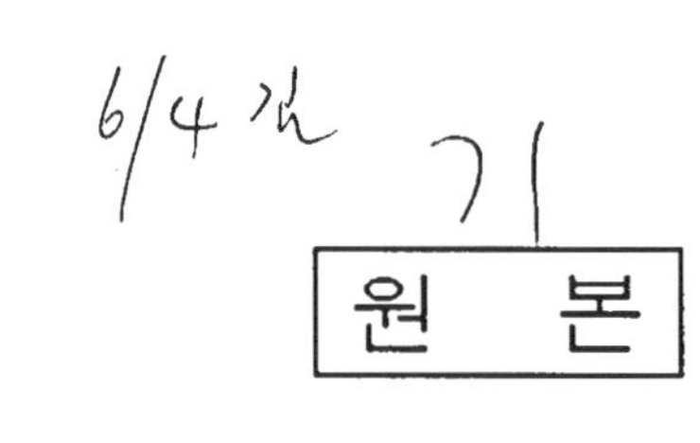

관리 번호	91-488

외 무 부

종 별 :

번 호 : CSW-0415 일 시 : 91 0603 1820

수 신 : 장 관(국기,미남)

발 신 : 주 칠레 대사

제 목 : IAEA 6월 이사회 대책

대:WCS-0172,0176

1. 대호 관련, 본직은 6.3. 당지 주재 R. SHIKAMA 일본대사 및 S. DANGAARD호주대사대리를 각각 접촉한바, 동 결과 하기 보고함.

가. 일본대사 접촉 결과:

본국 정부 훈령에 따라 6.3. 칠레 외무성 당국자(CARLOS PORTALES 정무차관보)를 접촉, 결의안 제출관련 교섭을 행하였다함. 그러나, 외무성측의 반응 없었으며, 칠레가 아직 핵무기 비확산조약(NPT)에 가입하지 않고 있는 입장(5.9. CSW-0350 참조)에 비추어 칠레 정부가 동 결의안에 찬성하게 될른지는 의문이며, 동 대사는 칠레의 찬성 입장을 얻어내는 것이 어려울것으로 보고 있음.

나. 호주대사대리도 본국 정부의 훈령을 접수, 상기 외무성 당국자와의 면담을 요청중에 있다함.

2. 당관은 상기 양국대사관과 긴밀히 협조, 대주재국 교섭을 전개 하겠음. 끝

(대사 문창화-국장)

예고:91.12.31. 일반

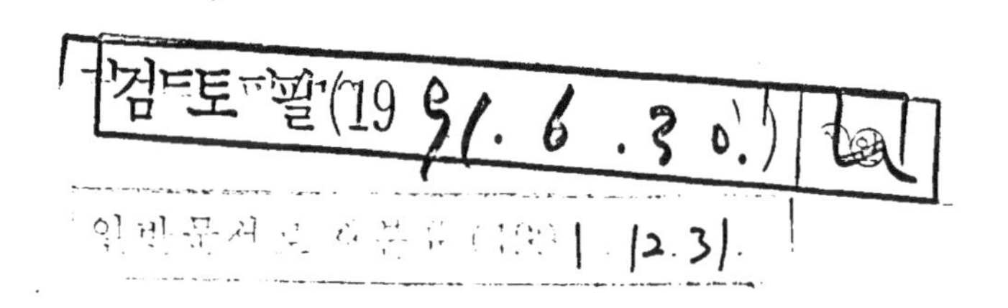

국기국 장관 차관 1차보 2차보 미주국 ~~분석관~~ 청와대 안기부

PAGE 1

91.06.04 08:40

외신 2과 통제관 BS

0006

6/5 (handwritten) 기

관리번호	91-493

원 본

외 무 부

종 별 :

번 호 : SDW-0469　　　　일 시 : 91 0604 1530

수 신 : 장관(국기)

발 신 : 주 스웨덴 대사

제 목 : IAEA 이사회 대책

대:WSD-0286,0287

1. 대호 지시에 따라 본직은 당지 호주 및 일본대사와 접촉, 대호 교섭내용을 알아 본바를 아래 보고함.

가. 당지 호주, 카나다 및 일본대사는 공동으로 금 6.4 오전 외무성 제 6 국 SALANDER 국장을 면담 (HECKSCHER 제 4 국장 동석)하고 핵안전 협정체결 문제에 대한 대북한 국제적 압력을 강화하기 위하여 호주등이 추진하고 있는 결의안을 지지해 줄것과 또한 서전정부가 개별적으로 북한에 대한 협정체결 촉구성명을발표해 줄것을 요청함.

나. 서전측은 이에대하여 호주등이 추진하는 취지에는 전적으로 동감이 나 TACTIES 상 현단계에서 서전이 어떠한 입장을 취하는 것이 좋을지에 대하여는 좀더 검토해 보겠다고 말하였다함.

다. 서전측은 오는 6.24 에 북한이 IAEA 와 교섭을 재개키로한데 대하여 이는 북한의 TACTIES 일 가능성이 크다고 평가하고 그렇더라도 일단은 동 교섭결과를 본후에 9 월이사회 및 총회에서 강력한 결의안을 추진하는것도 하나의 방법일것이라고 말하였다함.

2. 이와 관련, 본직은 SALANDER 국장과의 면담을 추진중에 있으며 HECKSCHER 국장과는 6.7 오찬을 가질예정임.끝

(대사 최동진-국장)

예고:91.12.31 일반

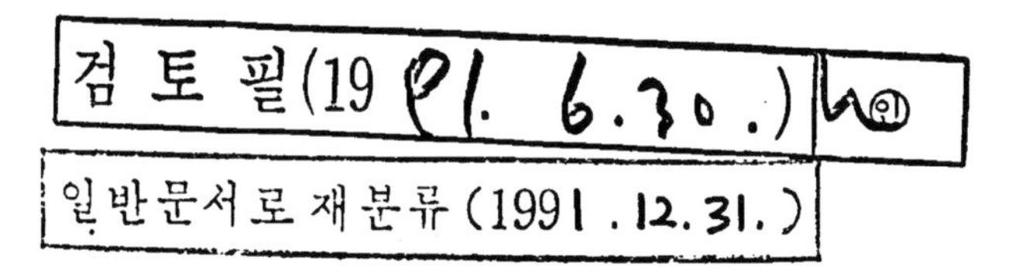

국기국　차관　1차보　2차보　청와대　안기부

PAGE 1　　　　91.06.04 23:27

외신 2과 통제관 CH

0007

외 무 부

종 별 : 긴 급

번 호 : TNW-0274 일 시 : 91 0604 1830

수 신 : 장 관(국기,중동이)

발 신 : 주 튀니지 대사

제 목 : IAEA 6월 이사회 대책

대:WTN-0157

연:TNW-0273

본직은 6.4 BEN YAHIA 외무장관을 면담, IAEA 에 관해 교섭하였음.

1. 튀니지는 핵비확산 원칙에 적극 찬성하며 이원칙은 모든 나라에 적용(이스라엘을 지칭한 것으로 봄)될 것을 원하고 있음.

2. 북한의 핵무기 개발이 동북 아시아에 있어 연쇄 반응을 일으킬 수 있다는 본직의 설명에 전적으로 동의하며 한국의 안전과 안보상의 염려를 충분히 이해하므로 한국의 입장을 적극 지원하겠다고 하였음.

3. 금번 이사회에 제출된 결의안 초안을 충분히 검토한 후 핵 비확산 원칙에 의거 자국 대표단에 조속 훈령할 것임을 약속하였음. 끝.

(대사 변정현-장 관)

예고:91.12.31 일반

검토 필(19 91. 6.30.)

일반문서로 재분류(1991 .12.31.)

국기국 장관 차관 1차보 2차보 중아국 청와대 안기부

PAGE 1 91.06.05 06:33

외신 2과 통제관 CH

0008

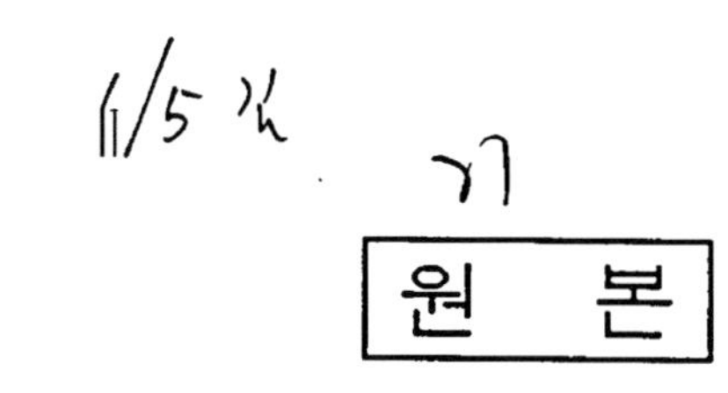

관리번호	91-494

외 무 부

종 별 : 긴 급

번 호 : TNW-0273　　　　일 시 : 91 0604 1800

수 신 : 장 관(국기,중동이)

발 신 : 주 뷔니지 대사

제 목 : IAEA 6월 이사회 대책

대:WTN-0159

당지 일본 대사와 접촉한 결과 아래 보고함.

1. 일본측은 결의안 초안(당관 보관중)을 주재국 외무부 당국에 제출함과 동시 교섭을 한 적이 있음.

2. 동 교섭에 대한 주재국측 반응은 충분한 고려와 호의적인 반응을 보였다함.

3. 당지에는 호주대사관이 없으나 공동 제안국인 호주는 자국 주 요르단 호주대사로 하여금 주요르단 뷔니지 대사를 통해 IAEA 이사회와 관련 결의안 초안 제출에 관해 교섭한 사실이 있었음을 알려주었음. 끝.

(대사 변정현-장 관)

예고:91.12.31 일반

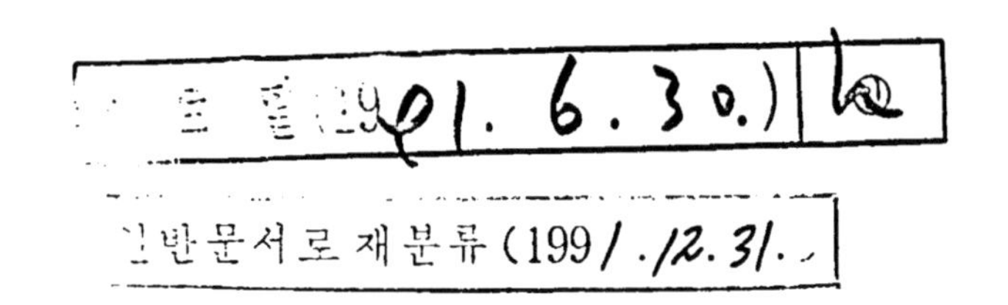

국기국 장관 차관 1차보 2차보 중아국 정와대 안기부

PAGE 1　　　　91.06.05 06:34
외신 2과 통제관 CH
0009

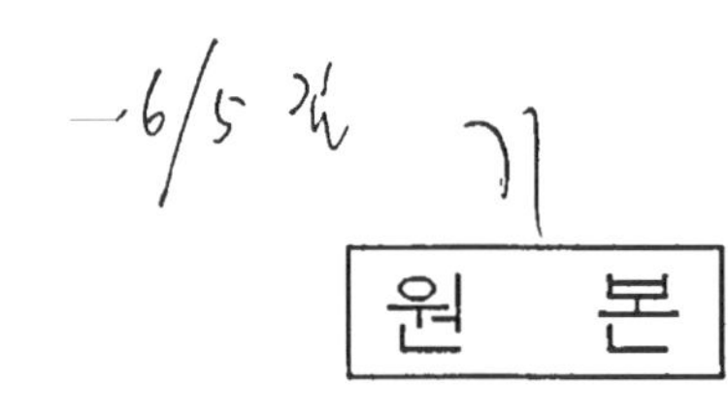

관리 번호	91-495

외 무 부

종 별 :

번 호 : POW-0387 일 시 : 91 0604 1900

수 신 : 장관(국기,구이,정특)

발 신 : 주 폴투갈 대사

제 목 : IAEA 6월 이사회대책

대:WPO-0219

POW-0386

1. 대호, 당관 주참사관이 당지 일본대사관 SHIMIZU 참사관에게 6.4 오전 확인한바, 동 참사관은 이미 본부의 훈령이 있어 5.31 주재국 외무성 SANTANA 국기국장을 방문, 6 월 이사회에서 폴투갈이 북한의 IAEA 사찰 수용을 촉구하는 발언을 해 줄것과, 대호 결의안 제출시의 지지를 요청했다함(결의안 초안 전달). 이에 대해 주재국측은 대호 결의안 제기시, 이를 지지토록 추진하겠다고 말했으나, 발언문제에 대해서는 답하지 않았다함. 또 6.4 오후에는 당지 일본대사 및 호주대사가 공동으로 당 주재국 외무성 MENEZES 정무경제 차관보를 방문하고, 본건 교섭예정이라하였음

2. 동 일본참사관은 본 결의안이 절대적 지지의 대세로인해 컨센서스로 채택될 전망이 있고, 또 소련도 반대할수 없는(최소한 기권등) 상황이 될때야, 일본등 공동제안국이 본결의안을 정식 상정할수 있을것으로 생각한다고 말함

3. 주참사관이 6.4 유엔문제 관계로 동 국기국장 면담시, 대호사항을 거론,지지요청한바, 주재국측은 일본측으로 부터의 접촉이 이미 있었음을 확인하면서, 주재국은 핵확산방지 중요성의 기본원칙에 비추어, 대호 결의안 상정시, 이를 지지할것이라고 말했음. 아측이 6 월 이사회 석상에서의 본 문제관련 발언도 권유한바, 동 국장은 발언하는 문제는 더 검토해 보겠다고 답했음(이는 남북동시수교국으로서의 곤란한 입장을 고려한것으로 감지됨)

4. 본건 앞으로 계속 추가교섭하고 결과 보고하겠음. 끝

(대사조광제-국장)

예고:91.12.31 일반

검 토 필(1991. 6. 30.)

일반문서로 재분류(1991. 12. 31.)

국기국 차관 1차보 2차보 구주국 외정실 분석관 청와대 안기부

PAGE 1 91.06.05 07:16

외신 2과 통제관 FE

0010

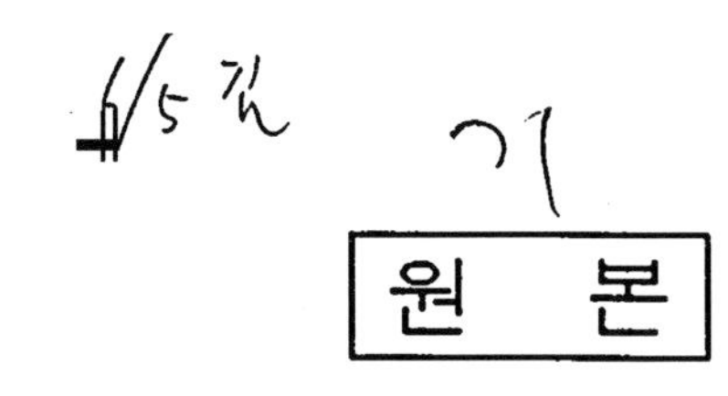

관리번호	91-498

외 무 부

종 별 :

번 호 : ITW-0848 일 시 : 91 0604 1910

수 신 : 장관(국기,구일)

발 신 : 주 이태리 대사대리

제 목 : IAEA 6월 이사회 대책

대 WIT-0613,0616

1. 대호 북한의 핵안전 협정체결촉구 결의안 채택교섭 관련, 당관 문병록 참사관은 작 6.3. 당지 일본 및 호주대사관 관계참사관과 접촉, 상기 동 대사관측의 대주재국 교섭 여부를 확인한 바 동인들은 5.31(금) 외무성 군축및 핵 담당국 담당 참사관과 면담, 이태리가 동결의안의 채택을 지지하여 줄것을 요청하고,이에 대한 JOINT DEMARCHE 를 전달하였으며, 이에 대해 이태리측은 오지리 대표부와 협의 결정하겠다는 입장을 밝혔다 함.

2. 이에따라 문참사관은 금 6.4. 외무성 FARNESE 담당국장과 접촉, 상기 사실과 그간 동문제 관련 이태리 정부가 아국입장을 적극 지지하여 왔음을 상기시키면서 금번 회의시 동 결의안 채택을 적극 지지하여 줄것을 요청한 바, 동국장은 이태리도 동결의안 채택을 지지할 것이라고 답하면서 영. 불.독도 같은 입장을 취하게 되기를 희망하였음.

동국장은 금번 회의에 IAEA 주재 이태리대사가 참석할 것이며 동인에게 훈령을 보낼 것이라고 언급하였음. 끝

(대사대리 황부홍--국장)

예고:91.12.31. 일반

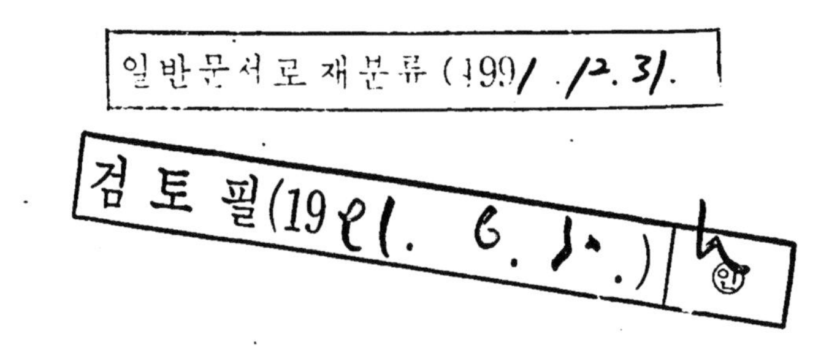

국기국	장관	차관	1차보	2차보	구주국	분석관	청와대	안기부

PAGE 1 91.06.05 08:24

외신 2과 통제관 FE

0011

6/5 기

기

관리번호 91-497

원 본

외 무 부

종 별 :

번 호 : CZW-0475　　　　일 시 : 91 0604 2000

수 신 : 장 관(국기,동구이)

발 신 : 주 체코 대사

제 목 : IAEA 이사회

대: WCZ-0439, 0441

1. 당지 일본대사관에 의하면 본국으로부터 당지 호주대사관과 협조하여 공동으로 대호 결의안에 대한 주재국의 지지를 교섭토록 지시받았다함.

2. 일측은 6.5 호주측과 면담후 주재국 외무부 접촉 예정이라하는 바, 동 결과를 당관에 알려주기로하였음.

3. 상기 결과 및 당관의 주재국 외무부 접촉결과 있는대로 추보하겠음. 끝.

(대사 선준영-국장)

예고:91.12.31. 일반

검 토 필(1991. 6. 30.)

일반문서로 재분류(1991.12.31.

국기국　1차보　2차보　구주국

PAGE 1　　　　91.06.05　08:07

외신 2과　통제관 BS

0012

6/7 긴

21

관리 번호	91-516

원 본

외 무 부

종 별 :

번 호 : FRW-1388 일 시 : 91 0605 1630

수 신 : 장관(국기,구일,정특,사본:주오지리 대사-중계필)

발 신 : 주 불 대사

제 목 : IAEA 6월 이사회 대책

대:WFR-1162

1. 본직은 금 6.5 IAEA 이사인 주재국 원자력청 FORQUENOT DE LA FORTELLE 국제국장(전 주한 대사)과 오찬한 기회에 대호 북한의 핵 안전협정체결 촉구 결의안 채택 추진 움직임을 설명하고, 주재국의 지지를 요청하였음.

2. DE LA FORTELLE 국장은 아직 동 결의안 초안을 입수하지는 못하였으나 전직 주한 대사로서 핵 안전문제에 관한 한국측의 입장을 잘 알고 있으므로 동 결의안 채택에 협조하겠다고함.

3. 동인은 6.9 출국하여 표제이사회에 참석할 예정이라 하는바, 아국 대표단이 현지에서 동인을 접촉, 협조요청토록 훈령하여 주시기 바람.

4. 당관에서는 동건관련 주재국 외무성도 별도로 접촉할 계획임.끝

(대사 노영찬-국장)

예고:91.12.31 일반

검 토 필(1991. 6. 30.) 인

일반문서로 재분류 (1991 . 12. 31.

국기국 차관 1차보 2차보 구주국 외정실

PAGE 1 91.06.06 00:10

외신 2과 통제관 CE

0013

관리번호	91-515

원 본

외 무 부

종 별 : 지 급

번 호 : GEW-1181　　　　일 시 : 91 0605 1600

수 신 : 장관(국기,구일)

발 신 : 주 독 대사

제 목 : IAEA 이사회 대책

대:WGE-0845, 0847

대호 관련 6.5. 안공사는(전참사관 동석)외무부 핵문제담당 NOCKER 국장을 면담한바 다음 보고함

1. 안공사는 대호 훈령내용을 설명하고 주재국의 적극적인 지지를 요청한바, 동국장은 당지 일본및 호주대사관측으로부터 대호 결의안을 전달받고 검토한바, 동 결의안의 내용은 독일정부의 기존입장과 일치함으로 이를 지지할 방침이라고 말하고, IAEA 의 주재국 이사(GOVERNOR)인 REINHARD LOOSCH 에게도 이의 지지훈령을 통보한바 있다고 함

2. 동국장은 이어 과거 동.서독은 각기 상대방지역의 핵무기 존재사실을 알고 있으면서도 IAEA 핵안전협정을 서명한바, 독일정부는 북한의 IAEA 핵안전협정서명은 NPT 가맹국으로서 당연한 의무이며, 이의 서명에는 어떤조건도 있을수 없는 것이라고 본다고 말하고, 이러한 입장은 전기 일본및 호주대사관측에도 표명하였다고 함

3. 동국장은 또한 현재 NPT 가맹국중 56 개국이 핵안전협정에 서명치 않고 있는바, 북한이 만약에 이를 이유로 핵안전협정 서명거부를 변명하는 경우에는 핵안전협정 미서명국들중 북한을 제외한 여타국들은 사실상 핵을 보유할 능력이 없으므로 북한의 경우와는 상황이 다르다는 논리로 대응코자 한다고 말함

4.NOCKER 국장 자신도 동이사회에 주재국의 부대표(DEPUTY GOVERNOR)로 참석할 예정이라고 하면서 적극적인 지원을 다짐함.

(대사-국장)

예고:91.12.31. 일반

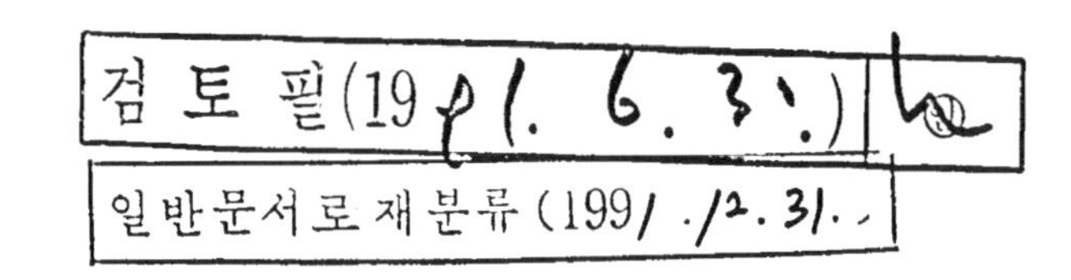

국기국　1차보　구주국

PAGE 1　　　　91.06.06　00:22

외신 2과　통제관 CE

0014

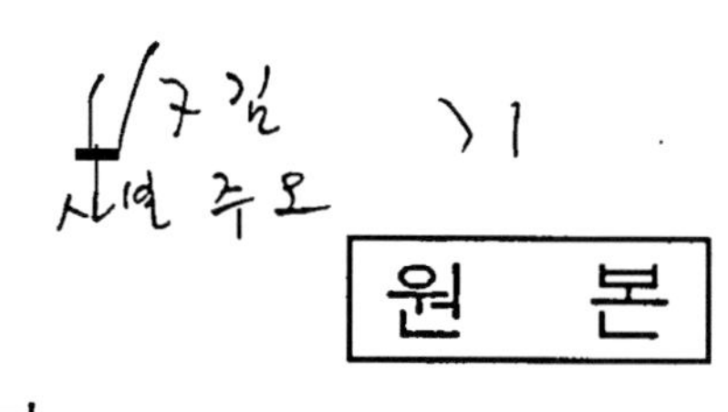

관리 번호	91-517

원 본

외 무 부

종 별 :

번 호 : CSW-0420　　　　일 시 : 91 0605 1640

수 신 : 장관(국기,미남)

발 신 : 주 칠레 대사

제 목 : IAEA 6월 이사회 대책

연:CSW-0415

1. 본직은 금 6.5. 주재국 외무성 특수정무국장 BERGUNO 대사를 면담(배진 참사관 대동), 연호건 지지 교섭을 한바, 동 국장은 관련 결의안의 취지에 전적인 공감을 표시하면서 이의 채택에 대한 주재국 정부의 지지를 약속하고, 금일중IAEA 주재 자국대표에게 이를 훈령하겠다고 첨언하였음.

2. 한편, 당지주재 일본, 카나다 대사 및 호주대사대리도 금일 오전 본건 관련 주재국 외무성 정무차관보 PORTALES 대사를 각각 접촉한것으로 확인됨. 끝

(대사 문창화-국장)

예고:91.12.31. 일반

검토필(91.6.30.)

일반문서로재분류(1991.12.31.)

국기국　　1차보　　미주국

PAGE 1　　　　91.06.06　06:06

외신 2과　통제관 FM

0015

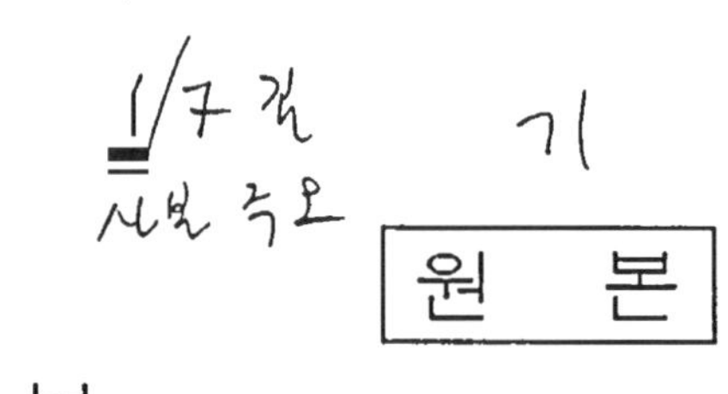

관리 번호	91-518

원 본

외 무 부

종 별 :

번 호 : NJW-0424 일 시 : 91 0605 1730

수 신 : 장관(국기,아프일)

발 신 : 주 나이지리아 대사

제 목 : IAEA 이사회 대책

대:WNJ-0225,0226

본직은 6.3-5 간 OAU 정상회의관련 행사 참가차 신수도 ABUJA 출장기간중 대호관련 6.4. 호주및 일본대사 접촉, 대외무성 교섭결과를 다음 보고함.

1. 당지 CORDELL 호주대사에 문의하면 동대사는 본국정부의 지시로 약 1 개월 외무성 국제기구담당 차관보와 접촉 나이지리아가 IAEA 이사회에서 대북한 IAEA 협정체결촉구 결의안 지지교섭을 한바 있다하며 이에 주재국측은 매우 소극적인 반응(지지도 반대도 아닌)을 보였다함. 자기의 관찰로는 남북한 관계를의식한듯한 점과 국제관계에서 나이지리아가 어느일방으로 COMMIT 되는 것을 원치않는 듯한 인상을 받았다함.

2.KUROKOCHI 일본대사도 약 1 개월전에 동건 대주재국 교섭을 시행한바 주재국측으로서는 TAKE NOTE 하고 검토해보겠다는 반응뿐이었으며 구체적 지지약속은 없었다고함.

3. 본직은 6.4.ABUJA 국제회의장(OAU 회의)에서 MBOKWERE 국제기구담당 차관보와 접촉(동차관보는 OAU 정상회담 진행관계로 정상적인 면담은 아니었으며 6.8. 영국출장 예정이라함)대호건 거론 지지협조 요청한바 주재국 외무성 본부는OAU 정상회담, 진행및 후속조치, ECOWAS 회의(ABUJA)준비등으로 매우 바쁜실정이며 대호협조문제는 현지 분위기에 따라 처리될 가능성이 많다고만 말하고 있음.

4. 본직이 관찰한바로는 주재국의 OAU 의장국 피선, 유엔사무총장후보로 자국인(OLUSEGUN OBASANJO 전직대통령)로비 움직임, 나이지리아. 북한관계(91.3.KURE 청년체육상 및 91.5.ABACHA 국방상의 방북등)등으로 비추어 북한의 핵안전협정체결 촉구결의안을 포함한 일반적인 국제문제에 대하여 중립 또는 EVEN-HANDED한 입장을 취할 가능성이 많은 것으로 보이는바 참고바람.

국기국 차관 1차보 2차보 중아국 외연원 분석관 청와대 안기부

PAGE 1

91.06.06 07:27

외신 2과 통제관 CE

0016

(대사 조명행-국장)

예고:91.12.31. 일반

일반문서로 재분류 (1991 .12. 31.

검 토 필(1991. 6.30.)

PAGE 2

0017

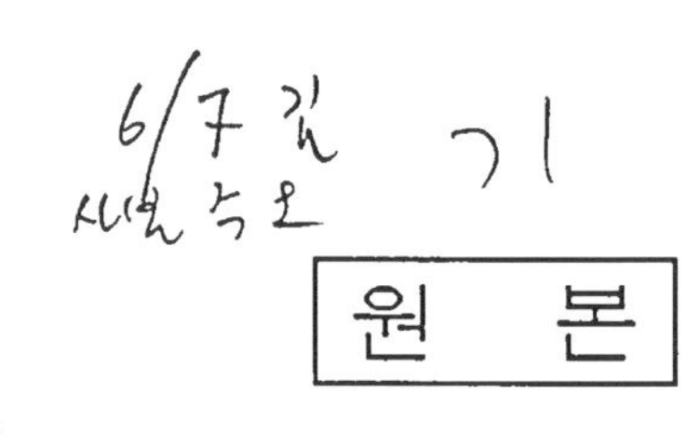

관리 번호	91-812

원 본

외 무 부

종 별 :

번 호 : CMW-0189 일 시 : 91 0605 1720

수 신 : 장관(국기)

발 신 : 주 카메룬 대사

제 목 : IAEA 6월 이사회대책

대:WCM-159,160

1.6.5 일 본직은 주재국 외무부 국제기구국장대리 EKANEA 를 면담, 표제 북한의 핵안전협정체결문제를 설명하고 주재국 대표단으로부터 이에대한 보고여부와 주재국정부 입장을 문의하였던바 아래와 같이 말하였기 보고함.

2. 동국장은 동건에 관해 VIENNA 대표단으로 부터 보고를 받았으며 북한의 핵안전협정체결과 관련, 수개국 대표로부터 접촉을 받고 이에대해 본부에 청훈해왔다고 말하였음.

3. 또한 주재국 정부는 핵안전협정이 NPT 의 일부분이며 IAEA 에의한 감시제도는 핵에너지의 전쟁 및 공격용 목적이 아닌 평화적 이용개발을 위한 상호 기술 교류를 위해서도 필요하다는 것이 정부입장이며, 이에대해 상부결재를 받는대로 6.10 일 이사회개최시까지 VIENNA 자국대표에게 훈령할것이라고 말하였음.

4. 동국장은 북한의 핵개발 능력과 수준에 대해 많은 대표들이 회의를 갖고있다고 하기에 본직은 북한의 군사력증강 상황, 일.북한간의 수교교섭에서 동문제 제기에 따른 북한의 입장등에 비추어 아세아지역 평화 나아가 세계평화에 위협적 요인이 되고 있음을 설명하였음.

5. 당지 일본및 미국대사관과 접촉한바 본국정부로부터 표제건에 관해 별도 훈령받은바 없다고 함.

(대사 황남자-국장)

예고:91.12.31. 일반 일반문서로 재분류(1991 12.31.

검 토 필(1991. 6. 30.)

국기국 차관 1차보 2차보 청와대 안기부

PAGE 1

91.06.06 08:33

외신 2과 통제관 FM

0018

원 본

외 무 부

종 별 :

번 호 : SBW-1072 일 시 : 91 0605 1510

수 신 : 장관(국기)

발 신 : 주 사우디 대사

제 목 : IAEA 6월이사회 대책및 UNESCO집행위원 입후보

대:WSB-802, 국기 20333-4810

1. 금 6.5 본직은 주재국 외무부 국제기구국장 AL-LAQUANI 대사를 면담, 금년 6 월 IAEA 이사회에서 북한의 핵안전 협정 체결을 촉구하는 결의안 채택 및 우리나라의 UNESCO 집행위 입후보에 대해 주재국이 지지하여 줄것을 요청하였던바, 동국장이 언급한 내용 아래보고함(백기문참사관 배석)

가. 결의안 채택

-사우디로서는 핵안전 협정에 서명치않고 있어, 적극적 지지는 어려우나, 주 오지리 사우디대사에게 이사회 분위기가 사우디가 핵안전 협정을 체결치 않은 것을 비난하는 분위기가 아닌경우, 동결의안 채택에 찬성하라는 내용의 전문를 타전하겠음

-당지 주재 호주, 카나다, 일본대사관에서도 동결의안 채택과 관련, 사우디정부의 지지를 요청해온바 있음

나.UNESCO 집행위원 입후보

-사우디정부로서는 한국의 함태혁대사의 UNESCO 집행위원 입후보를 지지하는데 별문제가 없으며, 곧사우디정부의 공식입장을 외교문서로 한국대사관에 통보하여 주겠음

다. 우리나라의 유엔가입

-북한의 유엔가입 신청 결정으로 그동안 한국의 유엔가입을 막아온 마지막 장애가 제거되어 금년에 한국이 유엔에 가입할수 있게된것을 축하함

2. 당관이 확인한바에 의하면, 당지주재 호주 및 일본대사관측은 공동으로 6.3 카나다대사관은 6.4 전항의 LAQUANI 대사를 접촉, 북한의 핵안전 협정체결 촉구 결의안 채택에 따른 사우디정부의 지지를 요청한바 있으며, 미대사관측은 금일중 동대사를 접촉 예정인것으로 보임.끝

국기국 차관 1차보 2차보 청와대 안기부

PAGE 1 91.06.06 08:40

외신 2과 통제관 FM

0019

(대사주병국-국장)

예고:91.12.31 일반

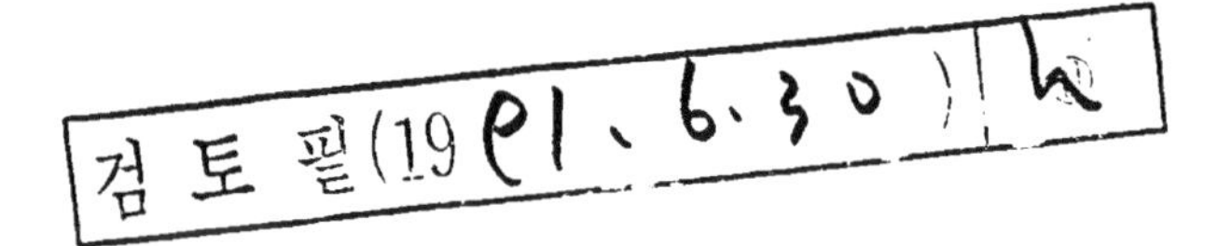

관리 번호 91-508

원 본

외 무 부

종 별 :

번 호 : BRW-0422 일 시 : 91 0605 1830

수 신 : 장 관(국기,미남)

발 신 : 주 브라질 대사

제 목 : IAEA 6월 이사회 대책

대: WBR-0239

1. 당지 일본대사관 하나다 1 등서기관과 JULIE GOULD 호주대사관 1 등서기관은 6.4 주재국 외무부 고급제품 통상과 VIRGINIA TONIATTI 서기관을 방문, 대호 IAEA 6 월 이사회에서의 북한의 핵안전 협정체결 촉구결의안에 대한 브라질 정부의 지지를 요청하였다 함.

2. VIRGINIA 서기관은 여사한 요청에 대하여 결의안에 일단 공감을 표시, 동 취지는 환영하나 결의안속에 북한을 지칭하여 북한에게 핵안전 협정체결을 요구하는 내용믈 명시하는 것은 NPT 회원국이 아닌 브라질로서는 그다지 합당치 않다는 의견을 피력하였다함. 또 동인은 현재 브라질측 입장은 확정되지 않고 있지만 조속 아르헨티나및 여타 비 NPT 회원국과 협의,6.10 회의개회시 동건에 대한 입장을 결정할 것이라고 언급하였다함.

3. 당관은 금명간 외무부 관계관을 접촉, 동결의안 채택 지지교섭후 결과 보고위계임.끝.

(대사 김기수-국장)

예고:91.12.31. 일반

검 토 필(1991. 6.30.)

일반문서로 재분류(1991.12.31.

국기국 차관 1차보 미주국

PAGE 1 91.06.06 10:29

외신 2과 통제관 DO

0021

6/7 김
교섭 혹신 지시 검토
(이후의 내이란 관계 감안)

원 본

관리번호 91-804

외 무 부

종 별 : 지 급

번 호 : IRW-0476 일 시 : 91 0606 1200

수 신 : 장관(국기,중동일)

발 신 : 주 이란 대사

제 목 : IAEA 이사회 대책

대:WIR-0455,0460

대호 당관 김서기관이 6.6 접촉한 일본및 호주대사관 담당자에의하면 본국정부로부터 동건관련 별도 지시를 받은바없다고 하였음을 우선보고함.

참고로 일본대사관측은 VIENNA 주재 일본대표부가 이란측과 교섭할 가능성이 있다고 말하였으며, 호주대사관측은 금번 회의시 자국민의 IAEA 사무국 진출교섭지시가 있었을뿐 이라고하였음. 끝

(대사정경일-국장)

예고:91.12.31 일반

검 토 필(1991. 6. 30.)

91.12.31.

국기국 차관 1차보 중아국

PAGE 1

91.06.06 17:22
외신 2과 통제관 DO
0022

6/7 ... 71

관리 번호	91-503

원 본

외 무 부

종 별 :

번 호 : PDW-0482 일 시 : 91 0606 1200

수 신 : 장관(국기, 동구이, 주 오지리 대사-필)

발 신 : 주 폴란드 대사

제 목 : IAEA 6월 이사회

대 : WPD-0524, 0520

1. 일본 대사관측은 5.31 주재국 외무성과 접촉하였으며, 대호 결의안 지지에 관한 긍정적 반응을 얻은바 있다고함.

2. 이에 따라 6.5 최참사관은 LUKASIK 유엔부국장(국장대리중)과 면담, 동 결의안 지지를 요청한 바, 지지토록 조치하겠다고함. 끝

(대사 김경철-국장)

예 고 : 91.12.31. 일반

검 토 필(1991. 6. 30)

일반문서로 재분류(1991 .12. 31.)

국기국 차관 1차보 구주국 외정실 청와대 안기부

PAGE 1

91.06.06 22:55

외신 2과 통제관 CF

0023

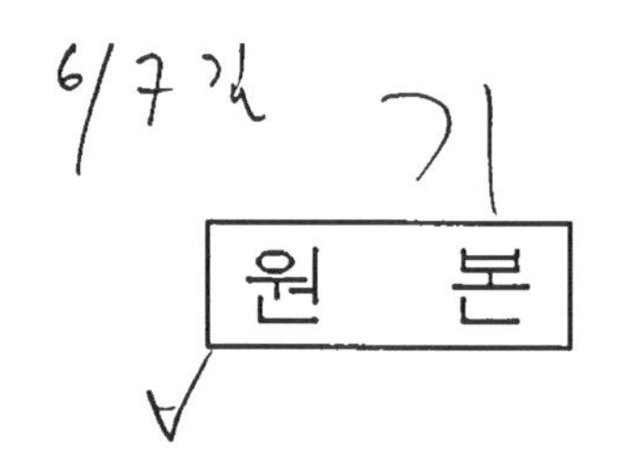
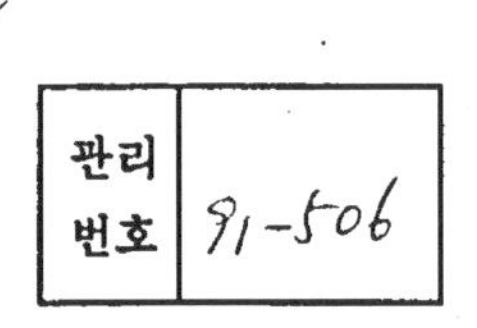

외 무 부

종 별 : 지 급

번 호 : UKW-1209 일 시 : 91 0606 1700

수 신 : 장관(국기,구일,정이),사본:주 오지리대사-직송필,주 호주대사-필

발 신 : 주 영 대사

제 목 : IAEA 6월 이사회 대책

대: WUK-0956,1069

연: UKW-1119

1. 대호관련, 당관 이서기관은 외무성 I.DAVIES 한국담당관 및 P.BATEMAN NPT 담당관에게 확인한 바, 주재국은 6.10-14. IAEA 이사회에서 북한의 핵안전협정 체결촉구 결의안이 상정될 경우 이를 지지할 것이라고 함.

2. 단, 연호 3 항과 같이 북한의 정식국명을 사용하고 있는 호주측의 결의안 초안 채택은 주재국의 북한 불승인 정책과 어긋나기 때문에 상기 1 항의 지지는 자구수정을 전제로 한 것이며 호주측과 현재 이에관해 협의중인 바, 호주측으로 부터 조만간 긍정적인 반응이 있을 것으로 예상한다함.

3. 대호 주재국의 공동제안국 가담문제에 대하여 상기 담당관들은 제안국인 호주측으로 부터 그러한 요청이 없었다는 반응을 보이고 있음. 끝

(대사 이홍구-국장)

예고: 91.12.31 일반

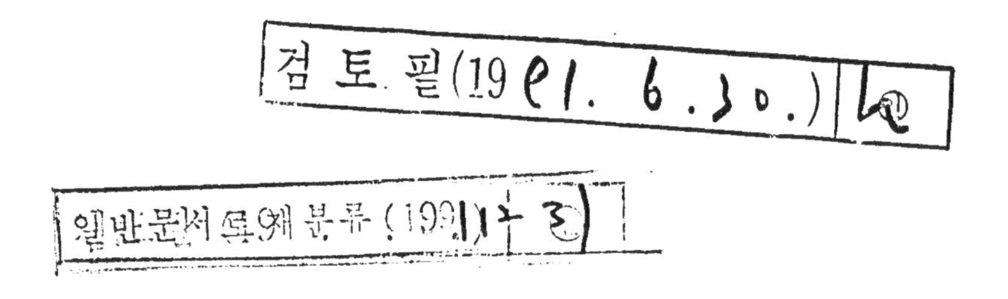

국기국 차관 1차보 구주국 외정실 분석관 청와대 안기부

PAGE 1

91.06.07 05:55

외신 2과 통제관 CF

0024

관리 번호	91-524

원 본

외 무 부

종 별 :

번 호 : ARW-0422 일 시 : 91 0606 1700

수 신 : 장 관(국기)

발 신 : 주 아르헨티나 대사

제 목 : IAEA 6월 이사회대책

대:WAR-0248

1. 본직은 금 6.6. 주재국 외무부 국제안보전략국 CAPPAGLI 공사를 오찬에 초청(신참사관 및 PEDRO VILLAGRA 참사관 동석)코 대호 북한의 핵안전협정 체결을 촉구하는 결의안 채택을 지지 하여줄것을 요청하였음.

2. 동 공사는 비엔나 IAEA 이사회 참석을 위한 대표단이 6.7. 출국예정이며(VILLAGRA 참사관도 대표단원임), 북한의 핵안정 협정체결 촉구 결의안 지지 훈령을 재가중에 있다고함. 그러나 아르헨티나가 NPT 에 가입하지않고 있으며, TLATELOCO 조약을 비준하지않고 있는 입장이기 때문에 적극적인 지지는 어려울것이나, 콘센서스등으로 결의안을 통과시키는것을 지지할수 있을것이라고 언급하였음.

3. 동건 교섭전 당지 일본대사관 ITO 공사에게 확인한바에 의하면 동 공사는 당지 호주대사관 PETER H.MAY 참사관과 함께 6.3.CAPPAGLI 공사를 면담, 결의안 사본을 수교하고 아르헨티나가 금번 IAEA 이사회에서 북한의 핵안전협정 체결을 촉구하는 발언을 하도록 요청하였으나 CAPPAGLI 공사는 상기 2 항 아르헨티나입장에 대한 이해를 요청하면서 발언까지는 어렵다는 입장을 설명하였다고 함.

4.IAEA 대표단에 대한 훈령이 명 6.7. 까지는 재가될것이라고 하는바, 동 결과 추보하겠음.

(대사 이상진-국장)

예고:91.12.31. 일반

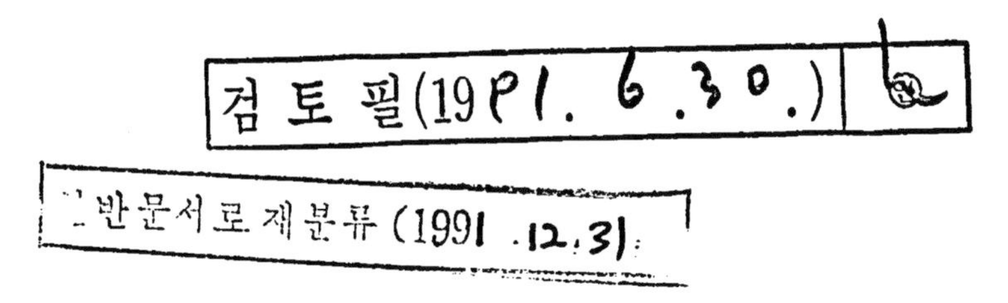

국기국 차관 1차보 미주국

PAGE 1 91.06.07 07:25

외신 2과 통제관 BS

0025

6/7 길
사본국오

기

관리번호	91-521

원 본

외 무 부

종 별 :

번 호 : VZW-0347　　　　일 시 : 91 0606 1830

수 신 : 장 관(국기,미남)

발 신 : 주 베네수엘라 대사

제 목 : IAEA 6월 이사회 대책

대: WVZ-179,183

1. 대호 6 월 IAEA 이사회에서의 대북한 핵안전협정 체결 촉구 결의안 채택추진과 관련, 당관 정영채 참사관은 6.4 당지 주재 일본대사관 AKIRA URABE 공사를 접촉, 동 대사관의 대주재국 교섭을 확인, 6.5 주재국 외무성 MAIGUALIDA APONTE 국제기구 과장과 면담, 동 결의안 채택을 위해 적극 지지해 줄것을 요청함.

2. 동 과장은 일본및 호주대사관으로 부터도 지지요청을 받았다고 밝힌후, 북한은 속히 핵안전 협정에 서명함으로써 그 의무를 이행해야 한다고 말하고, 동결의안 제출시 이를 지지토록 비엔나 주재 자국대사에게 곧 타전하겠다 함. 끝.

(대사 김재훈-국장)

예고: 91.12.31 일반

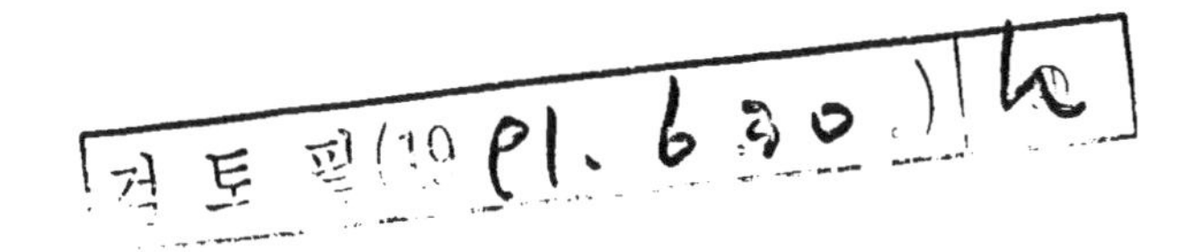
검 토 필(19 91. 6.30.)

일반문서로 재분류 (1991 12. 31

국기국　차관　1차보　미주국

PAGE 1　　　　91.06.07　08:24
외신 2과　통제관 BS

0026

관리 번호 91-522

원 본

외 무 부

종 별 :

번 호 : POW-0394　　　　일 시 : 91 0606 1900

수 신 : 장 관(국기,구이,정특)

발 신 : 주 폴투갈 대사

제 목 : IAEA 6월이사회 대책

대:WPO-0219

연:POW-0387

당지 일본대사 및 호주대사는 연호와같이 6.4 주재국 MENEZES 정무경제 차관보를 면담, 대호 결의안에대한 지지를 요청했으며, 주재국측은 본 문제 결의안제기시, 지지를 약속했다고함(6.5 당지 아주그룹 차석 오찬에서 연호 일본대사관 참사관이 당관 주참사관에게 제보). 끝

(대사조광제-국장)

예고:91.12.31 일반

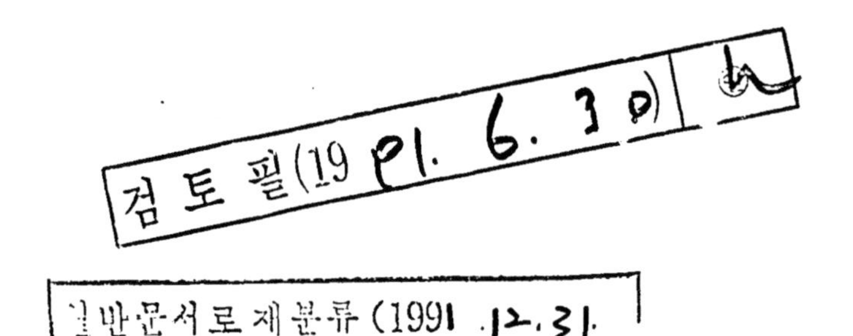

국기국 차관 1차보 구주국 외정실 청와대 안기부

PAGE 1

91.06.07 08:39

외신 2과 통제관 FI

0027

6/7 기
사본 주오 기

관리 번호	91-523

원 본

외 무 부

종 별 :

번 호 : MOW-0267 일 시 : 91 0606 1600

수 신 : 장 관(국기)

발 신 : 주 모로코 대사

제 목 : IAEA 6월 이사회 대책

대:WMO-0179

1. 본직은 당지 주재 일본대사관의 대주재국 교섭을 확인후 6.6. 주재국 외무성 WARZAZI 국제기국장을 방문, 표제건 관련 주재국의 적극적인 지지를 요망함.

2. 이에대해 동 국장은 6.6. 아침 비엔나 주재 자국대사로 부터도 본건 관련 청훈하여 왔으므로, 북한의 핵안전협정 체결을 촉구하는 결의안 채택 지지훈령을 상부에 상신중에 있으며, 상부결재를 득하는대로 이사회 참석 대표에게 하달될 것이라고 하였음. 끝

(대사이종업-국장)

예고:91.12.31 일반

검토필(1991. 6. 30.)

일반문서로 재분류(1991 12. 31.

국기국 차관 1차보 중아국

PAGE 1

91.06.07 08:57

외신 2과 통제관 BS

0028

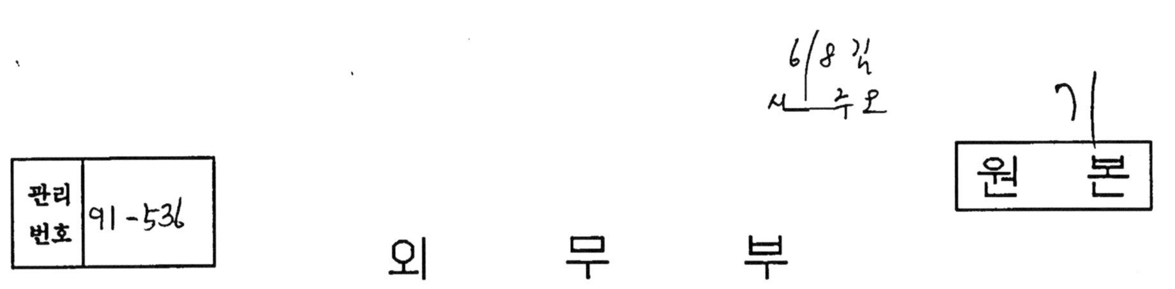

관리번호	91-536

원 본

외 무 부

종 별 :

번 호 : URW-0081 일 시 : 91 0606 1800

수 신 : 장관(국기)

발 신 : 주 우루과이 대사

제 목 : IAEA이사회

대:WUR-0080,0081

1. 대호 결의안의 주재국측 교섭을위해 당관은 6.3 당지 일본대사관측과 6.6주재국 외무성 국제기구과장 BORGES 를 접촉함.(대호건 담당 FISCHER 국장은 현재 외상을 수행, 칠레 O.E.A. 회의참석중 6.10 귀임예정)

2. 당관은 북한의 핵안전 협정체결을 촉구하는 주재국측의 외교적노력을 계속해줄것을 요청하는 내용의 공한을 외무성측에 전달하고 협조를 요청한바, 외무성측은 대호 결의안을 일반적으로 지지하며 주재국대표단에 대호 결의안지지 훈령을 기 하달하였음을 밝힘.

(대사-국장)

예고문:91.12.31 일반

CFMURW-0081

91.12.31.

검 토 필(1991. 6. 30.)

국기국 1차보

PAGE 1

91.06.07 22:24

외신 2과 통제관 CA

0029

관리 번호	91-528

	분류번호	보존기간

발 신 전 보

번 호 : WPH-0507 910607 1700 ED 종별 : 지급

WTH -0897

수 신 : 주 수신처참조 대사. 총영사

발 신 : 장 관 (국기)

제 목 : 북한의 핵안전협정 문제

연 : WPH-0485, WTH-0865

1. 연호, 6.10-14간 개최예정인 IAEA 이사회에서의 대북한 핵안전협정촉구 결의안 채택추진과 관련, 귀주재국은 동 결의안 공동추진국인 일본과 호주측에 결의안 지지의사를 기표명한 바 있음

2. 상기 결의안은 같은 아시아 지역 소속 인접국인 아세안 3국(인니, 태국,필리핀)이 공동제안국에 참여할 경우, 그 추진력이 매우 강화될것으로 판단되는 바, 귀지 주재 일본 및 호주대사관과 협의하여 귀주재국이 상기 결의안 공동제안국에 참여하도록 적극 교섭하고 결과보고 바람. 끝.

예고 : 91.12.31. 일반

(국제기구조약국장 문동석)

수신처 : 주 필리핀, 태국 대사

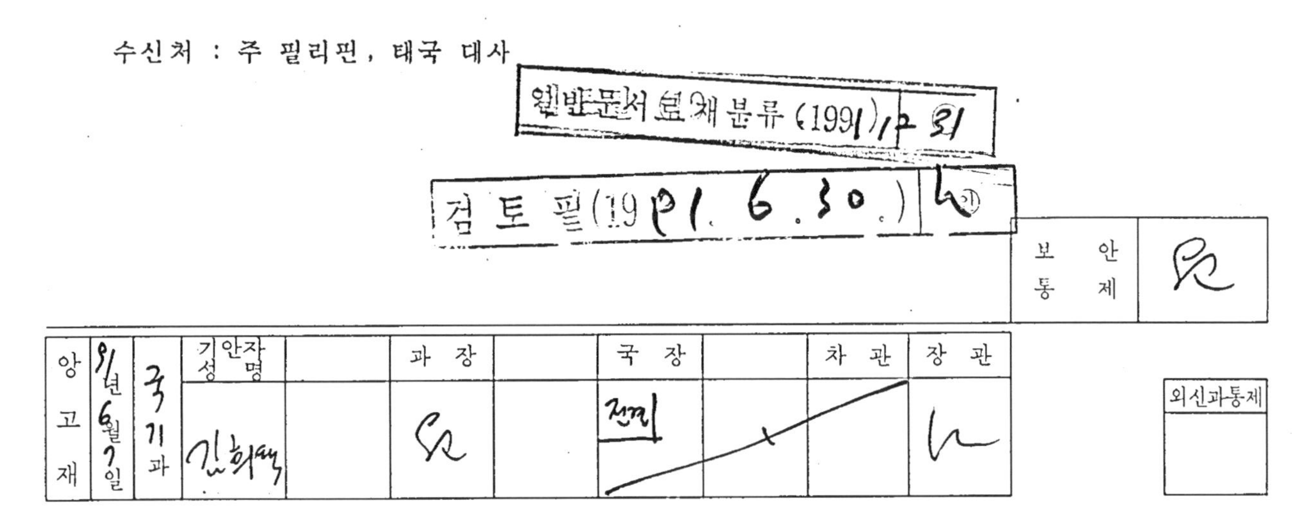

보안 통제	

앙 고 재	91년 6월 7일	국기과	기안자 성명		과 장		국 장		차 관	장 관
			김희택				전결			

외신과통제

0030

관리 번호	91-527

	분류번호	보존기간

발 신 전 보

WDJ-0585 910607 1700 ED

번 호 : 종별 : 지급

수 신 : 주 인도네시아 대사. 총영사

발 신 : 장 관 (국기)

제 목 : 북한의 핵안전협정 문제

대 : DJW-1017

연 : WDJ-0557

1. 연호, 6.10-14간 IAEA 이사회에서의 대북한 핵안전협정촉구 결의안 채택 추진과 관련 아세안3국 (인니,태국,필리핀)이 동결의안의 공동제안국에 참여할 경우, 결의안의 추진력이 매우 강화될것으로 판단되는 바, 대호(귀주재국 측이 나카야마 일본대사에게 밝힌 공동제안국 참여 곤란 표명) 불구, 주재국이 같은 아시아 지역소재 우방국으로서 한반도에서의 핵개발을 저지하는 상기 결의안 공동제안국에 참여하도록 적극 교섭하고 결과 보고바람.

2. 상기 교섭 관련 귀지 일본 및 호주대사관과 상호 협조 바람. 끝.

예고 : 91.12.31 일반

(국제기구조약국장 문동석)

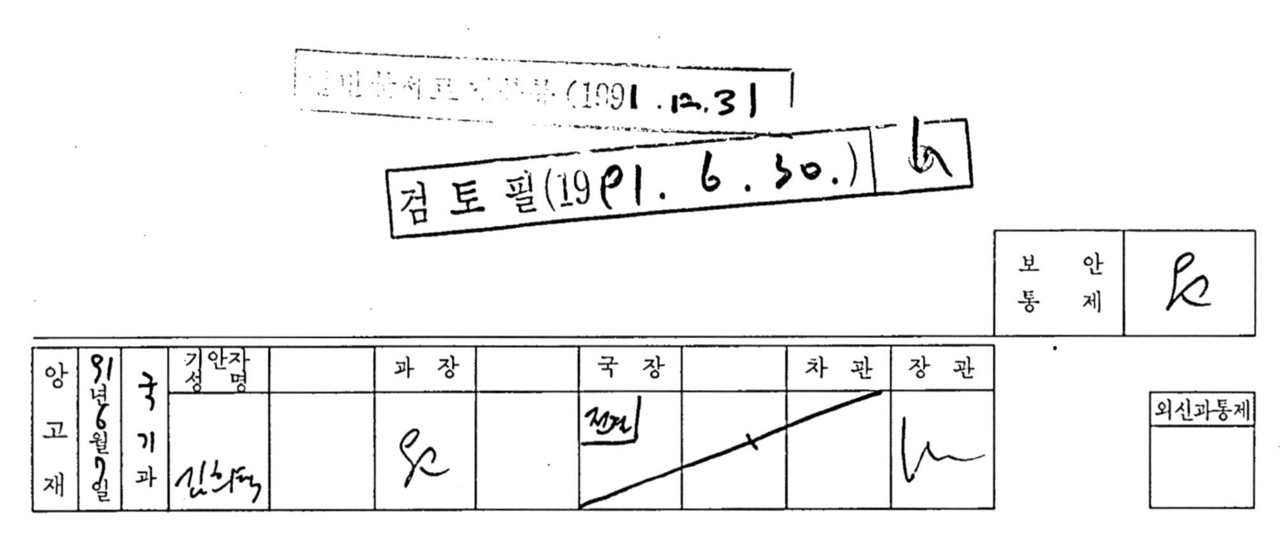

0031

관리 번호	91-520

	분류번호	보존기간

발 신 전 보

번 호 : WBB-0285 910607 1903 ED 종별 : 지급

WUG -0137 WCA -0432

수 신 : 주 수신처참조 대사. 총영사

발 신 : 장 관 (국기)

제 목 : IAEA 6월 이사회

연 : 수신처참조

연호, 귀주재국에 대한 지지교섭 결과 조속 보고 (사본 : 주 오지리 대사) 바람.

예고 : 91.12.31 일반

(국제기구조약국장 문동석)

수신처 : 주 벨지움(WBR-0237), 우루과이(WUR-0080)대사, 주카이로총영사(WCA-0427)

검 토 필(1991. 6. 30.)

일반문서로 재분류 (1991. 12. 31.)

보안 통제	

앙 고 재	91년 6월 7일	국기과	기안자 성명		과 장		국 장		차 관	장 관
			김희택				전결			

외신과통제

0032

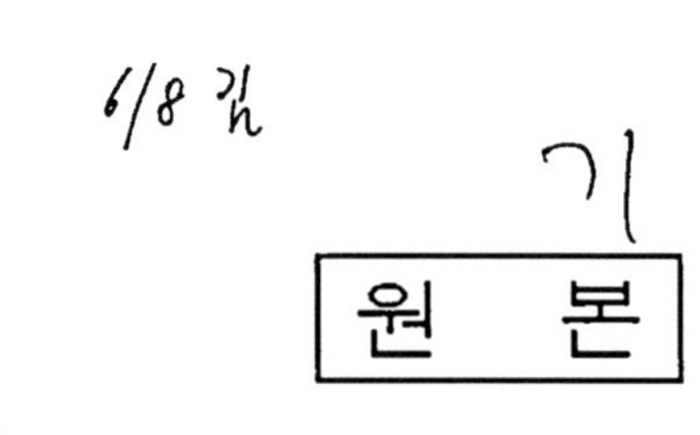

관리 번호	91-534

외 무 부

종 별 :

번 호 : CZW-0485 일 시 : 91 0607 1050

수 신 : 장 관(국기,동구이,정특,기정)사본:주오지리대사,주유엔대사

발 신 : 주 체코대사 (본부중계필)

제 목 : IAEA 6월 이사회

대: WCZ-0439, 0441

연: CZW-0475

1. 당지 일본대사관 사꾸라이참사관은 6.6 오후 최승호참사관에게 연호 결과 알려온 바, 당지 호주대사관 BOWEN 1 등서기관과 함께 6.6. 주재국 외무부 국제기구국 CHANDOGA 부국장을 방문, 대북한 협정체결촉구 결의안 지지를 요청하였으며, 체코측도 적극 지지 약속하였다 함(NEJEDLY 국장은 해외출장중)

2. 최참사관이 6.7 동 부국장 접촉, 지지요청한 바, 다음 반응이었음.

나. 체코의 핵불확산 정책에 비추어 지지하는데 문제없음.

나. 일본.호주대사관으로부터 결의안 지지 요청받은 바 있으며, 지지 약속함.

다. 주오지리대사에게 결의안 동참(CO-SPONSOR) 지시하였음.

3. 동 부국장은 지난 2 월 안보리앞 대북한 반박 및 안전조치협정 체결 촉구 공한발송시 본부와 대표부간 연락상의 기술적인 문제로 공동서명국이 되지 못하였다고 언급하였음. 끝.

(대사 선준영-국장)

예고:91.12.31. 일반

검 토 필(1991. 6. 30.)

일반문서로 재분류(1991 .12.31)

국기국 구주국 외정실 안기부

PAGE 1 91.06.07 21:22

외신 2과 통제관 CA

0033

6/8 ㄱ

원 본

관리 번호	91-535

외 무 부

종 별 :

번 호 : FRW-1403 일 시 : 91 0607 1000

수 신 : 장관(국기,구일,정특)사본:주오지리 대사-본부중계요필

발 신 : 주 불 대사

제 목 : IAEA 6월 이사회 대책(자료응신 44호)

대:WFR-1162

연:FRW-1388

1. 당관 정해웅 서기관이 금 6.6 당지 일본대사관 YUTAKA UNO 서기관, 호주대사관 K.E.WARD 서기관 및 주재국 외무성 RAYMOND MICOULAUT, IAEA 담당관을 각가 차례로 접촉, 표제건 협의한 바를 다음 보고함.

가. 호주대사관 및 일본대사관은 6.5 과 6.6 각각 주재국 외무성에 표제 북한의 핵 안전협정 체쾌(671)구 결의안을 설명하고 지지 요청하였다 함.

나.MICOULAUT IAEA 담당관에 의하면, 금번 6 월 이사회에서 동 결의안을 토의하고 9 월총회에서 채택하는 방향으로 추진될 것이며, 불란서는 동 결의안 채택을 지지할 것이라 함.

2.MICOULAUT 담당관에 의하면, 당지 북한 일반대표부 대표가 금 6.6. 아침 동 담당관은 찾아와서 핵 안전협정 체결에 관한 북한측의 입장을 다음과 같이 설명하였다 함.

가. 주한 미군은 방대한 량의 핵무기를 보유하고 있는 바, 북한은 미국이 이를 철수하든가 최소한 북한에 대하여 핵무기를 사용하지 않겠다는 서약을 하기를 희망함.

나. 북한은 IAEA 가 남한에 대해서도 핵사찰을 한다면 북한도 핵 안전협정을 체결하고 IAEA 의 핵사찰에 응할 용의가 있음.

다.MICOULAUT 담당관이 미국은 핵 확산금지조약 당사국이고, 동 조약에 의하면 핵무기를 보유하지 아니한 국가에 대해서는 핵무기를 사용할수 없다는 조항이 있으므로 미국은 북한에 대한 핵무기 불사용 선언을 별도로 하지 않더라도 북한이 핵무기를 개발하지 않는한 그러한 핵무기 불사용의 의무를 지고 있는 것이라고 북한대표에게 설명하였다 함. 또한 동 담당관은 남한은 이미 핵 안전협정을체결하고

국기국	차관	1차보	2차보	구주국	외정실	분석관	청와대	안기부

91.06.07 23:00

외신 2과 통제관 CA

IAEA 의 핵사찰을 받아오고 있지 않느냐고 하자, 북한대표는 남한에서의 주한미군이 보유한 핵무기에 대해서도 IAEA 의 사찰이 있어야 한다고 주장하였다 함. 끝.

(대사 노영찬-국장)

예고:91.12.31. 일반

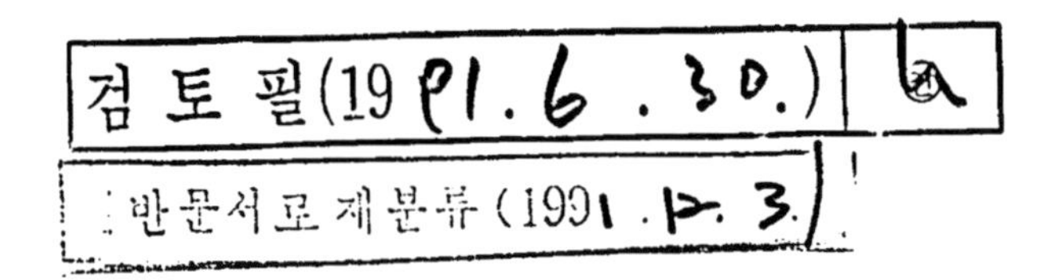

PAGE 2

0035

6/8 김
북서남구2

기

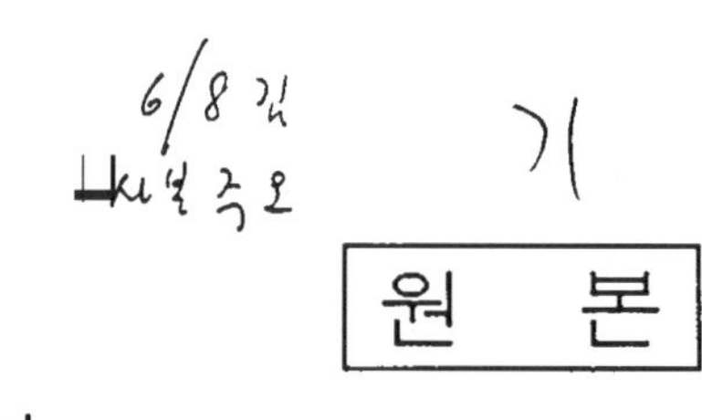

관리번호	91-532

원 본

외 무 부

종 별 : 지 급

번 호 : BBW-0418 일 시 : 91 0607 1600

수 신 : 장관(국기)

발 신 : 주 벨기에 대사

제 목 : IAEA 6월 이사회

대:WBB-0274

1. 당관 김공사는 6.5 오후 주재국 외무부 HERPELS 핵문제 담당국장에게 대호관련, 주재국 정부의 지지를 요청한바, 동인은 동건관련, 벨지움 정부의 일관된 정책에따라 주재국은 북한의 협정 체결 촉구 결의안 채택을 적극 지지할 것임을 확약함.

2. 한편, 당지 주재 호주대사관 POLSON 1 등서기관에 확인한바, 호주 및 일본 대사관 담당관은 6.4 오후 동 국장을 공동 면담하고, 대호 결의안을 제시하면서 주재국 정부의 지지를 요청하여 벨지움측의 적극 지지를 약속받았다함. 끝.

(대사 정우영-국장)

예고:91.12.31 일반

일반문서로 재분류(1991 12.31.

검 토 필(1991. 6. 30)

국기국 1차보

PAGE 1

91.06.08 00:20

외신 2과 통제관 CA

0036

6/8 길
보 주오

기

관리번호	91-533

원 본

외 무 부

종 별 :

번 호 : SDW-0477 일 시 : 91 0607 1710

수 신 : 장관(국기,구이)

발 신 : 주 스웨덴 대사

제 목 : IAEA 이사회 대책

대:WSD-0286,0287

연:SDW-0469

1. 본직은 금 6.7 대호문제 교섭을 위해 외무성 HECKSCHER 정무 제 4 국장(아주지역)과 오찬, SALANDER 정무 제 6 국장(군축, 안보)과의 면담을 각각 가졌는바, 서전입장을 아래 보고함.

가. 서전 정부는 한국 및 이사회 결의안 추진국들의 목적에는 전적으로 찬동함으로 금번 이사회 토론시의 STATEMENT 에서는 처음으로 북한을 지명하여 협정체결을 촉구할 것임.

나. 그러나 금번 이사회에서의 결의안 채택여부에 관하여는 북한이 일단 IAEA 와의 교섭을 재개한다는 방침을 천명한 믄큼 그 결과도 보지않고 앞질러 결의안을 채택하는것은 북한을 너무 자극하여 COUNTER-PRODUCTIVE 할수도 있다고 봄.

따라서 현단계에서는 각국이 대북한 STATEMENT 로만 강력히 협정체결을 촉구하고 결의안은 일단 보류하였더 북한 IAEA 간 교섭결과를 본뒤 9 월 이사회 및총회에서 보다 높은 강도의 결의안을 채택하는것이 방법론상 좋을 것으로 생각함. 또한 금번 이사회에서는 북한측이 앞질러 IAEA 와의 7 월초 교섭의 원만한 타결을 시사하는 STATEMENT 를 발표할 가능성도 배제할수 없다고 봄.

다. 다만 금번 이사회에서도 서전으로서는 CONSENSUS 를 막을 의도는 전연 없으므로 이사회 기간중 한국대표 및 결의안 추진국 대표달과 긴밀한 접촉협의를갖고저 함.(SALANDER 국장과의 면담에 동석한 BJARME 부국장이 이번 이사회 참석)

2. 이와관련, HECKSCHER 국장은 5 월 중순 북한 방문시 북한외교부의 강석주 부부장, 북구담당 부부장 및 국장을 각각 면담하는 기회에 이들 3 인에게 모두

국기국 장관 차관 1차보 2차보 구주국 청와대 안기부

PAGE 1

91.06.08 06:07

외신 2과 통제관 CA

0037

6/8 김
시본 주오
기

원 본

관리 번호	91-530

외 무 부

종 별 :

번 호 : ARW-0426 일 시 : 91 0607 1630

수 신 : 장관(국기)

발 신 : 주 아르헨티나 대사

제 목 : IAEA 이사회대책

연:ARW-422

1. 당관 신참사관이 6.7. 주재국 외무부 CAPPAGLI 국제안보전략국 부국장을 접촉 확인한바, 연호건 콘센서스로 추진되는 경우 지지하고, 부표를 하게되는 경우 찬성부표하도록 하는 훈령안이 결재중에 있으며 DI TELLA 외무장관의 결재만이 남어있다고 함(6.7.16:30 현재)

2. 동인에 따르면 아무런 수정없이 결재가될것이라고 함.

(대사 이상진-국장)

예고:91.12.31. 일반

검 토 필(1991. 6. 30.)

일반문서로 재분류(1991 12.31)

국기국 차관 1차보 미주국

PAGE 1

91.06.08 06:56

외신 2과 통제관 DO

0038

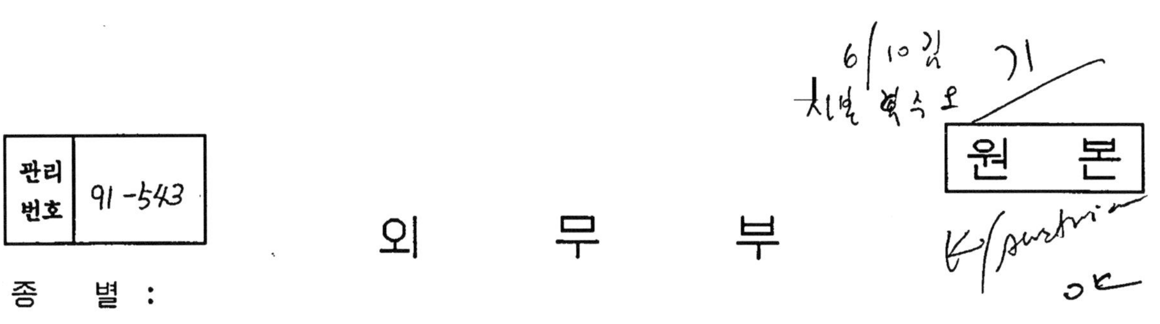

관리 번호	91-543

외 무 부

종 별 :

번 호 : DJW-1064 일 시 : 91 0608 1140

수 신 : 장관(국기,아동,정특,기정)

발 신 : 주 인니 대사

제 목 : 북한의 핵안전협정 문제

연:DJW-1017

대:WDJ-0585

1. 당관 신공사는 6.8. 외무성 HADI 국제기구국장과 대호건 협의, 인니가 동 결의안에 공동제안국이 되는 경우 결의안의 지위강화 및 북한에 대한 압력수단으로 보다 효과적일 것이므로 연호 인니입장을 재검토, 공동제안국이 되어 줄것을 요청함.

2. HADI 국장은 북한이 IAEA 핵안전협정을 체결토록 국제사회가 압력을 가하는 수단으로 권고결의안을 마련하는것은 그뜻이 크다고 전제하고, 인니로서는 현재 북한과의 관계, 즉 북한이 국제사회에서 비교적 인니를 신임하고 있음을 감안할때 인니가 공동제안국에 가담하여 TAKE SIDE 하는 경우 북한이 앞으로 더이상 인니의 말을 듣지 않을 우려가 큰것으로 본다고 말함.

따라서 그것보다는 중립적인 입장을 취하는 듯 하면서 INFORMAL 하게 북한을 설득내지 압력을 가하는 것이 보다 효과적으로 믿으며, ALATAS 외상으로부터 이러한 지침을 받아 이미 주오지리 대사에게도 지시하였다고 함.

3. 동인은 이와관련 현재 당지 북한대사가 해외출장중이므로 돌아오는 대로조치하여 IAEA 와의 핵안전협정을 체결토록 재차 강력히 촉구할 예정이라고 함.끝.

(대사 김재춘-국장)

예고:91.12.31. 일반

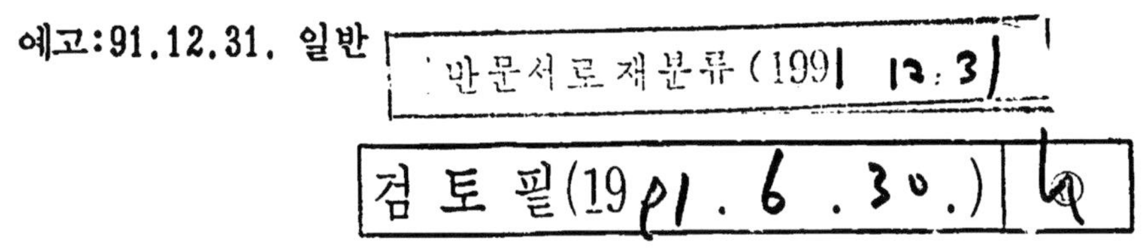

국기국	장관	차관	1차보	2차보	아주국	미주국	외정실	청와대
안기부								

PAGE 1 91.06.08 15:59

외신 2과 통제관 CH

0039

관리 번호	91-804

	분류번호	보존기간

발 신 전 보

번 호 : AM-0128 910608 1611 ED 종별 :

수 신 : 주 전재외공관장 대사. 총영사

발 신 : 장 관 (국기)

제 목 : 북한의 핵안전협정 서명의사 통보

1. 북한은 6.7(금) IAEA 사무국측에 핵안전협정을 서명할 의사가 있음을 통보하면서 IAEA와 협정문안을 최종 확정하기 위한 교섭을 7.10-15 개최할것을 제의하였음. 북한은 동 교섭후 협정안을 9월 개최 IAEA 이사회에 상정한 후 서명 발효시킬 예정이라 함.

2. 상기 북한 제의에 대하여 정부는 6.8(토) 당일 다음과 같은 당국자 논평을 발표하였음

가. 북한이 6.7(금) 국제원자력 기구(IAEA)에 대하여 핵 안전 협정 서명 의사를 통보해온 바에 비추어 우리는 앞으로 북한의 협정 체결시 까지의 과정을 주시코자 함

나. 북한은 핵비확산 조약 (NPT)의 당사국으로서 IAEA와 핵안전 협정을 체결할 의무를 지고 있으며, 이러한 조약상의 의무를 지체없이 이행하여야 할 것임

일반문서로 재분류(1991.12.31.)

3. 상기 관련, 정부는 6월 개최 IAEA 이사회(6.10-14)에서 호주, 일본등이 다수 이사국을 대상으로 채택 추진중인 대북한 협정체결촉구 결의안을 계속 추진할지의 여부는 주오지리 대사관에서 우방이사국과 협의 대처 예정임. 끝.

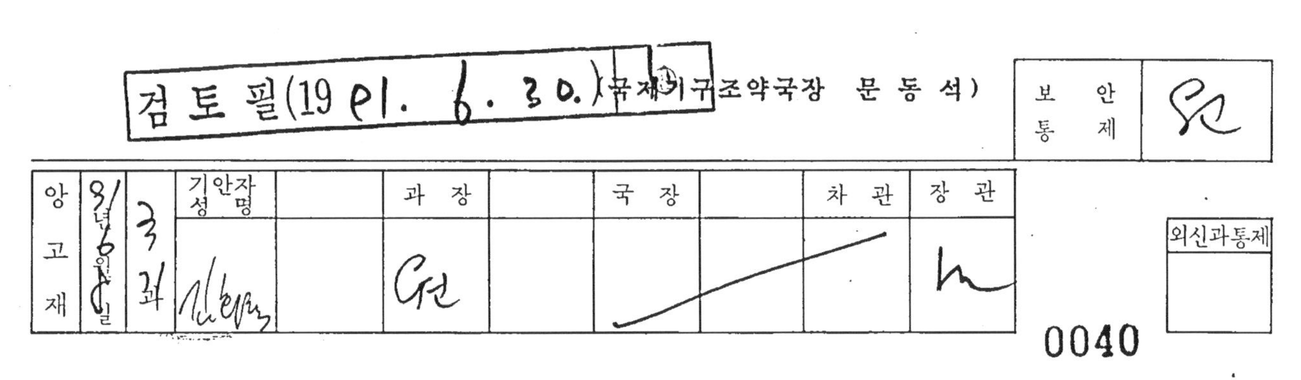
검토필(1991. 6. 30.) (국제기구조약국장 문동석)

보안 통제	

앙 고 재	91년 6월 8일	국기과	기안자 성명		과 장		국 장		차 관	장 관

외신과통제

0040

0167

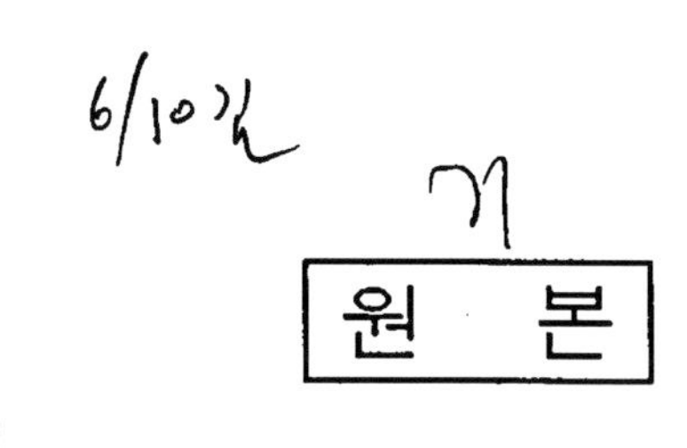

관리 번호	91-540

외 무 부

종 별 :

번 호 : CAW-0701 일 시 : 91 0608 1310

수 신 : 장관(국기)사본: 주 오지리대사

발 신 : 주 카이로 총영사

제 목 : IAEA 6월 이사회

대:WCA-0428,0432

대호, 대북 핵안정협정 체결 촉구와 관련, 당지 호주, 일본, 카나다, 미국등 대사관측이 주재국 외무부에 그 협조를 요청하였음을 확인하고 6.8. AWADALLA국기국담당 참사관을 면담, 그협조를 요청하였던바

1. 주재국측은 동제의가 주재국 정책과도 일치하므로 취지에는 원칙적으로 찬성하나

1) 구체국명을 거명 촉구해야 할 나라가 몇이 있음(이스라엘과 남아연방)에도 북한만을 거명해야 된다는것과

2) 또 9 월 총회가 아닌 6 월 이사회에서 하는경우, 투표가 아닌 이사들의 CONSENSUS 에 의해 이루어 져야됨을 들어, 아직 아무런 결정을 짓지 못하고 있는 실정인바, 동건 아측요청에 현재 확답을 할수 없는 입장임에 양해를 구하였음.

2. 그러나 동대안으로 이번 이사회에서는 구체국명을 거론함이 없이 일반적인 용어로 가입을 촉구하고, 오는 9 월 정치총회시 구체국명을 들어 가입지연 규탄과 가입촉구 결의안을 통과시키는 방안도 있을수 있을것임을 덧붙였음. 끝.

(총영사 박동순-국장)

예고:91.12.31. 일반

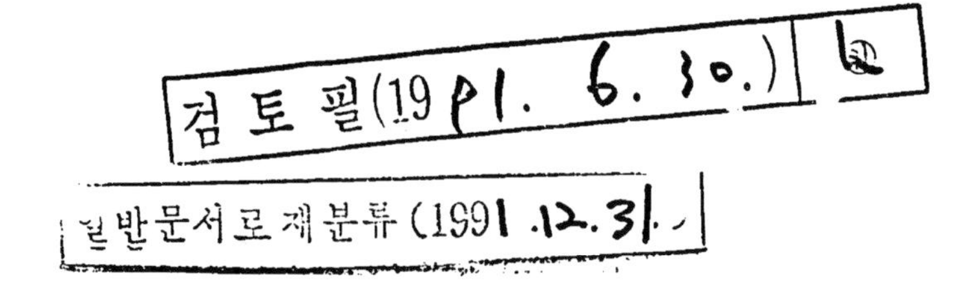

국기국 차관 1차보 중아국 정와대 안기부

PAGE 1

91.06.08 19:52

외신 2과 통제관 FI

0041

관리 번호	91-546

	분류번호	보존기간

발 신 전 보

WSV-1759 910609 1223 BU

번 호 : 종별 : 지급

WAV -0586

수 신 : 주 소련 대사. 총영사/ (사본 : 주오지리대사)

발 신 : 장 관 (국기)

제 목 : IAEA 6월 이사회 대책

연 : AM-0128

연호 관련, 오지리주재 소련 대사가 북한의 핵 안전협정체결 문제 처리에 있어서 주오지리 아국 대사에게 적극 협조하도록 특별교섭하고 결과 보고(사본 : 주오지리 대사 직송) 바람. 끝.

예고 : 91.12.31 일반

(국제기구조약국장 문동석)

검토필(1991. 6. 30)

일반문서로 재분류 (1991 12.31.

보안 통제	

앙 고 재	91년 6월 9일	국기과	기안자 성명		과 장		국 장		차 관	장 관
			김희택							

외신과통제

0042

관리번호	91-545

	분류번호	보존기간

발 신 전 보

번 호 : WAR-0259 910609 1225 BU 종별 : 지급

수 신 : 주 수신처참조 대사. 총영사

WCM -0164 WCA -0434
WAV -0587

발 신 : 장 관 (국기)

제 목 : IAEA 6월 이사회 대책

연 : AM-0128

1. 연호 북한의 핵안전협정서명의사 통보에도 불구하고 북한의 협정체결 및 발효시까지 계속적인 대북한 국제압력이 필요하다고 봄.

2. 이러한 점에서 6월 IAEA 이사회(6.10-14)에서 채택 추진중인 대북한 협정체결촉구 결의안에 대하여 주재국 정부가 지지의사를 표명하여 주는것이 크게 도움이 되는 바, 귀관은 이를 위하여 적극(재)교섭하고 결과 보고 (사본 : 주 오지리 대사(직송)바람. 끝.

예고 : 91.12.31 일반

(국제기구조약국장 문동석)

수신처 : 주 알젠틴, 카메룬 대사, 주카이로총영사, (사본 : 주오지리대사)

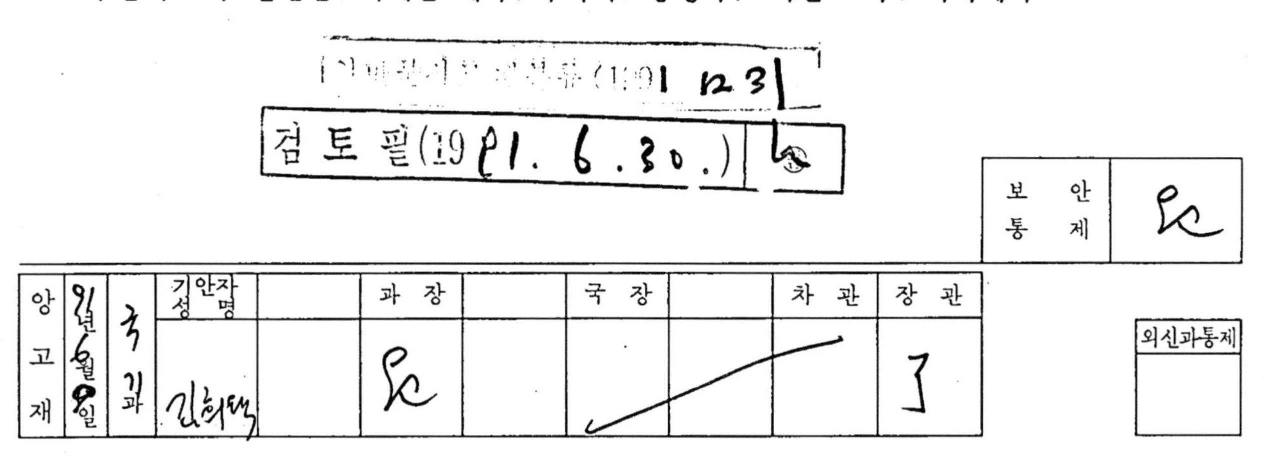

일반문서로 재분류(1991 12 31)
검 토 필(1991. 6. 30.)
보 안 통 제
앙 고 재 91년 6월 8일
국기과
기안자 성명 김희택
과 장
국 장
차 관
장 관
외신과통제

0043

6/8 김 ... 국오 기

관리번호	91-531

원 본

외 무 부

종 별 : 지 급

번 호 : BRW-0430 일 시 : 91 0609 1810

수 신 : 장 관(국기,미남)

발 신 : 주 브라질 대사

제 목 : IAEA 6월 이사회 대책

연: BRW-0422

대: WBR-0239

1. 당관 임참사관은 6.7 오후 주재국 외무부 고급제품 통상과 VIRGINIA TONIATTI 1 등서기관을 방문(국장, 과장 해외출장중), 표제 이사회에서 북한 핵안전 협정 체결문제가 재심의, 동협정 체결을 촉구하는 결의안 채택이 추진되고 있음을 설명하면서 브라질 정부도 동결의안에 대해 지지 협조해줄것을 요청함.

2. 동 VIRGINIA 서기관은 이미 동문제와 관련 6.4 호주, 일본대사관의 관계관의 방문이 있었음을 밝히고 연호 보고와 같이 동결의안 취지는 수긍이 되지만 NPT 회원국이 아닌 브라질이 동결의안에 지지한다는 것은 그다지 합당치 않을것이라고 전제하고, 브라질 정부의 공식입장은 내주초에 결정되어 비엔나에 훈령될것인바 현재의 상황으로는 기권할것으로 안다고 부연 설명함.

한편 당관이 호주대사관에서 확인한바에 의하면 브라질 정부는 알젠틴과 함께 동건에 대해 기권하기로 내정한것으로 파악되었음.

3. 또한 임참사관은 대호 91 IAEA 이사국 입후보 관련 지난 4.29 동서기관을 방문시 아국의 IAEA 이사국 입후보 지지협조를 요청한 사실을 상기시키고 계속 협조 지지해 줄것을 다짐해 두었음. 끝.

(대사 김기수-국장)

예고:91.12.31. 일반

국기국 차관 1차보 미주국

PAGE 1 91.06.08 06:54

외신 2과 통제관 DO

0044

관리번호	91-555

	분류번호	보존기간

발 신 전 보

번 호 : WMO-0195 910610 1907 FO 종별 : 지급

수 신 : 주 수신처참조 대사. 총영사

WNJ -0234 WSD -0300
WAV -0595

발 신 : 장 관 (국기)

제 목 : IAEA 6월 이사회 대책

연 : AM-0128

대 : 수신처참조

1. 연호 북한의 핵안전협정서명의사 통보에도 불구하고 북한의 진의가 불분명하다는 것이 우방의 공통된 견해 북한의 협정서명 및 발효시까지 계속적인 대북한 국제압력이 필요하다고 봄

2. 이러한 점에서 IAEA 6월 이사회(6.10-14)에서 채택 추진중인 대북한 협정촉구 결의안에 대하여 귀주재국 정부가 확실한 지지의사를 표명하여 주는 것이 크게 도움이 되는 바, 귀관은 이를 위하여 적극 재교섭하고 결과보고(사본 : 주오지리 대사직송)바람. 끝.

예고 : 91.12.31 일반

(국제기구조약국장 문동석)

수신처 : 주 모로코(MOW-0267), 나이제리아(NJW-0424), 스웨덴(SDW-0477)대사

(사본 : 주 오지리 대사)

일반문서로 재분류 (1991.12.31)

검토필(1991.6.30.)

보안통제	

앙고재	91년 6월 10일	국기과	기안자 성명	과 장	국 장	차 관	장 관
			김희택	(서명)	전결		(서명)

외신과통제

0045

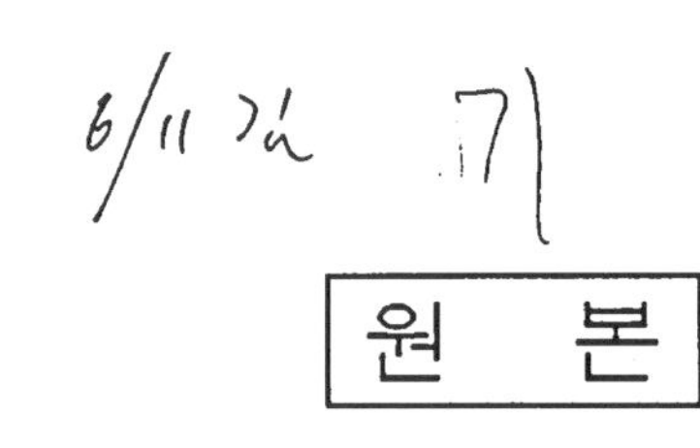

관리번호	91-559

원 본

외 무 부

종 별 :

번 호 : CAW-0704　　　　일 시 : 91 0610 1615

수 신 : 장관(국기)사본: 주 오지리대사(중계필)

발 신 : 주 카이로 총영사

제 목 : 대북핵안전 결의안

대:WCA-0435

연:CAW-0701

당관은 91.6.10(월)ZAHIR 주재국 국기국 국장대리와 접촉(국기국장은 회의출장중이며, 국기국은 외무장관 직속부서인바, 신임외무장관도 현재 해외출장중임), 대호 결의안에 이집트의 가담을 재요청 하였으나, 동국장대리는 이집트측 대표의 성명서 내용에는 구체국명을 지적, 그 가입을 촉구토록 하겠으나, 동결의안 통과에는 하기 이유로 가담할 수 없다는 입장을 재확인 했음.

1. NPT 가입국으로서 핵안전 협정에 가입하지 않고 있는 국이 50 여개국 임에도, 유독 1 개국만을 지칭한 결의안 이라는점

2. 이번 이사회에서는 PRESIDENT OF THE GOVERNORS 명의서한으로 북한의 조속 가입을 촉구하고,9 월총회에서 결의안을 채택하는 것이 바람직 하다는것이 주재국의 견해임.끝.

(총영사 박동순-국장)

예고:91.12.31. 일반

일반문서로 재분류(1991.12.31.)

검토필(1991.6.30.)

국기국　차관　1차보　분석관　청와대　안기부

PAGE 1　　　　91.06.10　22:58

외신 2과　통제관 CH

0046

관리번호	91-562

외 무 부

종 별 :

번 호 : DJW-1070 일 시 : 91 0610 1530

수 신 : 장관(아동,아이,국연,국기,정특,기정)

발 신 : 주 인니 대사

제 목 : 양상곤 인니방문

연:DJW-1053,1060

1. 양상곤 중국주석은 6.10. 주재국 방문을 마치고 발리에서 태국으로 향발하였음.

2. 당관 이참사관이 연호 인니-중국 외상회담에 관해 SAMSUL 외무성 북동아과장으로부터 6.10 청취한 내용은 아래와 같음.

가. 한반도 정세

1) 남북한 유엔가입문제

0 양국외상은 남북한의 유엔가입 결정을 좋은 진전이라고 평가하고, 남북한이 금년 9 월 유엔가입신청을 할경우 유엔가입에 별문제가 없을것이며 남북한 유엔가입의 쟁점은 제거되었다고 평가함.

0 그러나 북한의 핵안전협정 체결지연과 관련 문제발생의 소지가 있을수도 있다고 보았음.

2)북한의 핵안전협정 체결문제

0 중국 외상은 IAEA 이사회에서 북한의 핵안전협정 체결 권고 결의안 움직임에 대해 북한이 불만(UNHAPPY)스럽게 생각하고 있다고 전하고 중국도 북한의 동협정체결을 위해 적극적으로 노력(ACT POSITIVELY)할것이라고 말하였음.

3)남북한 관계

0 중국외상은 중.쏘관계 개선이 한반도 정세에도 영향을 미쳐 남북대화를 촉진하는데 기여할 것이라고 말하였음.

0 중국외상은 중국과 쏘련은 한반도의 평화와 안정에 깊은 관심을 갖고 있으며, 쏘련도 공히 남북한과 관계강화를 위해 적극적이라고 말하였음.

나. 캄보디아 문제

0 중국측은 캄보디아 문제해결을 위한 인니노력을 지지, 평가하고 어느일방을

아주국 장관 차관 1차보 2차보 아주국 국기국 국기국 외정실
청와대 안기부

PAGE 1

91.06.10 20:43
외신 2과 통제관 CH
0047

죄인시하는 것은 바람직하지 않다고 말하였음.

0 중국측은 시하누크의 SNC 의장추대는 중요하지만 부의장 문제는 주요한 사안이 아니라는 입장을 표명하였음.

다.APEC

0 중국외상은 중국, 대만, 홍콩의 APEC 참여와 관련, 대만과 홍콩은 국가가아닌 하나의 지역경제실체(REGIONAL ECONOMIC ENTITY)로써 참여해야 한다고 주장하고 대만과 홍콩에게 어떤 신분(STATUS)이 부여될지에 관해 문의 하였음.

0 인니외상은 APEC 의장국인 한국이 중국, 대만, 홍콩과 협의를 진행중이며,동 협의결과에 따라 결정될것이라고만 말하였음.

라.EAEG

0 중국은 EAEG 기구형성에 반대하며 ASEAN 국가가 EAEG 에 대한 CONSENSUS 가 있는지 문의하였음.

0 인니외상은 ASEAN 국가의 CONSENSUS 는 없으며, EAEG 는 GROUP 이 아닌 하나의 FORUM 이될수 있을 것이라고 말하였음.

마. 남지나해 공동개발

0 인니 외상은 금년 7 월 발리에서 개최예정인 남지나해 공동개발을 위한 세미나는 동지역의 주권문제를 협의하는 것이 아니고 동 지역의 공동개발을 위한협력방안을 협의하기 위한 것이라고 설명하였음.

0 중국 외상은 대만의 참여에 관심을 표명하고 중국 대표단을 파견하겠다고하였음.

3. 양상곤의 금번 주재국 방문은 90.11. 수하르토 대통령 방중에 대한 답방형식으로 양국간 현안이 있다기 보다는 양국관계 증진을 위한 상징적 의미가 큰것으로 보임.

인니와 중국은 90.8. 국교 재개 이래 대사관 상호개설, 고위인사 교환방문 및 경제협력 관계증진등 비교적 빠른 시일내에 괄목할만한 관계진전을 이룩하고 있는바, 이는 양국이 인구나 국토면적등에서 역내의 주요국가로써 과거 25 년간 단교로 인한 상호 불편과 불이익을 극복하기 위한 공동인식에서 기인된 것으로 보임.끝.

(대사 김재춘-국장)

예고:91.12.31. 일반

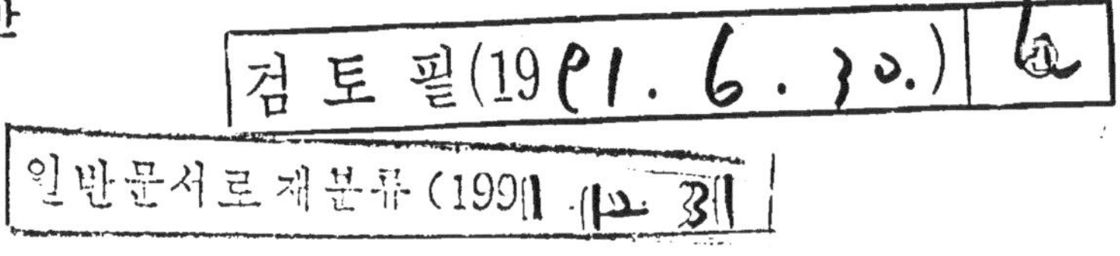

관리 번호	91-567

분류번호	보존기간

발 신 전 보

번 호 : WUS-2615 외 별지참조 종별 :

수 신 : 주 수신처참조 대사. 총영사

발 신 : 장 관 (국기)

제 목 : 6월 IAEA 이사회 경과

연 : AM-0128

1. 표제 이사회가 6.10(월) 개막되었는 바, 첫날 회의 경과를 하기 통보함

가. 개막직후 IAEA 사무총장으로부터 북한의 핵안전협정 서명(동의)의사 통보 내용등을 포함한 보고를 청취함

나. 상기 보고후 일본대표(Endo 대사)는 북한 대표를 상대로 북한의 진의를 확인하는 하기 5개항의 질의를 하고 해명을 요구함

o IAEA 표준 협정안과 동일한 협정문안을 최종확정할것인가

o 협정안을 9월 이사회에서 승인받겠는가

o 승인후 조건없이 서명할것인가

o 서명후 조건없이 발효시킬것인가

o 모든 핵활동에 대해 예외없이 협정을 전면이행 할것인가

다. 북한 대표단은 상기 질의 시작직전 퇴장하였다가 질의 종료후 입장함 (이와관련 이사회 의장은 일본이 요청한 5개항을 북한대표에게 전달하는 동시에 자신이 북한대표와 협의한 내용을 6.12(수) 이사회에 보고하기로 함)

/계속...

보안 통제	

앙 고 재	91년 6월 11일	국기과	기안자 성명	과 장	국 장	차 관	장 관

외신과통제

0049

라. 호주, 카나다, 독일, 이태리, 태국 및 미국등 6개국 대표가 일본 대표의 해명 요구 발언에 대한 지지입장을 표명한 후 북한이 지체 없이 핵안전조치협정을 체결하도록 촉구하는 발언을 하고, 인니 대표는 북한과의 협정이 9월 이사회에 상정될 수 있기를 기대한다는 사무총장의 보고를 환영하는 발언을 함

2. 상기회의 직후 호주, 일본, 카나다, 체코, 미국(차석 대표), 벨지움 대표 및 주오지리 아국대사가 참석한 핵심 우방국 대사 전략회의를 개최하여 향후 대처 방안을 협의하였음. 동 협의는 6.11(화) 오전(비엔나 시간) 다시 갖기로 하였는 바, 이때 일본대표가 이사회 회의시 질의한 5개항에 대하여 이사회 의장이 타진할 북한 대표의 반응도 파악하여 결의안을 위요한 입장을 결정하기로 하였음

3. 상기 이사회는 6.12(수) 북한 핵안전협정문제를 본격토의할 예정인 바, 아측으로서는 ~~이사 우방 이사국 의견을 존중하는 가운데~~ 금번 이사회에서 결의안 채택~~을 강행하지는 않는~~다는 입장이며, 이사회의장의 강한 성명 채택선에서 대처할 것임을 귀하의 참고로만 하기 바람. 끝.

(handwritten insertion: 문제에 대해서는 우방의견을 존중한)

예고 : 91.12.31 일반

(국제기구조약국장 문 동 석)

수신처 : 주 미국, 독일, 쏘련, 카나다, 프랑스, 일본, 영국, 스웨덴, 호주, 북경, 알젠틴, 인도, 칠레, 베네주엘라, 브라질, 우루과이, 벨지움, 이태리, 폴투칼, 폴란드, 체코, 나이제리아, 튜니지아, 카메룬, 모로코, 사우디, 이란, 인니, 필리핀, 태국, 유엔, 제네바 대사, 주 카이로 총영사

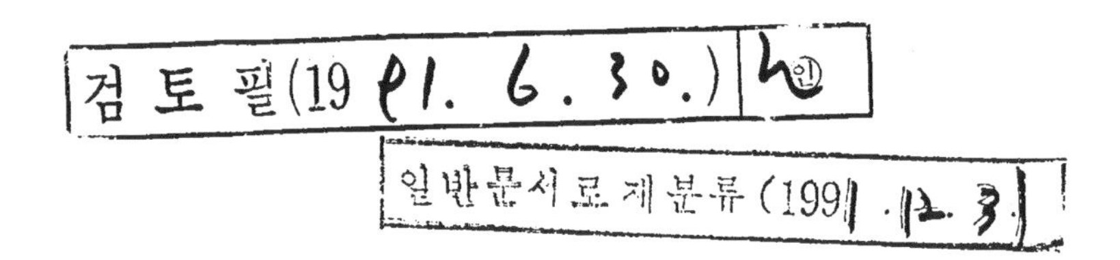

0050

관리 번호	91-586

	분류번호	보존기간

발 신 전 보

번 호 : WCS-0184 910611 2155 DA 종별 : 긴급

수 신 : 주 수신처참조 대사. 총영사

발 신 : 장 관 (국기)

제 목 : IAEA 6월 이사회 대책

WSB -0815 WAR -0263
WMO -0197 WUR -0085
WVZ -0195

연 : (수신처별)

1. 연호 6.11(화) 우방국 전략회의 결과 우방이사국은 다음 이유로 결의안 통과를 적극 추진하여야 겠다는 판단하에 여하한 내용으로라도 금차 이사회중 결의안을 채택하는 것이 좋겠다는 분위기로 전환하였음

가. 북한의 협정서명 의사에 의혹이 있음

나. 북한이 협정에 서명하리라는 인상을 줌으로써 홍보면에서 커다란 성과를 올리고 있음

다. 6.11자 평양 라디오 방송을 통해 북한은 북한에 대한 핵사찰은 주한 미군의 핵무기에 대한 사찰과 병행하여야 한다는 기존 주장을 반복

라. 6.10(월) 이사회 회의시 북한 대표단의 퇴장 태도

2. 상기와 같이 대북한 결의안 채택을 추진함에 있어서 현시점에서 귀 주재국의 지지가 절실히 요구되는 바, 귀관은 주재국 당국을 긴급 접촉하여 지지요청 교섭하고 결과 보고(사본 : 주오지리대사)바람

3. 현재 채택을 위하여 수정한 결의안 내용의 본문은 다음과 같음을 교섭시 참고바람

The Board of Governos (중 략)

/계속...

보안 통제	(서명)

앙 고 재	91년 6월 11일	국기과	기안자 성명		과 장		국 장		차 관	장 관
			김 (서명)		(서명)					(서명)

외신과통제

0051

1. Decides to Convene a special meeting of the Board in July ~~of~~ for the Purpose of ~~aoopvoing~~ approving the draft agreement;

2. Expects prompt entry into force and full implementetion of the agreement after its appoval by the Board of Governors; and

3. Decides to place a relevant item on the provisional agenda for its meeting in September. 끝.

(국제기구조약국장 문동석)

예고 : 91.12.31 일반

수신처 : 주칠레(WCS-0183),사우디(WSB-0814),~~스웨덴(WSD-0304)~~,알젠틴(WAR-0262),
모로코(WMO-0196),우루과이(WUR-0084),베네주엘라(WVZ-0194)대사
~~주 자이르 총영사(WCA-0440)~~

검토필(1991. 6.30.)

일반문서로 재분류(1991 12. 31

0052

기

원 본

관리번호	91-581

외 무 부

종 별 : 긴 급

번 호 : SDW-0484 일 시 : 91 0611 1530

수 신 : 장관(국기),사본:주오지리대사(중계필)

발 신 : 주 스웨덴 대사

제 목 : IAEA 대책

대:WSD-0300

연:SDW-0477

1. 본직은 금 6.11 SALANDER 외무성 6 국장을 접촉, 대호 1 항을 설명하고 스웨덴의 지지 표명을 요청하였음.

2. 이에대하여, 동 국장은 현지 대표단으로 부터 북한이 STANDARD AGREEMENT FORM 에 의한 협정체결에 동의하였다는 보고를 받았다고 하면서 이것은 분명히 새로운 사태진전임으로 스웨덴측으로서는 연호 1 의 나 항과 같은 TACTICS 로 임하는 것이 효과적이라는 생각을 더욱 강하게 갖게 되었다고 함.

3. 그러나 스웨덴으로서는 추진중인 결의안에 새로운 사태진전 (예컨대 북한의 협정체결 동의등) 을 반영하는 내용이 추가 된다면 이를 수락할수 있겠다고하여 여하한 경우이던 CONSENSUS 에는 따르겠다고 함.

4. 토의시에 북한을 거명하는 강력한 발언을 한다는 방침에는 변함이 없다고 함.

5. SALANDER 국장은 상황의 중요성에 비추어 동인이 6.12 오후부터 이사회에 직접 참석하겠다고 하며 아측 대표단과의 긴밀한 접촉 협의를 약속하였음을 첨언함. 끝

(대사 최동진-국장)

예고:91.12.31 일반

검 토 필(1991. 6. 30.)	

일반문서로 재분류 (1991 12. 31

국기국 차관 1차보 구주국

PAGE 1 91.06.11 23:11

외신 2과 통제관 CE

0053

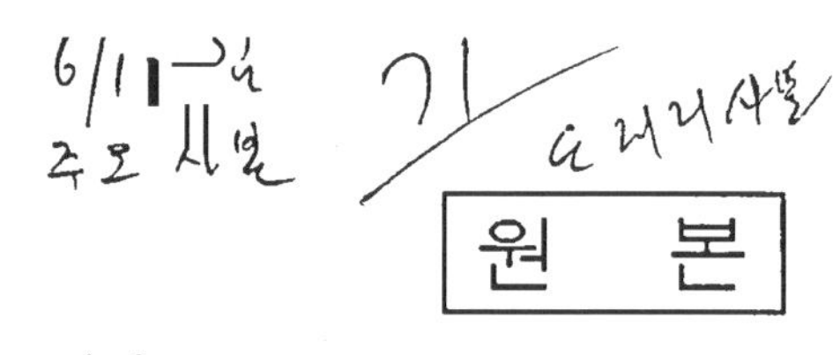

관리 번호	91-569

원 본

외 무 부

종 별 :

번 호 : THW-1247 일 시 : 91 0611 1900

수 신 : 장 관(국기,아동)

발 신 : 주 태국 대사

제 목 : 북한의 핵안전 협정문제

대 : WTH-0897

1. 대호 정참사관이 6.11(화) 당지 주재 일본및 호주대사관 정무참사관과 협의후 동일 MR.SUCHAT 외무성 국기국 부국장 및 MRS.CHOLCHINEEPAN 동아과장을 각각접촉, 아국입장을 설명하고 주재국이 대북한 핵안전협정촉구 결의안 공동제안국에 참여하여 주도록 요청하였는바, 이들의 반응요지 아래보고함

0 태국은 일본및 호주가 공동추진중인 동결의안을 지지함

0 태국이 공동제안국에 참여하기는 아래사정에 비추어 어려운 실정임을 양해하여 주기바람

- 최근 북한의 유엔가입의사 표명및 핵안전협정교섭 재개재의등은 북한이 기존의 비타협적 정책을 완화하는 정세변화의 조짐으로 평가됨

- 태국이 북한과 정상적인 외교관계를 유지하고 있는 국가로서 NPT 가입후 핵안전협정 미체결국가(파키스탄등)가 북한이외에도 있는 현실에 비추어볼때 북한만을 대상으로한 결의안의 공동제안국에 참여하는것은 바람직하지 않는것으로 사료됨

- 태국으로서는 북한에 대해 점진적으로 개방과 타협의 방향으로 나가도록 유도하는것이 중요하다고 보며 이를 위해서는 북한이 태국을 신뢰할수 있도록 태국과 북한간에 대화채널을 계속 유지시키는것이 필요하다고 판단됨

2. 정참사관은 상기 주재국 외무성인사들의 반응을 당지주재 일본및 호주대사관 정무참사관에게 알려주었음

(대사 정주년-국장)

예 고 : 91.12.31. 일반

일반문서로 재분류(1991. 12. 31.)

검 토 필(1991. 6. 30.)

국기국 차관 1차보 아주국

PAGE 1

91.06.11 23:39

외신 2과 통제관 CE

0054

8/12 강 기

관리 번호	91-576

원 본

외 무 부

종 별 :

번 호 : CMW-0195 일 시 : 91 0611 1050

수 신 : 장 관(국기,사본:주오지리대사-중계필)

발 신 : 주 카메룬 대사

제 목 : IAEA 6월이사회 대책

대:WCM-0164

연:CMW-0189

1. 6.11 주재국 외무부 국제기구 국장대리 EKANEA 는 연호와 같이 NPT 체결국은 핵안전협정에 당연히 서명하여야 한다는 주재국 정부입장과 북한 정세현황에대한 보고서를 대통령실에 보고하고 주재국의 IAEA 대표인 주독대사에게 동사본을 타전하였으며, 현지대사가 동 정부 기본입장에 따라 적의 조치할 것이라고함.

2. 연이나 표제 이사회 기간중 대통령 재가가 나오면 북한의 협정서명을 촉구하는 결의안 지지훈령도 하달될 것이라고 함을 보고함.

3. 주재국 관행상 모든사항이 대통령에게 보고되고 재가를 득해야하나 대부분의 사항이 기한내에 재가되는 일이 없으니 시일이 촉박한 상황에 비추어 현지 주재국 대표와 접촉, 협조하는 것이 좋을것으로 사료됨.

(대사 황남자-국장)

예고: 91.12.31 일반

검토필(1991. 6.30.)

일반문서로 재분류(1991.12.31.)

국기국 차관 1차보 중아국

PAGE 1

91.06.12 00:02

외신 2과 통제관 CE

0055

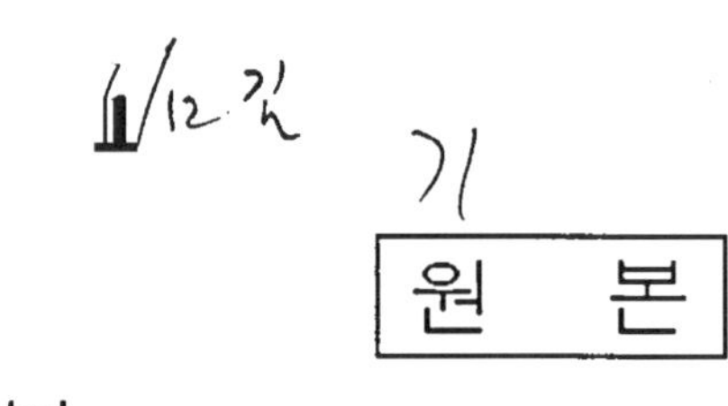

관리 번호	91-579

원 본

외 무 부

종 별 : 긴 급

번 호 : ARW-0429 일 시 : 91 0611 1800

수 신 : 장관(국기) 사본:주오지리대사(중계필)

발 신 : 주 아르헨티나대사

제 목 : IAEA 6월 이사회 대책

대:WAR-263

연:ARW-426

1. 당관 신참사관이 6.11.18:00 외무부 국제안보전략국장 대리 CAPPAGLI 공사로부터 확인한바 연호 콘센서스로 추진되는 경우 지지하고, 부표를 하게되는경우 찬성부표하도록 하는 훈령안이 아직 DI TELLA 외무장관의 결재가 늦어지고 있으나 동 입장에 변동이없다고 함.

2. 동 국장대리는 현재 비엔나 회의에는 VICENTE ESPECHE GIL 국장과 PEDROVILLAGRA 참사관이 참석중에 있으며 동 국장 포함 상기 1 항 훈령이 작성되었기 때문에 ESPECHE 국장이 동 훈령을 잘 알고있다고 말함.

3.DI TELLA 외무장관의 결재 확인되는대로 보고하겠음.

(대사 이상진-국장)

예고:1991.12.31. 일반

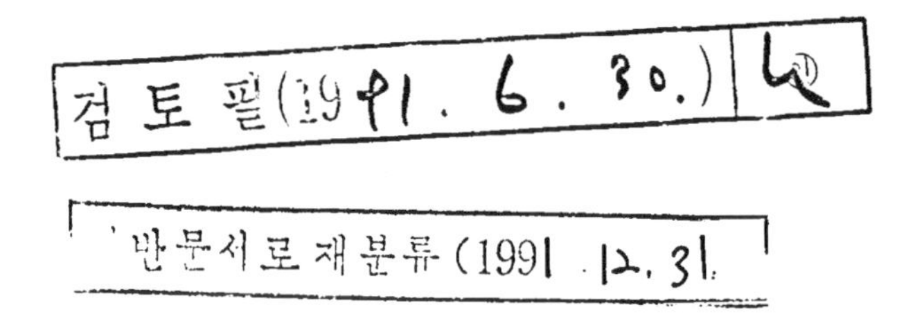

국기국 차관 1차보 미주국

PAGE 1

91.06.12 06:46

외신 2과 통제관 CE

0056

원 본

외 무 부

종 별 :

번 호 : ANW-0108

일 시 : 91 0611 1630

수 신 : 장 관(미북,외특,문홍 1)

발 신 : 주 아틀란타 총영사

제 목 : 지방언론 사설보도

당지 아틀란타 CONSTITUTION 지는 6.10 NORTH KOREA'S FLEETING SPELL OF RATIONALITY 제하 북한의 UN가입결정, IAFA 핵안전협정 가입등 남,북한 정세에 관해 아래와 같이 게재하였음을 보고함.

아래

NORTH KOREA'S FLEETING SPELL OF RATIONALITY

WITH EXTREME RELUCTANCE AND ITS CUSTOMARY

MEAN-SPIRITEDNESS,NORTH KOREA YIELDED UP ONE MAJOR CONCESSION AND SIGNALED THE PROSPECT OF ANOTHER, ALL IN THE SPACE OF A WEEK. THIS FROM A REGIME SO RIGID ONE COULD ALMOST HEAR ITS JOINTS CREAK IN THE POLICY TURNABOUTS.

AFTER FIGHTING FOR DECADES AGAINST DUAL REPRESENTATION IN THE UNITED NATIONS, THE PYONGYANG GOVERNMENT HAS AGREED GRUMPILY TO ACCEPT A SEAT IN THE WORLD BODY ALONGSIDE ITS BLOOD ENEMY FROM SEOUL. AND IT SAYS IT WILL BEGIN TALKING TERMS WITH THE INTERNATIONAL ATOMIC ENERGY AGENCY ABOUT OPENING UP ITS NUCLEAR FACILITIES TO IMPARTIAL INSPECTION.

BOTH MOVES REPRESENT OPPORTUNITIES TO SHED LIGHT ON THE WORLD'S MOST HIDDEDSOCIETY AND ONE OF ITS MOST DANGEROUS,CONSIDERING ITS DELIBERATE EFFORTS TO DESTROY SOUTH KOREA AND, MORE RECENTLY, TO BUILD A NUCLEAR BOMB.

THE SUSPICIOUS GOINGS-ON A NORTH KOREA'S YONGBYON NUCLEAR INSTALLATION AREN'T JUST A MATTER FOR CONCERN IN SOUTH KOREA. NORTH KOREA'S HOME-BUILT SCUD MISSILES COULD DELIVER WARHEADS TO JAPAN AS WELL.

SO WHAT IS IT THAT FORCED THE WORLD'S COCKIEST TYRANNY INTO LAST WEEK'S TACTICAL RETREATS?

미주국 1차보 문협국 외정실 분석관 안기부

0057

PAGE 1

91.06.12 09:07 WG

외신 1과 통제관

MERELY EXTERNAL PRESSURES AS DIRECTLY APPLIED AS THUMBSCREWS,THAT'S ALL.

THE SOVIETS SET UP DIPLOMATIC TIES WITH SEOUL A YEAR AGO AND LET THE WORD OUT THEY WOULD BACK ITS U.N. MEMBERSHIP THIS YEAR. CHINA HAS YET TO FORMALLY RECOGNIZE SEOUL,BUT IT HAS A BUDDING ECONOMIC RELATIONSHIP,AND IT INFORMED THE NORTH KOREANS THAT BEIJING WOULD NOT OPPOSE SOUTH KOREA'S U.N. BID. ESSENTIALLY, NORTH KOREA WAS WITHOUT A FRIEND IN THE WORLD ON THE ISSUE AND FACED WITH A PROSPECT IT COULD NOT STOMACH: THAT SEOUL MIGHT SIT IN THE UNITED NATIONS' ONLY KOREA SEAT.

MEANTIEM, JAPAN MADE IT CLEAR ITS PRICE FOR DIPLOMATIC RELATIONS WITH NORTHKOREA, PLUS DESPERATELY NEEDED ECONOMIC HELP, WOULD BE AN OPEN DOOR AT THE YONGBYON SITE, HENCE THE FRESH TALK OF U.N. INSPECTIONS.

NO ONE SHOULD HAVE ANY ILLUSIONS ABOUT WHY NORTH KOREA BACKED DOWN, BUT IT DOES SHOW SLIGHT PROGRESS IN PYONGHANG'S ARRESTED POLISTICAL DEVELOPMENT FOR ITTO HAVE YIELDED TO THE INEVITABLE. THAT'S A SURPRISE, JUDGING FROM ITS PAST KNEE-JERK IRRATIONALITY.

(총영사 김현곤-국장).

끝.

+/12 길 71

관리번호	91-587

원 본

외 무 부

종 별 : 긴 급

번 호 : CSW-0438 일 시 : 91 0611 1840

수 신 : 장 관(국기,미남),사본:주오지리대사-중계필

발 신 : 주 칠레 대사

제 목 : IAEA 6월 이사회 대책

대:WCS-0184

연:CSW-0420

당관 배진 참사관이 금 6.11. 주재국 외무성 특수정무국장 대리 OVALLE 공사를 접촉한바, 동 국장대리는 대호건 관련 결의안 채택에 대한 주재국 정부의 확고한 지지 입장을 재천명하고, 지난 6.7. IAEA 주재 자국 대표에게 이에 관한 훈령을 기 타전하였다고 부연하였음. 끝

(대사 문창화-국장)

예고:91.12.31. 일반

검 토 필(1991. 6.30.)

일반문서로 재분류(1991.12.31.

국기국 차관 1차보 미주국

PAGE 1

91.06.12 07:59

외신 2과 통제관 BS

0059

기

관리번호	91-580

원 본

외 무 부

종 별 :

번 호 : MOW-0281 일 시 : 91 0611 1900

수 신 : 장 관(국기,중동이) 사본:주오지리대사(중계필)

발 신 : 주 모로코대사

제 목 : IAEA 6월 이사회대책

대:WMO-0197

연:MOW-0267

본직은 6.11. 주재국 외무성 WARZAZI 국제기구국장을 긴급 접촉, 표제건 주재국의 적극 지지를 재차 요청한바, 동 국장은 이미 약속한대로 주재국은 대북한결의안을 적극 지지할 것이며, 이를 위한 훈령도 이미 현지 대표단에게 하달되었음을 확인하는 바이라고 하였음. 끝

(대사이종업-국장)

예고:91.12.31 일반

일반문서로 재분류(1991 .12.31.

검 토 필(1991. 6 . 30.)

국기국 차관 1차보 중아국

PAGE 1

91.06.12 07:07

외신 2과 통제관 BS

0060

6/13 71

관리번호	91-593

원 본

외 무 부

종 별 :

번 호 : URW-0087 일 시 : 91 0612 1145

수 신 : 장관(국기),주오지리대사-필

발 신 : 주 우루과이 대사

제 목 : IAEA 이사회(자료응신 제10호)

대:WUR-0085

1. 6.11 1800 주재국 외무성 BORGES 과장을 접촉, 대호 수정 결의안 지지를 요청한바, 상금 주재국 대표단으로부터대호에 관한 청훈이 없음을 밝히면서 대호 수정결의안 지지에는 주재국측으로서는 문제가 없을것이나, 명확한 입장은 주재국 대표단 청훈이 있는대로 당관에 통보해주겠다함.

2. 대호관련, FISCHER 국장을 금 6.12 오전 접촉예정임.

(대사-국장)

예고문:91.12.31 일반

검토 필(1991. 6. 30.)

일반문서로 재분류 (1991.12.31

국기국 차관 1차보 외정실 분석관 청와대 안기부

PAGE 1

91.06.13 06:19

외신 2과 통제관 CF

0061

6/13 가

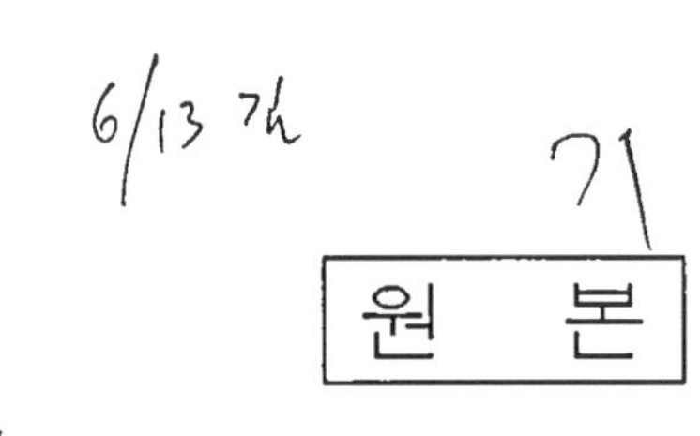

관리번호	91-597

외 무 부

종 별 :

번 호 : VZW-0358 일 시 : 91 0612 1900

수 신 : 장 관(국기,미남, 사본:주오지리대사(중계필))

발 신 : 주 베네수엘라대사

제 목 : IAEA 6월 이사회 대책

대: WVZ-0195

1. 대호 IAEA 우방국 전략회의 결과와 관련, 당관 정영채 참사관은 6.12 MAIGUALIDA APONTE 국제기구과장을 접촉, 북한의 핵안전협정서명 의사 표명에 대한 의혹으로 우방국들이 결의안을 채택키로 결정한 배경을 설명, 주재국의 적극 지지를 요청함.

2. 동 과장은 북한은 핵비확산조약 체결 당사국으로서 안전협정에 서명할 의무가 있다하며 자국은 동 결의안 채택을 지지한다고 함.

3. 대호 수정 결의안 본문에 대해 동 과장은 아직 이를 접수치 않은 바, 주비엔나대사에게 곧 FAX 로 확인하겠다 하며, 내용상 문제에 대한 수정이 없으므로 자국이 지지에는 아무 문제 없을 것으로 보며, 동 지지를 위해 적극 협조하겠다고 말함. 끝.

(대사 김재훈-국장)

예고: 91.12.31 일반

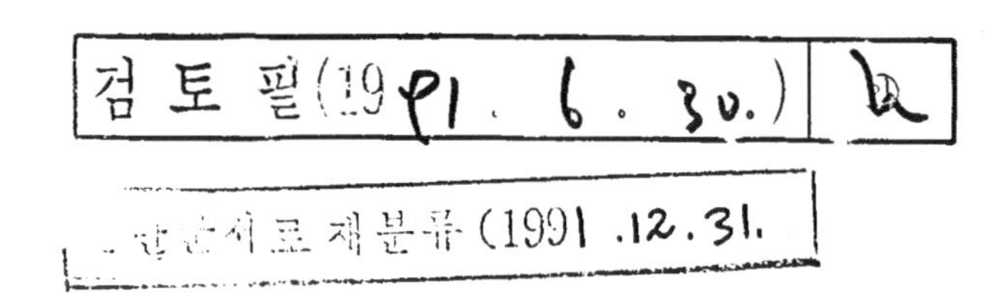

국기국 차관 1차보 미주국

PAGE 1

91.06.13 08:53

외신 2과 통제관 BS

0062

관리 번호	91-605

	분류번호	보존기간

발 신 전 보

번 호 : WSV-1805 910613 1504 FN 종별 : 긴급

WPD -0568 WCZ -0467

수 신 : 주 수신처참조 대사. 총영사

발 신 : 장 관 (국기)

제 목 : IAEA 6월 이사회 경과

연 : 수신처 참조

1. 표제 이사회의 연호이래 6.12(수)오후까지 토의 경과를 아래 통보함

가. 6.12 열린 핵심 우방국 대사 전략협의회에서는 북한대표 (진충국)의 공식입장을 이사회에서 청취해본 후 결의안 상정 문제등을 포함한 대응책을 강구한다는 입장을 재확인하였음

나. 6.12 북한핵안전협정문제가 본격 토의될 것으로 예상되었으나, 여타의제 심의로 순연되어 북한대표의 발언은 6.13(목)오전 (비엔나 시간)에 행해질것으로 보임.

다. 이사회의장은 6.13 오전 안보리 5개 상임이사국과 인도등 일부 G-77 국가를 포함한 결의안 추진 국가대표들과 회동하여 결의안 문제와 의장의 본건에 관한 성명문제를 협의할 예정임

2. 소련과 인도등 제3세계 이사국들이 북한의 표준협정안 동의 결정 통보를 이유로 9월 이사회까지 기다려보자는 입장을 견지하고 있는 바, 이러한 점등을 감안하여 아국은 ~~금번이사회에서 결의안은 상정하지 않되~~ (결의안은 상정되지 않을 가능성 큼), 다수 이사국들이 대북한 협정서명촉구 발언을 하고 이사회의장의 강한 성명을 채택하는 방향으로 대처할 것임을 귀하의 참고로만 하기 바람. 끝.

보안 통제	원

/계속...

앙 고 재	91년 6월 13일	국 기과	기안자 성명		과 장		국 장		차 관	장 관
			김한택		원		전결			

외신과통제

0063

예 고 : 91.12.31 일반

(국제기구조약국장 문 동 석)

수신처 : 주미국(WUS-2615), 독일(WGE-0882), 쏘련(WSV-1778), 카나다(WCN-0680), 프랑스(WFR-1219), 일본(WJA-2664), 영국(WUK-1105), 스웨덴(WSD-0304), 호주(WAU-0421), 북경(WCP-0767), 알젠틴(WAR-0262), 인도(WND-0546), 칠레(WCS-0183), 베네주엘라(WVZ-0194), 브라질(WBR-0254), 우루과이(WUR-0084), 벨지움(WBB-0293), 이태리(WIT-0661), 폴투칼(WPO-0227), 폴란드(WPD-0552), 체코(WCZ-0456), 나이제리아(WNJ-0236), 튜니지아(WTN-0171), 카메룬(WCM-0166), 모로코(WMO-0196), 사우디(WSB-0814), 이란(WIR-0473), 인니(WDJ-0595),필리핀(WPH-0520), 태국(WTH-0908), 유엔(WUN-1661), 제네바(WGV-0760) 대사, 주카이로(WCA-0440)총영사

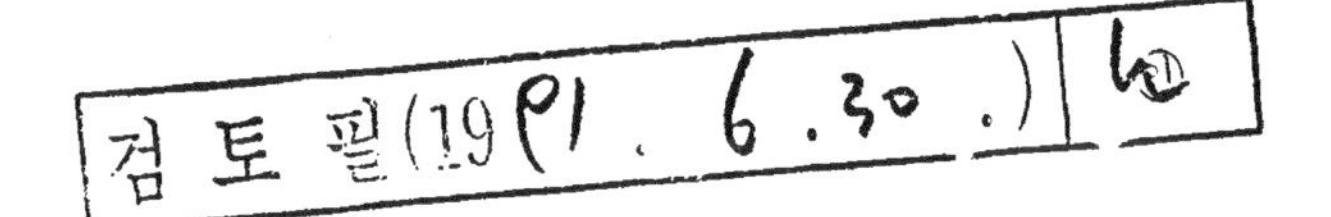

일반문서로 재분류(1991.12.31.)

0064

WUS-2651 외 별지참조

WUS-2651 910613 1458 FN

WGE -0893	WCN -0694	WFR -1243	WJA -2691	WUK -1119
WSD -0311	WAU -0433	WCP -0779	WAR -0267	WND -0552
WCS -0186	WVZ -0197	WBR -0257	WUR -0087	WBB -0302
WIT -0670	WPO -0233	WNJ -0241	WTN -0172	WCM -0170
WMO -0198	WSB -0820	WIR -0479	WDJ -0603	WPH -0526
WTH -0914	WUN -1692	WGV -0767	WCA -0442	

0065

6/14 길
기

관리번호	91-608

외 무 부

종 별 :

번 호 : CNW-0783 일 시 : 91 0613 2330

수 신 : 장 관(미일)

발 신 : 주 카나다 대사

제 목 : 카.북한 외교관 접촉

1. 6.13.(목) 카 외무부는 6.17.(월) 북경에서 주 중공 카대사관 JUTZI 공사와 북한 대사관 박석균 참사관간에 접촉이 있을 것임을 알려왔음.

2. 금번 접촉은 IAEA 핵안전 협정 체결 문제와 관련한 북한의 진의 파악을 위해 카측이 제의한 것이라고 함. 끝

(대사 박건우-국장)

예고문 : 91.12.31. 일반

일반문서로 재분류(1991. 12.31.)

검 토 필(1991 . 6.30.)

미주국 차관 1차보 국기국

PAGE 1

91.06.14 13:12

외신 2과 통제관 BS

0066

관리 번호	91-820

	분류번호	보존기간

발 신 전 보

번 호 : EM-0021 910614 1553 FO 종별 : 지급

수 신 : 주 전대사 (EM) ~~전재외공관장~~ 대사//총영사//

발 신 : 장 관 (국기)

제 목 : IAEA 6월 이사회 결과

연 : AM-0128

금번 IAEA 6월 이사회(6.10-14)에서 북한의 핵안전협정 체결문제에 대한 토의내용 및 이에 관련한 아국 조치내용, 관찰을 하기 통보함

1. 이사회 토의 경과

가. 1차 토의

1) 6.10(월) IAEA 총장의 보고(6.7 북한의 서명의사 통보사실 포함) 청취

2) 상기 보고 청취후 일본대표는 북한의 협정체결 진의를 확인하는 5개항을 질의(이때 북한대표 퇴장)

3) 호주, 카나다, 독일, 이태리, 태국, 미국등 6개국이 일본대표의 발언에 동조하면서 북한의 지체없는 협정체결을 촉구

4) 이사회 의장(폴란드)이 일본대표의 질의를 북한측에 전달하고 북한대표와 협의후 차후 회의에서 토의하기로 하고 1차 토의종료

나. 2차 토의

1) 6.13(목) 오전 회의에서 북한대표(순회대사 진충국)의 하기 요지 발언 청취

/계속...

보안 통제	(서명)

앙고재	91년 6월 14일	국기과	기안자 성명	과 장	국 장	차 관	장 관
			(서명)	(서명)	전결 (서명)		(서명)

외신과통제

0067

o 본질내용 변경없이 7월 IAEA측과 협정문안 최종 협의후 9월 정기 이사회에 상정

o 협정의 효력 지속조항(제26조)의 개정문제는 미국측과 해결, 동건에 대한 합리적 해결책 강구를 위하여 미국 유력기관과 현하 협의중

2) 북한의 상기 발언 청취후 호주제의와 칠레의 동조로 여타 안건을 먼저 토의한 후 오전회의 종료

다. 3차 토의

1) 6.13(목) 오후 회의에서 다른 안건토의 완료후 북한 협정체결문제 토의 속개, 호주,칠레,카나다,일본,소련,베네주엘라,인니,불란서, 독일,이태리,벨지움,미국,필리핀,폴랜드,체코,중국,태국,스웨덴, 영국,나이제리아,오스트리아,이란,쿠바,튜니시아,이집트,인도, 폴투갈(이상 27개 이사국)대표와 아국,수단,헝가리(이상 3개 옵서버국)등 총 30개국 대표가 북한에 대해 9월 이사회에서 안전 협정안 승인 받은 후 조속한 협정체결 절차를 취할것을 촉구 (금번 이사회에서 북한에 대한 협정체결 촉구결의안 채택을 주도적으로 추진하여온 호주 대표는 본 협정건에 관한 IAEA 사무총장, 이사회의장 및 북한대사의 발언을 감안하여 결의안 제출을 9월 이사회까지 보류결정하였음을 발표)

2) 각국의 상기 발언후 이사회의장은 하기 요지의 강력한 성명 (Summing-up)을 발표

o 다수 이사국이 북한에 대해 지체없는 핵안전 표준협정안 체결을 촉구한 사실을 상기

o 북한 대표가 제의한대로 7월 협정문안협의, 9월 이사회 제출 및 지체없는 서명. 발효에 대한 이사국들의 강력한 기대 표명 사실 적시

/계속...

0068

o 북한 대표가 금번 이사회에서 토의내용을 무조건 지체없이 북한 정부에 전달할것을 희망

2. 아국 조치내용 및 관찰

가. 조치내용

1) 5월중순 호주, 일본 및 카나다의 주도로 시작된 결의안 채택 추진을 적극지지, 30개 이사국을 상대로 한 교섭 전개

2) 북한측의 연호 6.7(금) 협정서명의사 표명 및 6.13(목) 이사회 회의에서의 발언을 감안하여 소련 및 일부 비동맹 국가들이 9월 이사회까지 기다려주자는 입장을 고려, 우방 이사국과 협의후 결의안 채택추진 보류. 대신 다수 이사국 대표의 대북한 촉구 발언 및 이사회 의장 명의 성명(상기)채택 추진

3) 주오지리 대사, 6.13 이사회 회의시 북한에 대해 국제법상 의무의 자발적 이행 재촉구 및 북한의 약속 불이행시 아국의 대응조치 불가피 표명

4) 금 6.14 북한의 협정체결촉구 정부 당국자 논평 발표

나. 관찰 및 평가

o 국제여론의 압력을 받아 북한의 태도가 표면상 전례없는 성의를 보였으나 본질적 태도는 상금 변하지 않은것으로 평가

o 북한측이 6.13 IAEA에서 발표한 내용은 "본질내용 수정없이 협정안에 동의하기로 결정하였다"고 하였으나 서명, 효력발생을 위한 제반조치에 관해서는 분명한 입장을 제시치 않았음

o 중요한 본질 내용인 효력지속에 관한 제26조의 개정은 미국측과 협의할 문제라고 밝힘(전제조건 여부는 불분명하게됨). 끝.

(국제기구조약국장 문 동 석)

6/15 길 71

관리 번호	91-611

외 무 부

종 별 :

번 호 : SVW-2084 일 시 : 91 0614 1500

수 신 : 장 관(동구일,북일,정특,정안,국기,국연,사본:주미대사)-중계필

발 신 : 주 쏘 대사

제 목 : 대북 관련 동향

연 : SVW-1993,SVW-2082

본직은 6.13 로가쵸프 차관 면담시 대북한 동향 관련 의견을 교환한바, 동 내용 하기 보고함.(쏘측: 라조프 극인국장리샤코프 한국과장 대리, 미나에프 서기관, 아측: 서현섭참사관, 김성환서기관배석)

1. 북한의 유엔가입 결정

가. 본직이 북한의 유엔가입 결정을 어떻게 평가하느냐고 문의한데 대해, 로차관은 북한이 상식을 발휘한 것으로 옳바른 방향(RIGHT DIRECTION)으로의 변화이며 한반도 긴장완화에 도움이 될 것으로 본다고 하고 북한의 금번 결정을 다른 여타국과 마찬가지로 환영하고 있다고 하였음.

나. 본직이 연호 손성필 북한대사와의 대화내용을 소개한 데 대해 동차관은웃으면서 경청하였음.

2. 북한의 IAEA 핵안전 협정 서명 의사 표명

가. 북한의 IAEA 와의 핵안전 협정 서명 의사 표명관련, 본직이 아측은 이를 신중하게 평가하고 있으며 북한이 진정한 의사를 가지고 IAEA 와의 핵안전 협정에 서명할 수 있게 되기를 기대한다고 한후 6.13 일자 연합통신에 보도된 북한이 IAEA 와의 협정에 서명한면 미국은 북한에대해 핵무기 불사용 보장을 문서로 통보할 것이라는 리챠드슨 국무성 한국과장의 발언 내용을 설명하면서 솔로몬 차관보와의 회담시 이러한 내용을 들은바 있느냐고 문의하였음.

나. 로차관은 자신이 솔로몬 차관보와의 면담시 미국이 강국이니 북한에대해 무언가를 해야되지 않겠느냐고 충고했다 하면서 리챠드슨 과장의 발언은 이러한 자신의 충고가 반영된 것으로 본다고 답한후 아측이 혹시 이에대해 우려하는 것은 아니냐고 문의하였음.

구주국	장관	차관	1차보	2차보	국기국	국기국	외정실	외정실
분석관	청와대	안기부						

PAGE 1

91.06.15 00:09

외신 2과 통제관 FK

0070

이에 본직은 아측도 이를고무적인 것으로 판단하고 있으며 미측은 전부터 북한이 IAEA 와의 핵안전 협정에 서명한면 대북한 관계를 개선하겠다는 의사를 표명해 왔다고 답하였음.

3. 김정일 권력 승계

가. 본직이 김정일 권력 승계 관련 쏘측이 특별한 정보를 가지고 있는지 문의한데 대해, 로차관은 지난번 김일성 주석이 내년에 80 세가 되면 권력을 김정일에게 이양하고 은퇴할 것이라고 들은 이외에 특별한 것은 없다하며 김정일의 권련 승계에대해서는 소문이 하도 무성하여 쏘측도 추측만하고 있을뿐이라고 답하였음.

나. 이어 본직이 김정일이 순조롭게 권력을 계승할 수 있을 것인지와 김정일의 지도자로서의 역량에관해 문의하자, 로차관은 김정일이 이미 1973 년 이래 당중앙위 서기로 재직하고 있어 부친인 김일성 주석으로부터 많은 것을 배웠을 것이며 당분간은 급격한 변화가 있을 것으로 예상치 않는다고 답하였음.

다. 이에 본직이 중국은 김정일의 권력 승계를 낙관적으로만 보지 않는 것 같다고 하자, 로차관은 김정일이 김일서에 비해 지도력이나 권위에서 차이가 나고 특히 군에대해 권위를 확립하지 못한 것은 사실이라고 하면서 김정일이 집권하면 무엇인가 변화는 있지 않겠느냐고 언급하였음.

(라조프 국장은 쏘측의 최근의 유엔가입 결정, IAEA 와의 대화 의사 표명등을 김일성 자신의 결정으로 보고 있다고 언급)

4. 남, 북대화

가. 본직이 쏘측은 남북한의 유엔가입과 관련, 한반도 문제 해결에관해 어떠한 새로운 국제적 접근을 고려하고 있는가고 물었던바, 로차관은 남. 북한간의대화가 빨리 재개될수록 좋을 것이라고 한후 쏘측은 평양에대해 항상 대화를종용하고 있으며 대화를 하면 긍정적인 발전이 있을 것임을 얘기하고 있다 하면서 중공, 미국도 우리와같은 입장인바, 북한의 유엔가입 결정도 이러한 공동 노력의결과로 본다고 답하였음.

나. 로차관이 본직에게 최근 남. 북 대화와 관련 새로운 진전이 있느냐고 묻기에 아직 아무런 징후가 없는바. 북한은 항상 한국 국내가 정치적을 소란스러운 시기에는 대화를 중단해 왔던 만큼 진전을 기대할 수 없었다고 함. 그러나 향후 2-3 개월내에 북한측이 접근해올 가능성은 있다고 함. 쏘련을 위시한 중국, 일본, 카나다등 최근 북한과 접촉한 국가들이 북에대해 계속 남북대화의 재개를 촉구한만큼 북한의 변화를

	분류번호	보존기간

발 신 전 보

번 호 : WCP-0802 910615 1308 FO 종별 : 암호송신

수 신 : 주 북경 대사. 총영사

발 신 : 장 관 (국기)

제 목 : IAEA 6월 이사회

연 : EM-0021

6.13 표재회의 북한 핵 안전협정 문제토의시 귀주재국 대표의 발언요지를 아래 통보하니 참고바람.

1. 북한이 IAEA와 회담을 개최, 표준 협정안을 기초로 동 실질 내용에 대한 수정없이 북한-IAEA 협정안을 확정하여 이를 9월 이사회에서 승인을 받은 후 서명할것이라는데 대해 만족함

2. 북한의 긍정적인 태도 (POSITIVE ATTITUDE)를 환영함. 끝.

(국제기구조약국장 문 동 석)

보안 통제	

앙 고 재	91년 6월 15일	기과	기안자 성명		과 장		국 장		차 관	장 관
			김하태				전결			

외신과통제

0072

	분류번호	보존기간

발 신 전 보

번 호 : WSV-1844 910615 1308 FO 종별 : ~~암호송신~~

수 신 : 주 쏘 대사. 총영사

발 신 : 장 관 (국기)

제 목 : IAEA 6월 이사회

연 : WSV-1826

6.13 표제회의 북한 핵 안전협정 문제토의시 귀주재국 대표의 발언요지를 아래 통보하니 참고바람.

1. 핵안전조치 협정 체결 및 이행은 NPT 당사국의 의무로서 동의무 이행의 지체는 어느 경우에도 정당화 될 수 없음

2. 북한과 IAEA가 7월중에 회담을 개최할예정이며 9월 이사회에 협정안을 상정, 승인을 받은 후 서명할 것이라는데 대해 환영함

3. 동 협정이 이사회의승인 후 가능한 즉시(AS QUICKLY AS POSSIBLE)발효될 것을 기대함. 끝.

(국제기구조약국장 문 동 석)

보안 통제	외

앙 고 재	91년 6월 15일	국기과	기안자 성명		과 장		국 장		차 관	장 관
			김희택		외		전결			W

외신과통제

0073

	분류번호	보존기간

발 신 전 보

번 호 : WSD-0317 910615 1307 FO 종별 : ~~암호송신~~

수 신 : 주 스웨덴 대사. 총영사

발 신 : 장 관 (국기)

제 목 : IAEA 6월 이사회

연 : EM-0021

6.13 표제회의 북한 핵 안전협정 문제토의시 귀주재국 대표의 발언요지를 아래 통보하니 참고바람.

1. 현저한 핵활동을 하고 있는 북한이 9월 이사회에 협정안을 제출, [illegible] 승인을 받은 후 서명할 것이라는데 대해 환영함
2. 이와 관련 중요한 것은 동 협정이 서명후 즉시(IMMEDIATELY)비준, 시행 되어야 한다는 점임. 끝.

(국제기구조약국장 문 동 석)

보안통제	

앙고재	91년 6월 15일	국기과	기안자 성명		과 장		국 장		차 관	장 관
			김태록				결재			

외신과통제

0074

6/17 ...
...
71

외 무 부

암호수신

종 별 :

번 호 : JAW-3654 일 시 : 91 0615 1944

수 신 : 장관(아일,국기,정특)

발 신 : 주 일 대사(일정)

제 목 : 북한의 핵안전협정 체결문제

1. 당지 금 6.15. 자 마이니찌 신문은 "북한, 미군핵의 사찰요구 취하 주쏘대사 표명, 위협제거의 보장시 교섭"제하에 손성필 주쏘 북한대사와의 인터뷰 내용을 다음과 같이 보도함.

0 6.14. 오후 손성필은 모스크바에서 마이니찌 신문등과 회견, 북한의 핵확산방지 조약에 따른 IAEA 와의 보장조치협정 문제에 관한 북측 방침을 설명함.

0 동 설명시 비엔나에서 개최되고 있는 IAEA 정례이사회에서 북한이 협정을받어들이기 위해 "미국의 핵 위협제거를 요구한데 언급", 한국에 배치된 미국핵의 사찰을 요구한바 있으나, 핵무기는 IAEA 관할 밖이기 때문에 취하 했다"고명언함.

0 손성필은 IAEA 이사회에서 진충국 북한특사가 말한 "미국과의 교섭"내용이 "북한에의 핵불사용. 위협의 제거"에 있음을 처으로 밝혔음. 또 사찰 수용과 "보장"이 링크되어 있음을 강하게 시사함.

2. 상기 관련, 금 6.15. 자 닛께이 신문은 키미트 미국무차관과의 회견내용을 게재하였는바, 동 차관의 답변중 북한의 핵안전협정 체결문제와 관련된 부분은 다음과 같음.

0 북한의 핵사찰 수용표명은 환영하나, 그것은 북한의 선택이 아니라 의무임. 이는 중요한 STEP 이긴 하지만 국교정상화와 연결시키는 것은 지나치게 빠름.

0 북한과는 한국동란시 미귀환병, 북한의 테러국가 지원이나 제 3 국에의무기수출등(국교정상화에의)현안이 남아 있음. 미국은 현재 북경에서 북한과참사관레벨의 대화를 계속하고 있으나, 만일 북한이 IAEA 의 사찰협정에 조인하면, 미.북 대화의 격상등을 검토해도 좋음.

0 북한의 핵사찰 수용은 한국에 있는 미군의 편성이나 기타 어떤 문제와도관련이

아주국 국기국 외정실

PAGE 1

91.06.15 21:06
외신 2과 통제관 DG
0075

없음.

3. 한편, 금일자 요미우리 신문은 일.북 수교교섭 일측대표인 나까히라 대사가 6.14. 동사 기자와의 인터뷰에서 IAEA 6 월 이사회에서의 북측의 핵사찰수용이 "국교교섭의 촉진재료"이기는 하나 은혜문제등으로 인해 금후 일.북 수교교섭의 전망에 대해서는 구체적인 언급을 피했다고 보도함. 끝.(대사 오재희-국장)

6/17 김
서빌 누오 기

외 무 부

종 별 :

번 호 : SVW-2104 일 시 : 91 0615 0040

수 신 : 장 관(동구일,정특,기정)

발 신 : 주 쏘 대사

제 목 : 북한대사 기자회견

당지 북한대사 손성필은 6.13(목) 특파원등 25명의 참석리에 기자회견을 갖고 한반도 비핵지대화 특히 북한의 IAEA와의 핵안전협정 체결및 최근 쏘.북한 관계등에 관하여 언급한바, 주요 내용 하기보고함. ('트루드','콤소몰스카야 프라우다'지 보도종합)

1. 북한의 IAEA와의 핵안전 협정 체결

- 손대사는 회견에 앞서 6.10자 북한 정당사회단체의 한반도 비핵지대화에 관한성명문 (로문)을 배포하였음.(동 전문 및 번역문 ㅍ파편 송부)

- 손대사는 북한이 95년부터 (빠르면 93년) 핵무기를 자체 생산할 수 있게 될 것이라는 소문이 최근 확대되고 있는 것과 관련, 북한은 핵무기를 생산할 의사가 없을뿐 아니라 그럴 능력을 갖고있지도 않다고 언명함.

- 또한 북한내 핵원자로에대한 사찰에 반대하지는 않으나 이는 한국내에 배치되어 있는 미핵무기에 대한 사찰과 동시에 이루어져야 하며, 다른 방식의 해결은 불공평하다고 함. 또한 미.쏘양국이 서로를 더이상 적으로 간주하지 않기로한 지금 쏘련의 한반도 진출을 저지하기 위해 한국에 미국핵이 배치되어 있을 필요성도 사라졌다고 주장 함.

- 손대사는 북한과 미국간의 평화협정체결은 한국으로부터 주한미국및 핵무기의 철수를 가능케할 것이며 한반도의 평화적 통일에 유리한 여건을 조성할 수 있을것이라고 언급함.

(트루드지와의 질의응답)

질: 북한이 95년경 자체 핵무기 생산 가능성이있다는 외신 보도와 핵및 화학탄두를 운반할 수있는 신형 미사일 개발에 관해 리비아KAES비밀협정을 체결했다는 연합통신 보도에 대해

구주국 장관 차관 1차보 국기국 외정실 분석관 청와대 안기부

0077

PAGE 1 91.06.15 15:04 GW

외신 1과 통제관

답: 북한은 핵무기 개발 능력이 없으며, 엄청난시간과 자금이 소요되는 이런사업을 추진할 의도가없다고 함.

질: 최근까지 북한은 핵사찰 문제를 한국으로부터의 미핵무기 철수와 결부시켜왔음. 아무런조건없이 IAEA사찰에 동의함으로써 북한의 핵무기에 대한 각종 소문을 일소시킬 용의는

답: 북한은 핵사찰에 반대하지 않으며 IAEA와핵안전 협정을 체결 할 용의가 있음. 하지만핵무기가 없는 북한에 대해서만 사찰을 실시하는것은 공정치 못함. 한국에배치된 미국핵무기를 공개하고 사찰을 실시해야 함. 북한은핵사찰 문제를 미핵무기의철수와 연계시키지는않음. 한민족 전체의 생존을 위협하는 그핵무기가 사용되지 않을것이라는 보장이 무엇보다중요함.

2. 북한 사질단 방쏘

평양시 노동당 대표단의 방쏘관련, 손대사는금번 방문이 평야과 모스크바시의 협력증대에기여할 것이며 모스크바 공산당 대표단의 평양방문도 기대된다고 언급.끝

(대사공로명-국장)

관리번호	91-618

6/18 개 기

외 무 부

종 별 : 지 급

번 호 : AUW-0463 일 시 : 91 0617 1630

수 신 : 장관(아동,정특,국기,기정)

발 신 : 주 호주 대사

제 목 : 북한 한봉화대사 호주방문 결과

연:AUW-0444

1. 금 6.17(월) 11:00 BENSON 외무무역성 아주국 부국장은 당관 양공사를 초치, 연호 한봉화 주인니 북한대사의 호주 방문결과를 아래와같이 알려주었음.

가. 남북한 관계

0 한봉화 대사는 6.14(금) BARRAT 외무무역성 차관보를 30 분 가량 예방한 후 BENSON 부국장이 주재하는 양측 원탁회의 및 오찬을 가졌는바, 호주측에서는 COUSINS 핵군축국 부국장, STEELE 핵군축국 PRINCIPAL ADVISOR, ANDERSON 핵군축국 IAEA 담당과장, MCCARTER 한국과장이 그리고 북한측에서는 주형순 통역(조평통 부위원장)이 동석함.(주 뉴질랜드 호주대사관으로부터 주형순이 한봉화보다서 상위자인것 같이 행동했다는 보고를 접하였고, 주싱가폴 호주대사관에서도 주형순에 비자 발급시 동인이 한봉화의 통역이라는 조건하에 비자를 발급해준 탓인지 당지 켄베라 방문시는 반드시 상위자라는 인상은 주지 않았다 함.)

0 호주측은 먼저 한북한 관계에 관하여 한봉화에게 설명해 주도록 요청하였던바, 한봉화는 남한측의 휴전선상에 장벽 불철거, 팀스피리트 훈련 계속, 유엔 단일의석 가입 반대등으로 대화가 중단되고있다고 하고, 언제라고는 말하지 않은태 총리회담이 재개될것이라고만 말했다함. 이어 한봉화는 북한은 한반도 긴장완화를 위하여 10 만병력 감축등을 제의했으나 남한은 이렇다할 대응조치를 취하지 않고있다고 비난하였다함.

0 이에 호주측은 북한이 조속히 실질적인 남북대화의 성과를 창출토록 노력해 줄것을 당부하는 한편 북한이 불합리하고 실천 불가능한 단일의석안을 포기하고 유엔에 동시 가입하기로한 결정에 대하여 환영을 표했다 함.

나. 핵안전협정 체결 문제

아주국	차관	1차보	2차보	국기국	외정실	분석관	청와대	안기부

PAGE 1

91.06.17 17:00

외신 2과 통제관 DO

0079

0 핵안전협정 서명관련, 한봉화는 남한주둔 미 핵무기 철수및 미측으로부터의 NEGATIVE SECURITY ASSURANCE 가 있어야 한다는 주장을 되풀이 하였다함. 이에 대하여 호주측은 핵무기가 어디에 배치되어 있는가 하는 문제와 핵을 개발하는 문제와는 본질적으로 다른것으로 IAEA 에서도 핵무기가 서독에 있든 극동에 있든 이에 개의치 않고, 핵개발 자체에 대하여 각국의 의무를 규정하고 있다는 사실을 상기시키고, 북한이 비핵국가로서 핵안전협정에 가입하는것 자체가 미국의 NEGATIVE SECURITY ASSURANCE 를 받게 된다는 사실을 주지시키면서, 북한이 끝내 핵안전협정서명, 비준및 사찰허용단계를 거부하거나 지연시키는 경우에는 오히려 미국의 NEGATIVE SECURITY ASSURANCE 를 받지 못하게 되는 결과를 가져오지 않겠는가고 말했다 함.

0 또한 한봉화는 6.14 비엔나에서의 IAEA 회의 결과를 모르고 있어, BENSON부국장이 진충국발언 전문을 보여주면서 호주는 북한의 말이나 선언이 아닌 실질적인 조치를 보고서 북한에 대한 평가를 할것이라고 강조했다함(..THE PROOF OF PUDDING IS IN THE EATING)

0 한편 비엔나 IAEA 이사회에서의 호주의 활동과 관련하여 주북경 북한 참사관이 RIGGBY 주북경 호주대사관 참사관을 방문하고, 김선용 주 자카르타 북한 3등서기관이 북한 공보관과 함께 호주대사관을 방문하여 대북한 핵안전협정 촉구 결의안 채택을 호주가 주도한데 대하여 호주를 한국및 미국의 STOOGE(괴뢰)라고 강변한데 대하여 BENSON 부국장은 한봉화 대사에게 호주의 외교정책에 대하여 전혀 상식이 없는 무지한 소행이라고 강하게 반박해주었다 함.

다. 호.북한 관계

0 BENSON 부국장은 OFF-THE-RECORD 라고 전제하고, 한봉화 북한대사의 호주방문 대책과 관련하여 EVANS 외상이 남아연방 방문(6,6-13)차 출발직전 외상의 지침을 구하였는바, EVANS 외상은 "호주내에서 북한은 인기가 없다, 지금 현단계에서 북한에게 어떤 전향적인 조치를 취하는것은 노동당 정부에 도움이 되지 않는다. 따라서 북한측이 뭐라하든 호주에 대하여 DEMANDEUR(아쉬워하는)입장이 되도록 PACE 를 유지하도록" 지시한바 있어 금번 한봉화 일행에 대한 호주의 대응은 대북 관계의 개선을 위한 의견교환이라기 보다 북한의 핵사찰에 대한 호주의 강한 집념을 주지시키는 기회로 활용했다 함.

0 한봉화가 북한 외교부 부부장의 호주방문 예정을 거론하면서 동방문의 조속한

6/18 길

관리 번호	91-619

71

외 무 부

종 별 : 지 급

번 호 : AUW-0464 일 시 : 91 0617 1640

수 신 : 장관(아동,정특,국기,기정)

발 신 : 주 호주 대사

제 목 : AUW-0643 PART2

0 한봉화가 부수상겸 무역장관 방호 거절에 섭섭함을 표시하면서 북한은 호주와 무역등 경제관계를 심화시키려는 의도였다고 말한데 대하여 BENSON 부국장은 북한이 호주와 통상관계를 증진시키는데 있어서 북한의 5,500 만불을 외채상환 불능 상태는 하나의 큰 걸림돌이 되고 있다고 지적했다함.BENSON 부국장은 이로서 북한측의 허세를 꺽어 주었다고 하였음(WE TOOK THE WINDS OF THEIR SAILS)

2. 양공사는 상기 설명에 대해 사의를 표하고 BENSON 부국장에게 핵안전협정과 관련하여 북한이 밟아야할 절차 1) 7 월 IAEA 사무국과 협정안 협상 2) 서명 3)비준통고 4)실질적인 핵사찰 허용 조치 단계중 어느단계를 기점으로 대북한 관계 개선내지 정상화를 호주가 구상할것인지 문의한데 대하여 동 부국장은아직 구체적인 구상을 전혀 하지 않고 있으며 어느단계를 기점으로 할것인지에 대하여도 고려하고 있지 않고있으며 금년말경 북한 외교부부부장 방호시에도 현재의 기조가 변화되지 않을것이라고 말하고, 일본과 북한과의 관계 개선및 정상화 결과가 호주측에 어떤 BAROMETER 가 될것임을 강하게 시사하면서, 호주는 어떤 경우에도 일.북한 관계를 앞지르지 않을것이라고 확약했음. 한편 BENSON 부국장은 필리핀이 북한과 관계정상화를 서명한데 대하여 미국무성이 ANNOYED 하고 있다고 밝히면서, 호주측의 정보로서는 금번 필리핀의 관계정상화시 필리핀 외무성은 반대했던것으로 알고 있다고 말하고 필리핀의 태도에 대하여 다소 의외라면서 호주측은 이에 전혀 개의치 않음을 명백히 했음. 끝.

(대사 이창범-국장)

예고:91.12.31. 일반

검 토 필(1991. 6. 30)

아주국 차관 1차보 2차보 국기국 외정실 분석관 청와대 안기부

PAGE 1

91.06.17 17:02

외신 2과 통제관 DO

0081

실현과 방문시 가시적인 어떤 성과(OUTCOME)이루어 지기를 희망한데 대하여, BENSON 부국장은 전기 외상 지침에 입각하여 북한 김달현 부수상겸 무역장관 방호 요청을 거절한 사실을 밝히고 북한 외교부 부부장의 방호는 일단 접수키로했던 사항이니만큼 접수할것이나 동 부부장의 방호도 9 월 IAEA 이사회시 북한 태도를 보고 북한이 협정에 서명하여 분위기를 호전시키는 경우, 즉 금년 4/4 분기경이나 동 부부장의 방호를 접수할 의향임을 밝혔다 함.

-- 이하 AUW-0464 호로 계속 --

[illegible] 91.12.31

검 토 필(1991. 6. 30.)

PAGE 3

0082

관리번호 91-852

분류기호 문서번호	국기 20332-1562	기 안 용 지 (전화 : 720-4050)	시 행 상 특별취급	
보존기간	영구 . 준영구 10. 5. 3. 1.	장 관		
수 신 처 보존기간				
시행일자	1991. 6.18.			

보조기관	국장	전결	협조기관		문서통제
	과장				1991. 6. 19
기안책임자		김 희 택			발 송 인

경 유 수 신 참 조	수신처참조	발신명의		발송 1991. 6. 19 외무부
제 목	북한의 핵안전협정체결 문제			

연 : EM-0021

연호와 같이 북한의 핵 안전협정체결 문제가 IAEA 9월 이사회에서 재론될것에 대비하여 관련 자료를 별첨과 같이 작성, 통보하니 차후 교섭이 있을 것에 대비, 참고하시기 바랍니다.

첨 부 : 상기 자료 1부. 끝.

/계속...

0083

검 토 필(1991. 6. 30.)

수신처 : 주미, 독일, 쏘련, 카나다, 프랑스, 일본, 영국, 스웨덴,

오스트리아, 호주, 북경, 알젠틴, 인도, 칠레, 베네주엘라,

브라질, 우루과이, 벨지움, 이태리, 폴투갈, 폴란드,

체코, 나이제리아, 튜니지아, 카메룬, 모로코, 사우디,

이란, 인니, 필리핀, 태국대사, 주 카이로 총영사

(사본 : 주 유엔, 제네바 대사)

0084

報 告 畢

長 官 報 告 事 項

1991. 6. 18.
國際機構條約局
國際機構課 (42)

題 目 : 북한의 핵 안전조치협정체결문제 관련자료 작성

북한의 핵안전협정체결 문제가 IAEA 9월 이사회(9.11-13, 비엔나) 에서 재론될 것에 대비하여 아래 목차와 같이 관련자료를 작성, IAEA 이사국 주재 공관(사본 : 주 유엔, 제네바 대표부)에 통보 하였음을 보고 드립니다.

I. NPT와 북한의 핵안전조치협정

1. NPT 주요내용
2. 북한의 핵개발 현황
3. 북한-IAEA간 핵안전협정체결교섭 경위
4. 북한의 핵안전협정체결시 핵사찰 대상

첨 부 : 가. 한국.IAEA간 핵안전조치협정

나. 한국이 받고 있는 핵사찰 내용

다. 미.쏘가 받고 있는 핵사찰 내역

라. IAEA 핵안전협정의 특별사찰관련 규정

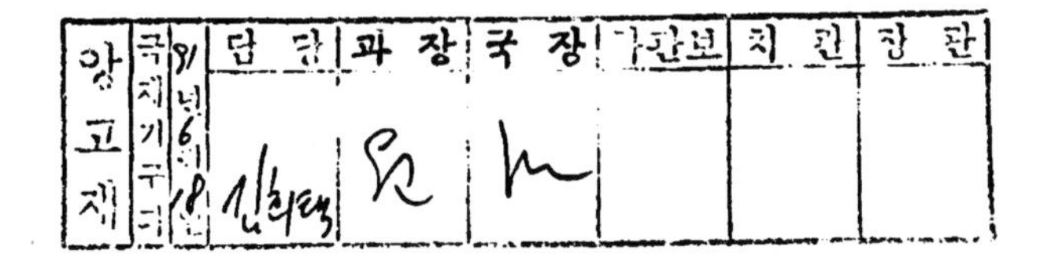

앙 고 재	국제기구과	91년 6월 18일	담 당	과 장	국 장	차관보	차 관	장 관
			김희택	(서명)	(서명)			

- 1 -

0085

Ⅱ. IAEA 6월 이사회 주요국 대표 발언문(영문)

1. 북한대표 발언
2. 일본대표 발언
3. 미국대표 발언
4. 한국대표 발언

Ⅲ. IAEA 이사회의장 요약 성명(91.6월 이사회)

Ⅳ. 기 타

1. IAEA 개요
2. IAEA 이사국 현황
3. 대북한 핵안전협정촉구 관련 이사국 교섭 및 발언현황. 끝.

북한의 핵 안전조치협정체결문제 관련 자료

- 목 차 -

0087

I . NPT와 북한의 핵안전조치협정

1. 핵무기 비확산조약(NPT)주요내용

2. 북한의 핵 개발현황

3. 북한-IAEA간 핵 안전협정체결교섭 경위

4. 북한의 핵안전협정 체결시 핵사찰 대상

첨부 : 가. 한국. IAEA간 핵안전조치협정

나. 한국이 받고 있는 핵사찰 내용

다. 미.쏘가 받고 있는 핵사찰 내역

라. IAEA 핵안전협정의 특별사찰관련 규정

0088

1. 핵무기 비확산조약(Treaty on the Non-Proliferation of Nuclear Weapons)주요내용

o 68.7.1. 채택

o 70.3.5. 발효 (한국, 75년 가입)

o 가입국 : 140개국

o 전문 및 11조로 구성

제 1 조

o 핵보유 조약당사국은 어떠한 국가(any recipient)에 대하여도 핵무기를 양도하거나 통제권을 이양치 않으며, 어떠한 비핵보유국(*NPT 가입여부와 무관)에 대하여도 핵개발을 지원치 않음

[참고 - 1] 조약내용상 선진 핵기술보유 비핵보유국에 의한 핵개발 지원은 허용된다고 볼 수 있으나, 실제로 NPT 비가입국에 대한 핵물질, 장비수출은 IAEA와의 부분안전협정 체결을 전제조건으로 이루어지고 있음

[참고 - 2] 조약상 '핵 보유국'은 67.1.1 이전 핵폭발을 실시한 국가를 의미함. 이에 해당하는 국가는 미, 영, 불, 소, 중국임

제 2 조

o 비핵보유 조약당사국은 핵무기를 양도받거나 개발치 않음

제 3 조

o 비핵보유국 조약당사국은 IAEA와 전면 안전협정(자국내 모든 핵물질 및 시설이 사찰대상)을 체결함

o 모든 조약당사국은 국제안전조치가 없는 경우 어떠한 비핵보유국에 대하여도 핵물질이나 장비를 제공치 않음

0089

[참고 - 1] IAEA와의 안전조치협정은 3가지 종류가 있는 바, NPT 가입 비핵 보유국의 경우 전면안전조치, 비가입국의 경우 부분안전조치, NPT 가입 핵보유국의 경우 자발적 안전조치등이 있음

[참고 - 2] 조약발효 180일 이후 NPT 가입국(예 : 북한)의 경우 가입서 기탁 일자 이전에 IAEA와의 협정체결 교섭을 개시하여야 하며, 교섭 개시일로 부터 18개월이내 협정이 발효토록 되어 있으나 91.6월 현재 북한 포함 51개국이 안전조치협정을 체결하지 않고 있음
동 51개국중 북한만이 핵활동(significant nuclear activities)을 하고 있기 때문에 우려의 대상이 되고 있음

제 4 조

o 모든 조약당사국은 평화적 목적을 위한 원자력의 연구, 생산 및 이용개발에 관해 불가양의 권리(inalienable right)를 가짐
o 모든 조약당사국은 원자력의 평화적 이용을 위한 설비, 자재 및 과학적. 기술적 정보를 가능한 최대한도로 상호교환(the fullest possible exchange)

[참고] 74.5. 인도의 핵폭발이후 핵기술 선진국들의 핵기술 이전 규제조치 강화에 대해 비동맹. 중립그룹은 조약위반 행위라고 비난

제 5 조

o 핵폭발 평화적 응용에서 파생되는 이익은 비핵보유 조약당사국에 제공되어야 함

[참고] 평화적 목적의 핵폭발이 군사적 목적의 경우와 기술적으로 구분하기 어렵고 핵실험 전면금지협약(CTBT)체결문제와도 상충되어 사실상 사문화된 조항

0090

제 6 조

o 조약 각 당사국은 핵군축 교섭을 성실히 추구함

[참고] 비동맹. 중립그룹은 비핵보유국이 조약상 핵무기 개발포기 의무를 성실히 이행하고 있는 반면, 핵보유국은 핵군축 의무를 성실히 이행치 않고 있다고 비난하고 조약 의무 이행에 관한 double standard가 철폐되어야 한다고 주장

제 7 조

o 비핵지대 설치권리 인정

제8조 - 제11조

o 최종조항(조약개정, 서명, 탈퇴, 작성언어등 규정)

0091

공 란

공　　란

3. 북한 - IAEA간 핵안전협정체결 교섭 경위

o 85.12　　북한, 핵비확산조약(NPT) 가입

o 86.2　　IAEA 사무국, 북한측에 협정초안 전달

- IAEA 사무국은 착오로 NPT 비당사국과 체결하는 협정초안을 북한측에 전달

o 87.6.2　　북한, 상기 협정초안을 거부한다고 IAEA에 통보

o 87.6.5　　IAEA 사무국, NPT 당사국과 체결하는 표준 협정안을 북한측에 재 송부

o 89.9.6　　북한, 상기 표준 협정안 검토후 하기 제의 포함한 정치적 및 기술적 논평을 IAEA에 제시

- 협정 전문(preamble)에 협정의 시행, 효력 지속 기간을 핵 보유국의 태도에 연결한다는 내용을 삽입
- 제26조 효력조항에 협정의 효력지속을 정치적 문제와 연결, 즉 상황에 따라 효력 정지를 가능케하는 단서조항 추가

o 89.9.21　　IAEA, 북한의 논평이 표준 협정안의 기본조항으로부터 일탈하기 때문에 수락불가 하다는 입장통보

o 89.10.17-23　　IAEA 조사단 북한 방문, 북한입장 타진시 북한은 IAEA의 상기 반응(response)을 연구중이라고만 표명

o 89.12.11-14　　북한 법률전문가 비엔나 방문, 북한과 IAEA간 표준협정안에 대한 정식 교섭 개시하였으나, 북한이 아래 입장을 고수, 이견을 노정

- 협정의 효력발생 및 지속기간을 한반도의 핵무기 철거와 연계
- IAEA에 대한 정보제공 대상을 핵물질로 한정하고 핵시설은 제외

0094

o 90.1.15 비엔나에서 속개된 2차 교섭에서 북한은 기술적사항에 관해서는 IAEA 입장을 모두 수락하였으나, 표준 협정안의 효력조항(제26조)에 "한반도로부터 핵무기가 철거되지 않고 북한에 대한 핵위협이 계속될 경우, 협정의 효력을 정지시킬 수 있다"는 유보조항 삽입 요구

o 90.6.14 북한은 IAEA 이사회에서 미국의 북한에 대한 명시적 핵선제 불사용을 보장할 것을 요구

o 90.7.10-12 북한은 비엔나에서 IAEA와 협정체결에 관한 제3차 교섭 전개

- 북한은 핵안전협정에 조건없이 즉시 서명하고, NPT 제4차 평가회의(90.8) 이전에 IAEA 특별 이사회를 소집, 동협정을 상정할 준비가 되어있다고 언급
- 그러나, 북한은 미국의 핵선제불사용보장(NSA)을 받기 위해 미국과의 직접협상을 제의하고 미측 수락을 요구

o 90.8.20-9.14 미국측이 북한에 대한 특별한 NSA 보장은 불가하다는 입장을 분명히 하자, 북한은 협정체결 전제조건으로서 한반도 핵무기 철수 및 비핵지대화 제안등 종래입장을 반복 주장

o 90.11.2 IAEA 사무총장은 북한과 IAEA는 협정초안에는 합의하였으나, 북한이 요구하고 있는 NSA 보장 문제는 미-북한간 문제로서 IAEA가 직접 개입할 문제가 아니라고 언급

o 91.5.28 주 비엔나 북한대사, IAEA 사무총장에게 협정 체결 교섭재개 제의 (서한 전달)

o 91.6.7 북한 순회대사 진충국, IAEA 사무총장에게 협정서명의사 통보

- 91.7.10-15간 전문가 회의 개최, 협정의 본질 내용을 수정함이 없이 문안 최종 확정제의
- 확정된 협정안은 IAEA 9월 이사회에서 승인후 북한 서명 제의

0095

4. 북한의 핵안전협정 체결시 핵사찰 대상

가. IAEA가 북한에 제의한 핵안전협정안은 IAEA의 표준협정안으로서 NPT 가입국 중 핵비보유국가들은 이와 동일한 형태의 협정을 체결하고 있음

나. 따라서 북한이 핵안전협정을 체결할 경우, 아국과 마찬가지로 북한의 모든 핵시설 및 핵물질은 IAEA의 사찰대상이 됨

다. 그러나 상기 사찰대상은 북한이 제시하는 시설과 장소에만 국한되므로 북한이 그 존재를 부인하는 핵재처리 시설등은 사찰대상이 되지않음

첨 부 : 가. 한국. IAEA간 핵안전조치협정

나. 한국이 받고 있는 핵사찰 내용

다. 미.쏘가 받고 있는 핵사찰 내역

라. IAEA 핵안정협정의 특별사찰관련 규정

0096

〈첨 부〉

한국, IAEA간 핵안전조치 협정(전문과 98조로 구성)

가. 체결 경위

o 우리나라는 1975.4 핵무기 비확산조약(NPT) 가입후 동조약 제3조에 의거 1975.11 안전조치협정 체결

o 핵 비보유 NPT 가입 국가에 해당되는 IAEA 문서 INFCIRC/153 내용에 따라 안전조치협정을 체결, 세부적인 절차는 1976.2 체결한 동 협정의 보조 약정(Subsidiary Agreement)에 규정되어 있음

나. 안전조치 협정의 주요내용

(1) 안전조치 대상 핵물질 및 시설 (전문 및 제98조)

o 핵물질 : 플루토늄, 우라늄, 토리움등

o 핵시설 : 원자로, 전환공장, 가공공장, 재처리 공장등으로서 정량 1Kg이상의 핵물질이 통상 사용되는 장소

(2) 안전조치 적용 및 이행 기본원칙(제1조-제10조)

o 핵 비확산의 검증만을 목적으로 안전조치 수행

- 평화적 핵 활동에 대한 부당한 간섭 배제

o 해당국은 안전조치 대상 핵물질 및 시설에 대한 최소한의 필요 정보 제공

(3) 국가 핵물질 안전조치 체제 확립(제31조,제32조)

o 각 당사국별로 안전조치 수단 확립과 이를 위한 관련 규정제정 및 운영

- 핵물질의 인수, 생산, 선적, 이전량 및 재고량 측정

- 측정의 정확성, 정밀도 및 불확실성 평가

- 물자 재고목록 작성 절차등

(4) 핵물질에 대한 기록유지 및 보고(제51조-제69조)

o 기록 유지의 대상, 국제적 측정기준 및 보관기관(최소5년)설정

o 계량기록 및 작업기록에 포함시켜야할 사항 선정

o 핵물질 계량 기록 보고(계량, 특별 및 추가 보고서등)

0097

(5) 핵시설 설계에 대한 정보(제42조-제50조)

o 검증의 편의를 위해 안전조치 관계시설 및 핵 물질 형태의 확인

o 신규시설은 핵물질 반입전 가능한 조속히 보고

o 설계정보내용

- 시설의 일반적 특성, 목적, 명목 용량 및 지리적 위치등

- 핵물질의 형태, 위치 및 유통 현황등

(6) 안전조치의 기점, 종료 및 면제(제11조-제14조, 제33조-제38조)

o 핵물질의 국내 수입시 부터 안전조치 적용

o 핵물질의 소모, 희석으로 더 이상 이용 불가능하거나 회수 불가능시 (IAEA와 협의) 또는 당사국 밖으로 핵물질 이전시(IAEA에 사전 통보) 종료

o 기기 감도 분석으로 이용되는 gm 규모 이하의 특수 분열성 물질은 면제

(7) 핵물질의 국제이동(제91조-제97조)

o 당사국 밖으로 핵물질 반출시 IAEA에 사전통고

- 반출 핵 물질의 책임 수령일로 부터 3개월 이내 동 물질의 이전 확인 약정 조치 필요

o 당사국내로 핵물질 반입시 IAEA에 보고

- 안전조치 대상 핵 물질 반입시 반입량, 양도지점 및 도착일시등 보고

- 반입시 수시 사찰 가능

(8) 안전조치 사찰(제70조-제90조)

가) 사찰종류

o 수시 사찰(ad hoc inspection)

- 최초 보고서에 포함된 정보 검증

- 최초 보고일자 이후에 발생한 상황변화에 대한 검증

- 핵 물질의 국제이전에 따른 핵물질의 동일성 검사

0098

o 일반 사찰(routine inspection)

- 핵 안전협정의 내용에 따른 정기사찰

- 보고서 내용과 기록과의 일치 여부에 대한 통상적 사찰

o 특별사찰(special inspection)

- 특별 보고서상의 정보를 검증할 필요가 있을 때나 (특별보고서는 돌발적인 사고, 상황으로 인한 핵물질 손실 발생시에 협정 당사국이 IAEA에 제출)

- 일반 사찰 정보와 당사국 제공 정보가 책임이행에 충분치 못하다고 판단되는 경우에 특별사찰

- 협정 당사국의 동의가 없는 한 특별사찰 실시는 불가능

나) 사찰 범위

o 계량기록 및 작업기록 검토

o 안전조치 대상 핵물질의 독자적 측정

o 핵물질 측정, 통제기기의 기능검정 및 검증

다) 사찰 통고

o 수시사찰 : 사찰 내용에 따라 최소 24시간 내지 일주일전 통보

o 일반사찰 : " " "

o 특별사찰 : 당사국과 IAEA간 사전 협의후 조속한 시일내

다. 보조약정 주요내용

o 안전조치협정 제39조에 따라 안전조치 적용을 위한 절차와 시행방법을 명시

o 한국과 IAEA간 업무연락방법, 제반관계서류 및 작성방법, 행정절차 및 조치기한등에 관한 규정을 포함하여 한국내의 모든 평화적 핵활동에 적용되는 일반사항 규정

o 한국내 안전조치 대상시설 및 물질수지(material balance)구역별 사찰 방법, 횟수 및 강도의 IAEA 보고등 구체적인 사항을 명시한 시설부록을 포함

0099

라. 아국의 안전조치가입 의의 및 중요성

o 핵안전관련 주요 국제협정 가입

- 핵무기비확산 조약('75)

- 한.IAEA 안전조치 협정('75) 및 보조약정('76)

- 양국간 원자력 협정 및 다자간 안전조치 협정 체결

: 미국, 불란서, 카나다, 호주등과 양자 협정체결

- 핵물질의 물리적 방호에 대한 협약 체결(87.2)

o 조약상 의무사항 준수

- 핵물질 관련 계획의 통제 및 허가

- 핵물질 계량관리 및 기록 유지

- 핵물질 재고 변동 및 보유현황을 IAEA에 정기. 비정기적 보고

- 검증.확인을 위한 IAEA의 아국 핵 시설 사찰 허용 및 협조

- 국내 사찰을 통한 독자적 검증 및 확인

o 원자력의 평화적 이용 확대 및 발전에 기여

- 핵물질의 효율적 계량관리 및 통제를 위한 사전대책 마련 가능

- 국가 안전체제의 구축.운영을 통한 원전 핵심기술의 국내이전 촉진 및 자립계획 조기 완수.

0100

공 란

미.쏘가 받고 있는 핵사찰 내역

1. IAEA의 안전조치 협정체결 의무는 핵무기비확산조약(NPT)가입국중 핵 비보유국에만 적용되므로 미.쏘는 IAEA의 안전조치 협정에 의한 사찰을 받을 의무가 없음

2. 현재 미.쏘는 비군사용원자력 시설에 한하여 자발적으로 IAEA의 안전조치를 적용하고 있으나, 극히 소수의 원자력 시설에 대해서만 형식적으로 사찰을 받고 있음 (이는 핵보유국의 IAEA 사찰 대상 제외에 대한 핵비보유국들의 비난을 면하기 위한 목적도 있음)

0102

IAEA 핵안전협정의 특별사찰 관련 규정

1. IAEA 핵안전협정의 특별사찰 규정

가. 특별사찰 근거(제73조)

o 특별 보고서상의 정보를 확인할 필요가 있을 때

* 특별보고서는 돌발적인 사고, 상황으로 인한 핵물질 손실 발생시 협정 당사국이 IAEA에 제출

o 일반사찰에 의한 정보와 당사국이 제공한 정보가 책임이행에 충분치 못한 것으로 IAEA가 판단하는 경우

나. 특별사찰 실시 절차(제77조)

o 협정당사국과의 사전협의를 요함

2. 특별사찰의 문제점

o IAEA측으로서는 의혹이 있다고 판단되는 협정 당사국의 핵시설에 대하여 특별사찰을 실시하고자 하더라도 협정당사국의 동의가 없는 한 불가능

- 지난 91.5.27 일본 교토 개최 유엔 군축회의에서 가이후 일본수상은 IAEA 핵사찰제도를 효율화하기 위하여 특별사찰 제도의 강화를 주장

o 따라서 북한이 핵 안전협정을 체결하더라도 북한의 비공개 원자로와 핵재처리 시설등은 북한이 자진해서 사찰 대상이 되도록 신고하지 않는한 IAEA가 강제적으로 사찰을 실시할 수 없음. 그러나 IAEA는 동시설에 대한 특별사찰 실시를 위한 협의를 북한측에 제기할 수는 있음.

3. 특별사찰 실시 전례

o IAEA는 91.4.3 유엔안보리 결의(No. 687)에 의거 91.5.14-22간 이라크의 핵 시설에 대한 강제성격의 특별사찰을 실시한 바, 동사찰이 IAEA에 의한 최초의 특별사찰 임.

0103

4. 참고 : IAEA 핵안전 협정규정상 사찰 종류

가. 일반사찰(routine inspection)

o 핵안전 협정의 내용에 따른 정기사찰

* 정기사찰 대상인 핵 관련시설과 사찰 내역을 협정의 보조약정 부록 (별책)으로 작성

o 당사국의 보고서와 기록과의 일치 여부에 대한 통상적 사찰

o 사찰내용에 따라 최소 24시간 내지 일주일전 통보

나. 수시사찰(ad hoc inspection)

o 협정에 따른 안전조치 대상 핵물질에 관한 당사국의 최초 보고서에 포함된 정보의 검증

o 최초 보고 일자 이후에 발생한 상황의 변화(핵시설의 건설등)에 대한 검증

o 사찰내용에 따라 최소 24시간 내지 일주일전 통보

다. 특별사찰(special inspection)

o (전 술) 끝.

0104

Ⅱ. 참고 자료

1. 국제원자력기구개요

(International Atomic Energy Agency)

가. 기구개요

o 설 립 : 1957.7.29 (유엔전문기구)
(1953.12. Eisenhower 미 대통령 제창)

o 목 적

- 원자력의 평화적 이용증진

- 원자력의 군사적 이용금지

o 본 부 : 오스트리아, 비엔나

o 회 원 국 : 116개국(91.12)

o 조 직

- 총 회 : 매년 9월 비엔나에서 개최

- 이사회(35개국) : 매년 2월, 6월, 9월, 12월 개최
IAEA의 실질적인 최고 집행기관 (~~업무수행~~)

- 사무국 : 사무총장 산하 5개부에 1,700여 직원 근무

o 사무총장 : Hans Blix(스웨덴인)

o 이사회의장 : ~~Roman Zelazny(폴란드인)~~
Manuel Mondino(아르헨티나인)

나. 아국과의 관계

o 1957. IAEA 창설 회원국으로 가입

o 매년 IAEA 총예산의 0.22% 분담(91년도 : ~~$370,727~~ $328, OPX)

o 1957년 이후 8회에 걸쳐 이사국 역임(현재 비이사국 : 91-93)

o 북한은 1974.9. 제18차 총회시 가입(79-81, 이사국 역임)

0105

2. IAEA 이사국 현황

91. 10

구	분	이사국수	국 명(임 기)
당연직 이사국 (13개국) : 이사회가 매년지정	o 원자력 선진국 및 핵물질 공급국	10	미국, 독일, 소련, 카나다, 프랑스, 일본, 영국, ~~스웨덴~~ [벨지움], 호주, 중국
	o 원자력 선진국이외 지역의 핵물질 생산 선진국	3	
	- 라틴 아메리카	(1)	알젠틴
	- 아프리카	(1)	이집트
	- 중동 및 남아	(1)	인 도
지역선출 이사국 (22개국) : 매년 총회에서 11개국씩 개선	o 지역대표 이사국	20	
	- 라틴 아메리카	(5)	~~칠레, 베네주엘라 (89-91)~~ [멕시코, 에콰도르 (91-93)] 브라질, 쿠바, 우루과이 (90-92)
	- 서 유럽	(4)	~~벨기에, 이태리 (89-91)~~ [그리스, 노르웨이 (91-93)] 오지리, 폴투갈 (90-92)
	- 동 유럽	(3)	~~폴란드, 체코 (89-91)~~ [불가리아, 루마니아 (91-93)] 우크라이나 (90-92)
	- 아프리카	(4)	~~나이제리아, 튜니시아 (89-91)~~ [알제리아, 짐바브웨 (91-93)] 카메룬, 모로코 (90-92)
	- 중동 및 남아	(2)	~~사우디 (89-91)~~ [파키스탄 (91-93)], 이란 (90-92)
	- 동남아 및 태평양	(1)	인도네시아 (90-92)
	- 극동	(1)	~~필리핀 (89-91)~~ [한국 (91-93)]
	o 윤번이사국	2	
	- 중동 및 남아. 동남아 및 태평양. 극동	(1)	~~이라크 (89-91)~~ [베트남 (91-93)]
	- 아프리카. 중동 및 남아. 동남아 및 태평양	(1)	태국 (90-92)
	계	35	

~~※ 아국은 이사국 연임 금지규정에 의거 현재 비이사국~~

~~87-89년 이사국 역임, 91.9월 총회시 이사국 출마 예정~~

0106

3. 대북한 핵안전협정 촉구 관련 IAEA 이사국 교섭 및 발언기록

1. 1990.2월 이사회

o 대북한 협정체결촉구발언 교섭 국가(7개국)

- 일본, 독일, 호주, 카나다, 화란, 벨기에, 영국

o 실제로 발언한 국가(16개국)

- 호주, 미국, 영국, 화란, 카나다, 소련, 필리핀, 멕시코, 서독, 이태리
  말레이지아, 이집트, 페루, 일본, 폴란드, 튜니시아

2. 1990.6월 이사회

o 대북한 협정체결촉구발언 교섭 국가(19개국)

- 서독, 영국, 화란, 벨기에, 카나다, 호주, 일본, 필리핀, 말련, 폴란드
  스웨덴, 덴마크, 이집트, 페루, 멕시코, 베네주엘라, 가나, 코트디브와르,
  나이제리아

o 실제로 발언한 국가

- 북한을 거명한 국가(18개국)
  서독, 폴란드, 미국, 소련, 이집트, 영국, 페루, 베네주엘라, 필리핀,
  호주, 화란, 동독, 일본, 스웨덴, 덴마크, 벨지움, 말레이지아, 카나다
- 북한 거명없이 발언한 국가(2개국)
  프랑스, 이태리

3. 1990.9월 이사회

o 1990.9월 이사회 대비, 대우방국 교섭은 기존입장을 확인하는 정도의 수준
  으로 하였음

0107

o 15개국이 북한을 거명하여 발언

- 미국, 화란, 호주, 카나다, 서독, 일본, 프랑스, 쏘련, 영국, 동독, 폴란드, 체코, 스웨덴, 이집트, 이태리

4. 1991.2월 이사회(2.26-28)

o 대북한 협정체결 촉구 발언교섭 국가(14개국)

- 쏘련, 영국, 벨지움, 체코, 독일, 모로코, 나이제리아, 튜니시아, 폴투칼, 베네주엘라, 이태리, 인니, 태국, 호주

o 실제 대북한 협정촉구 발언국가(16개국)

- 폴란드, 일본, 인니, 체코, 독일, 미국, 벨지움, 카나다, 이태리, 쏘련, 호주, 이집트, 영국, 오지리, 한국, 헝가리

5. 1991.6월 이사회 (6.10.-14.)

o 대북한 협정체결 촉구 발언교섭 국가(26개국)

- 오스트리아, 알젠틴, 벨지움, 브라질, 카메룬, 칠레, 체코, 프랑스, 독일, 이란, 이태리, 모로코, 나이제리아, 폴랜드, 폴투갈, 사우디, 스웨덴, 튀니지아, 우루과이, 베네주엘라, 이집트, 인니, 태국, 비율빈, 쏘련, 영국

o 대북한 협정체결문제 관련 발언국가(30개국)

- 호주, 칠레, 카나다, 일본, 쏘련, 베네주엘라, 인니, 불란서, 독일, 이태리, 벨지움, 미국, 필리핀, 폴랜드, 체코, 중국, 태국, 스웨덴, 영국, 나이제리아, 오스트리아, 이란, 쿠바, 튀니지아, 인도, 이집트, 폴투갈 (이상 27개 이사국)
- 한국, 수단, 헝가리(이상 3개 옵서버국)

o 이사국중 비발언국(8개국)

- 알젠틴, 브라질, 우루과이, 우크라이나, 모로코, 이라크, 카메룬, 사우디

0108

6. 1991. 9월 이사회 (9.11-13)

o 북한의 핵안전협정 조속체결촉구 결의안 제출

(공동제안국 : 호주, 오스트리아, 벨지움, 카나다, 체코, 일본, 폴랜드,

폴투갈, 스웨덴, 이태리)

o 결의안 표결결과

- 찬성(27) : 미국, 소련, 프랑스, 독일, 영국, 일본, 카나다, 호주,

스웨덴, 이집트, 우루과이, 칠레, 베네수엘라, 오스트리아,

폴투갈, 벨기에, 이태리, 우크라이나, 폴란드, 체코, 모로코,

나이지리아, 튜니지, 사우디, 인니, 태국, 필리핀

- 반대 (1) : 큐바

- 기권 (6) : 중국, 인도, 알젠틴, 브라질, 이란, 이라크

- 불참 (1) : 카메룬

7. 1991. 12월 이사회 (12.5-7)

o 북한의 핵 안전 협정 체결촉구 발언국 (15개국)

- 한국, 미국, 일본, 호주, 카나다, 독일, 오스트리아, 스웨덴, 에쿠아돌, 영국, EC(폴투갈이 대변),

[illegible], 태국, 알젠틴, 우루과이

o 북한에 기술협력사업 승인 유보 입장 표명국 (8개국)

- 한국, 미국, 일본, 카나다, 호주, 독일, 스웨덴, 태국

0109

STATEMENT BY THE REPRESENTATIVE OF THE
DEMOCRATIC REOPLE'S REPUBLIC OF KOREA,
AMBASSADOR JIN CHUNG GUK, ON 13 JUNE 1991,
IN THE BOARD OF GOVERNORS

Mr. Chairman,

I take this opportunity to express my gratitude to Mr. Director-General for delivering excellent report on the activities of the Agency. I'd like also thank the Secretariat for its sincere efforts to conclude the safeguards agreement at an early date with the member states.

The Democratic People's Republic of Korea has exerted its efforts to remove the threat of nuclear war on the Korean peninsula and make it nuclear-free and peace zone in line with the ideal of the Treaty since it joined the NPT.

To speak about our position on the present agenda, the DPRK is ready to sign the safeguards agreement and does not oppose inspection on us.

As clearly stated in the report of the Director-General, we have already informed the Agency that we decided to agree to the standard text of the NPT safeguards agreement. We have agreed that our experts' delegation visit the Agency in middle of July for the final adjustment of words in the safeguards agreement without any changes of the substance, and that this agreement to be submitted at the September Board meeting for its approval.

In disregard of it, some countries are trying to take so-called "resolution" in this Board meeting for the purpose of giving pressure upon us. This will only result in politicizing the Board meeting and creat difficulties in concluding the safeguards agreement between the Agency and us.

Mr. Chairman,

The issue we have raised in the amendment of Article 26 of the standard safeguards agreement should be resolved between the DPRK and the United States.

Frankly speaking, it is not a secret that negotiations between us and influential organizations of the United States are going on to find out reasonable solution of this issue.

Our demand for removing nuclear threat against our country is a just demand.

The United States should implement its obligations undertaken by the NPT as nuclear weapon state. This is our principal standpoint.

We cannot understand why Japanese, unreasonably provoking us, try to turn this Board meeting into a stage of political confrontation.

Japanese are so interested in the issue of non-proliferation of nuclear weapons. But they join hands with the United States, turning away their face from the numerous nuclear weapons deployed in the South Korea ready for war and only talking about the inspection on our so-called nuclear facilities which do not exist.

We are regretable that the representative of Japan made an inquiry at the first day of the Board meeting.

We strongly reject this inquiry regarding it as an infringement to the sovereignty of our nation and a schime to creat distrust on our country.

Mr. Chairman,

We express our hope that the Board meeting will bring out a fruitful result under your able chairmanship and by the positive contribution of all Governors.

Thank you.

0111

STATEMENT BY THE REPRESENTATIVE OF JAPAN

13 June 1991

The Conclusion of the Safeguards Agreement

Thank you, Mr. Chairman:

First, I thank Ambassador Jin of the Democratic Peoples' Republic of Korea for his statement. I listened carefully to his statement, and would now like to make some comments on it.

(1) Firstly, I welcome the fact that the DPRK has decided to agree to the NPT standard text and that an expert delegation will visit the Agency in July for the final adjustment of the agreement without any change to its substance. I also welcome the fact that this agreement is to be submitted at the September Board for its approval.

(2) Secondly, I would like to note from the statement of the DPRK that it is ready to sign the Safeguards agreement. Do we understand that this step will be taken immediately after the Board's approval, without any precondition?

(3) Thirdly, it is not clear yet if the DPRK intends to make notification to the Agency to bring the agreement into force after it signs the agreement, as we did not notice any clear reference to this point from Ambassador Jin.

(4) Finally, no clear reference was made to the fact that the DPRK would implement the agreement after its conclusion. However, we understand as a matter of fact that the DPRK will submit all its nuclear activities to the Agency's safeguards as required by the agreement.

.../2

0112

In addition, Mr. Chairman, the Democratic Peoples' Republic of Korea has linked this issue with the Negative Security Assurance by the United States in the past. However, we are still not clear as to whether the DPRK still maintains its position on this point.

I would like to stress that this is simply a matter of abiding by an international agreement, as the DPRK is a party to the NPT.

Mr. Chairman, as you may know, some of the Board Members, including Japan, intended to submit to this session a draft resolution requesting the DPRK's prompt conclusion of the safeguards agreement. However, taking into consideration today's statement by distinguished Ambassador Jin, we suspend our immediate action.

Finally, I would like to say one thing. Ambassador Jin said that Japan's intervention on Monday was provocative. I assure you, however, that the sole purpose of our intervention was to seek clarification from a purely technical and procedural point of view, and that, as Ambassador Jin stated, Japan is very interested in the issue of non-proliferation of nuclear weapons for world peace.

Thank you, Mr. Chairman.

0113

JUNE 1991 BOARD OF GOVERNORS

STATEMENT BY THE REPRESENTATIVE OF THE U.S.A.

Mr. Chairman:

My delegation notes the Director General's report that the DPRK has sought to resume negotiations with the IAEA in order to finalize an NPT Safeguards Agreement. If the DPRK is resuming negotiations as a prelude to promptly signing and implementing the agreement, we of course welcome the action.

In November, IAEA Director General Blix stated that the Agency and North Korea were in full agreement concerning the text of the document. Consequently, we believe that the Agreement can and should be concluded immediately. If an agreement is concluded, the DPRK should bring it into force and the parties should move to implement it fully without delay.

Available information indicates that the DPRK has been operating an unsafeguarded reactor at its Yongbyon Nuclear Research Center since 1987. It is important that this reactor and its support facilities -- as well as all other nuclear activities in the DPRK -- be brought under the coverage of IAEA safeguards.

Conclusion and full implementation of an NPT safeguards agreement by the DPRK would make a substantial contribution to the international non-proliferation regime and it would be a significant and positive step in reducing tensions in Northeast Asia.

0114

Thank you, Mr. Chairman.

Statement
made by
Ambassador Chang-Choon Lee
Resident Representative of the Republic of Korea to IAEA
at the Meeting of the Board of Governors, IAEA
on 13 June 1991, Vienna

Mr Chairman,

Thank you for giving the floor to my delegation. For record and for reference of all Governors and other interested people, I take the floor to give a brief background of the matter under discussion and make a few observations on it. First of all, I would like to take this opportunity to express my sincere appreciation to you and all Governors for the untiring efforts to ensure an earlier conclusion of an NPT safeguards agreement between the Democratic People's Republic of Korea(DPRK) and the Agency. I also wish to commend the Director General and the members of his staff for their endeavours in conducting a tedious negotiation with the DPRK.

At the outset, we cannot conceal our strong disappointment and regret at an unwarranted, prolonged delay by the DPRK in carrying out its unambiguous commitments to the Treaty on the Nonproliferation of Nuclear Weapons.

Over the last two and a half years, the DPRK has been urged time and again to sign without delay the NPT safeguards agreement in question.

Through the letter of the Director General dated 22 June 1990 sent to the Foreign Minister of the DPRK, the Board conveyed to the authorities in

-1-

0115

Pyongyang the deep concerns of its members expressed during the June Board meeting of last year. At the time, the Director General reminded the DPRK that it has an unconditional obligation to conclude a safeguards agreement under Article III(1) of NPT. The DPRK has yet to make a reply to the letter of the Director General.

Last month, the Chairman of the Board Prof Zelazny wrote to the same Foreign Minister of the DPRK to inform him of a discussion on the question of the DPRK's safeguards agreement with the Agency at the last February Board meeting. Having conveyed to the authorities in the DPRK the concern of the Board, the Chairman of the Board expressed his profound hope that the DPRK would fulfil in the very near future its obligations which it voluntarily took upon itself by acceding to NPT five and a half years ago.

In the absence of any reply by the DPRK to these two letters — one from the chief executive of IAEA and another from its main decision-making body — we were told from the Director General on Monday that the DPRK has decided to agree to the standard text of an NPT safeguards agreement as presented by the Agency. We were also informed that talks are scheduled to take place between experts in July for the final adjustment of details in the text without any changes of substance in the expectation that the agreement will be ready for approval by the Board in September.

Having heard of what the DPRK told the Secretariat and the Board this morning, the conventional wisdom may welcome the decision of the DPRK to agree to the draft safeguards agreement as presented by the Agency, and take it that the DPRK will sign the agreement after the finalization of its text in July and implement its provisions in good faith.

0116

However, we can hardly suppress our scepticism towards the genuine intention of the DPRK to take all the necessary steps to fulfil its obligations under NPT, and we can hardly discard our suspicion arising out of the stereotyped fashion of the DPRK in manipulating the general meaning of languages it uses, let alone a bona fide contextual interpretation of what it says. Because equivocation is a modus operandi of the DPRK. We understand this is why, at the beginning of this meeting, the Ambassador of Japan sought clarification from the DPRK regarding the report of the Director General made on Monday and the annual report for 1990.

Mr Chairman,

This time last year, the DPRK raised expectation by informing the Director General, that the Government of the DPRK wishes to resume the negotiations on the safeguards agreement in July. At the time, the members of the Board were expecting the DPRK to fulfil its obligations under NPT by signing the safeguards agreement before the opening of the NPT Review Conference in August at Geneva. However, we were all informed during the last September meeting of the Board that the expectation was shattered.

One year later, the DPRK is again raising expectation among the members of the Board by informing the same Director General, on the same occasion of the June Board meeting, that it wishes to resume, in the same month of July, the negotiations with IAEA. We are afraid this annual exercise by the DPRK is a charade both to satisfy the members of the Board and to give the impression that the DPRK is abiding by its international commitments.

0117

With the above observations in mind and despite unsatisfactory explanation by Ambassador Jin of the DPRK this morning, we are nonetheless not going to be pessimistic over the question of the conclusion of the safeguards agreement by the DPRK and its adjustments to changes taking place in the world's political and other conditions.

We welcomed the recent decision of the DPRK to join the United Nations. This decision is regarded as a major shift in Pyongyang's external policy which will lead to more pragmatism and disillusionment.

We want to believe that a more realistic trend in the DPRK will continue to encourage its speedy reconciliation with the outside world and its faithful compliance with rules of international law.

We are going to wait and see how the DPRK respond to what the members of the Board have called for the meeting today.

We will give the DPRK kind of the benefit of the doubt for the time being until we are obliged to take all necessary action to ensure the fulfilment of the legal obligations of the DPRK under NPT.

We would like the DPRK to live up to its obligations under international law and to change voluntarily in order that it should not accept any adverse consequences to derive from failure to comply with its international commitments.

Before concluding, I wish to express my sincere gratitude to 29 members of the Board for their interventions in this matter of vital importance to the Korean peninsula and its neighbouring countries as well as world peace.

I am grateful to those speakers who have taken the floor for their endeavours in ensuring an earlier conclusion of the safeguards agreement with the DPRK and its prompt implementation.

0119

BOARD OF GOVERNORS　　　　　　　　　Meetings starting on 13 June 1991

Summing-up by the Chairman

Many Governors called on the Democratic People's Republic of Korea to conclude and bring into force a standard-type NPT safeguards agreement without delay. At the same time, we have been told by the distinguished Ambassador-at-large Mr. Jin Chung Guk that the authorities of his country have decided to agree to the standard text of an NPT safeguards agreement at meetings to be held with the Agency's Secretariat in July and that this Agreement will be submitted to the Board for approval at its September session. This positive message was welcomed in the Board.

I take it that there is a strong expectation in the Board that the July meetings will lead to the submission of a standard-type NPT safeguards agreeent to the Board for approval at its September session and that the agreement will then be signed and brought into force without delay.

I thank the distinguished Ambassador-at-large of the Democratic People's Republic of Korea for having been with us today and for his positive statement. I hope that he will convey to his Goverment the conviction expressed here by many Governors that his country should conclude and bring into force a safeguards agreement with the Agency as required by NPT without delay and without conditions.

0120

대북한 핵안전협정 촉구 관련 IAEA 이사국 교섭 및 발언현황

1. 1990.2월 이사회

o 대북한 협정체결촉구발언 교섭 국가(7개국)

- 일본, 독일, 호주, 카나다, 화란, 벨기에, 영국

o 실제로 발언한 국가(16개국)

- 호주, 미국, 영국, 화란, 카나다, 소련, 필리핀, 멕시코, 서독, 이태리 말레이지아, 이집트, 페루, 일본, 폴란드, 튜니시아

2. 1990.6월 이사회

o 대북한 협정체결촉구발언 교섭 국가(19개국)

- 서독, 영국, 화란, 벨기에, 카나다, 호주, 일본, 필리핀, 말련, 폴란드 스웨덴, 덴마크, 이집트, 페루, 멕시코, 베네주엘라, 가나, 코트디브와르, 나이제리아

o 실제로 발언한 국가

- 북한을 거명한 국가(18개국)

  서독, 폴란드, 미국, 소련, 이집트, 영국, 페루, 베네주엘라, 필리핀, 호주, 화란, 동독, 일본, 스웨덴, 덴마크, 벨지움, 말레이지아, 카나다

- 북한 거명없이 발언한 국가(2개국)

  프랑스, 이태리

3. 1990.9월 이사회

o 1990.9월 이사회 대비, 대우방국 교섭은 기존입장을 확인하는 정도의 수준으로 하였음

0121

o 15개국이 북한을 거명하여 발언

- 미국, 화란, 호주, 카나다, 서독, 일본, 프랑스, 쏘련, 영국, 동독,
  폴란드, 체코, 스웨덴, 이집트, 이태리

4. 1991.2월 이사회(2.26-28)

o 대북한 협정체결 촉구 발언교섭 국가(14개국)

- 쏘련, 영국, 벨지움, 체코, 독일, 모로코, 나이제리아, 튜니시아, 폴투칼.
  베네주엘라, 이태리, 인니, 태국, 호주

o 실제 대북한 협정촉구 발언국가(16개국)

- 폴란드, 일본, 인니, 체코, 독일, 미국, 벨지움, 카나다, 이태리, 쏘련,
  호주, 이집트, 영국, 오지리, 한국, 헝가리

0122

외교문서 비밀해제: 북한 핵 문제 6

북한 핵 문제 IAEA 핵안전조치협정 체결 2

초판인쇄 2024년 03월 15일
초판발행 2024년 03월 15일

지은이 한국학술정보(주)
펴낸이 채종준
펴낸곳 한국학술정보(주)
주 소 경기도 파주시 회동길 230(문발동)
전 화 031-908-3181(대표)
팩 스 031-908-3189
홈페이지 http://ebook.kstudy.com
E-mail 출판사업부 publish@kstudy.com
등 록 제일산-115호(2000. 6. 19)

ISBN 979-11-7217-079-0 94340
979-11-7217-073-8 94340 (set)